O CLUBE DOS JARDINEIROS DE FUMAÇA

CAROL BENSIMON

O clube dos jardineiros de fumaça

3ª reimpressão

Grafia atualizada segundo o Acordo Ortográfico da Língua Portuguesa de 1990, que entrou em vigor no Brasil em 2009.

Capa
Estúdio Bogotá

Imagem de capa
© Aidan Meyer/ StockSnap

Mapa da p. 5
Leonardo Lott

Preparação
Julia Passos

Revisão
Adriana Bairrada
Isabel Cury

Os personagens e as situações desta obra são reais apenas no universo da ficção; não se referem a pessoas e fatos concretos, e sobre eles não emitem opinião.

Dados Internacionais de Catalogação na Publicação (CIP)
(Câmara Brasileira do Livro, SP, Brasil)

Bensimon, Carol
O clube dos jardineiros de fumaça / Carol Bensimon. — 1ª ed. — São Paulo : Companhia das Letras, 2017.
ISBN: 978-85-359-3012-2

1. Ficção brasileira I. Título.

17-09041 CDD-869.3

Índice para catálogo sistemático:
1. Ficção : Literatura brasileira 869.3

EDITORA SCHWARCZ S.A.
Rua Bandeira Paulista, 702, cj. 32
04532-002 — São Paulo — SP
Telefone: (11) 3707-3500
www.companhiadasletras.com.br
www.blogdacompanhia.com.br
facebook.com/companhiadasletras
instagram.com/companhiadasletras
twitter.com/cialetras

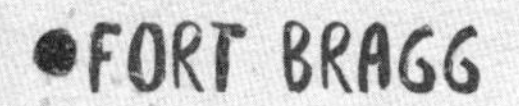

HUMBOLDT
TRINITY
LEGGETT
COVELO
101
CONDADO DE MENDOCINO
1
OCEANO PACIFICO
FORT BRAGG
WILLITS
20
MENDOCINO
COMPTCHE
REDWOOD VALLEY
ALBION
20
UKIAH
LAKE
ELK
128
PHILO
1
101
BOONVILLE
HOPLAND
POINT ARENA
ANCHOR BAY
GUALALA
CALIFÓRNIA
SONOMA

"Você acha que o tempo está passando mais devagar ou mais rápido ou, de alguma maneira, diferente do normal?"

"Não parece diferente do normal. Só que... só que eu meio que perco a noção. Não sei se é cedo ou tarde..."

"Imagine que você tenha que se levantar e ir para o trabalho agora. Como você faria?"

"Eu acho que eu não daria a mínima para isso."

"Bom, imagine que este lugar esteja pegando fogo."

"Ia ser engraçado."

"Ia ser engraçado? Você acha que teria o ímpeto de se levantar e sair daqui, ou você simplesmente ia ficar assistindo?"

"Eu não sei. Não me parece que o fogo represente nenhum perigo neste momento... tudo parece engraçado no Exército. Tudo que as pessoas dizem parece um pouco engraçado..."

"É como se você estivesse de bom humor e pudesse rir de qualquer coisa?"

"Isso... é como sair com um monte de gente e daí todo mundo ficar rindo, todo mundo ficar só—"

"Fazendo farra?"

"Aham. E tudo parece engraçado."

"Você faria isso de novo? Faria esse teste de novo?"

"Aham. Claro. Eu não ia me importar nem um pouco."

[Entrevista com um soldado voluntário, sete horas depois de ter ingerido uma dose de EA2233, versão sintética do THC da maconha.
U.S. Army Edgewood Chemical Biological Center, 1961]

Ele queria entender tanta coisa. Lua sangrenta. A falha de San Andreas. Aquilo que parece fumaça e que chamam de Via Láctea e você pode ver quando está longe das cidades. As moscas da beira da praia. Impostos sobre gorjeta. Certas tatuagens. Uma mulher surfista com um rabo de cavalo grisalho. Ciclistas de roupas fluorescentes viajando pela Highway 1. Adesivos no para-choque dizendo "veterano do Vietnã". O canabidiol e os endocanabinoides. Entender de verdade. Lugares onde de repente todas as árvores morrem. A morte de sua mãe. A garota que faz bijuteria e seu discurso urgente sobre karma. Espiritualidade.

Arthur Lopes está sentado dentro de um carro na costa norte da Califórnia. Nada parece fazer muito sentido por enquanto, a começar pelo próprio carro, um Grand Marquis dourado, enorme, com frisos de plástico imitando veios de madeira, o último carro das pessoas que logo vão ficar velhas demais para dirigir. Pagou mil e oitocentos dólares por ele, duas semanas atrás, em Los Angeles. Havia um cartaz no vidro traseiro, colado com fita adesiva azul e escrito nas letras grandes perturbadoras de alguém que tinha se concentrado muito para escrever meia dúzia de palavras: "Todo o dinheiro vai para minha namorada". E a menina estava realmente lá enquanto Arthur contava as notas de cem dólares, o gordinho segurando a mão dela de uma maneira que podia tanto ser felicidade como desespero, os três de pé em uma rua vazia do centro de Los Angeles, perto demais do Skid Row, onde viciados em metanfetamina viviam em barracas do tipo iglu.

Não consegue pensar em Los Angeles agora de uma forma muito nítida, ou no Brasil ou em seu pai ou em Elisa, porque está naquele outro lugar, no píer de Point Arena, no condado de Mendocino, e esse lugar engoliu todos os outros. Continua parado na área de estacionamento. Na sua frente há uma pequena praia entre falésias monstruosas, encaixada através de processos geológicos sobre os quais ele não sabe coisa alguma. As navalhadas secas no rochedo ao menos deixam óbvio que nada aconteceu com tranquilidade. A Terra não dança, ele formula, fazendo uma careta para si mesmo como se já estivesse tomado por certo espírito californiano que o seu ceticismo quer desesperadamente rejeitar. A Terra expele, traga, convulsiona. Às vezes dá certo, outras vezes não.

Faltam quinze minutos para as três, o dia sem uma única nuvem, homens pescando no píer, um cara só de cueca vestindo sua roupa de neoprene. Um latino em uma picape vermelha desbotada estaciona ao lado do Grand Marquis, abre uma lata de alguma bebida doce demais e fica dentro do carro com os olhos vidrados no oceano. Essa é uma cidade de menos de quinhentos habitantes. As pessoas se divertem com o que têm. Vão no fim do dia até a rua principal e escolhem um dos lugares que ainda não fecharam as portas. Quase toda a parte sul de Point Arena está abandonada, como se os estabelecimentos esperassem todos juntos a chegada de um milagre econômico ou uma súbita disparada no número de turistas. Se o Napa Valley e o condado de Sonoma conseguem atrair tanta gente, por que eles não conseguiriam? A imobiliária East Ridge com folhas de compensado nas aberturas. A cantina italiana Gianinni's com um cartaz de "vende-se" ao lado de um retrato a óleo de Jesus Cristo. O centro comunitário da terceira idade. O Sea Shell Inn com os quartos sem mobília e as duas baleias grafitadas na parede.

Arthur tem um encontro às três horas. Não consegue se sentir exatamente confortável quando está a ponto de encontrar alguém que nunca viu antes. Tamara arranjou tudo para ele. Ela disse: "Tem uma pessoa que acho que pode te ajudar". Ser ajudado também não é algo que o deixa à vontade, de maneira que Arthur gostaria de pensar não nesses termos, ele como a parte que implora para aprender, mas talvez em uma troca, isso, uma troca justa e objetiva, embora ele não faça a menor ideia do que teria a oferecer a um cara de setenta anos chamado Dusk.

Ri um pouco do nome ao descer do carro. Crepúsculo. Totalmente californiano. Ele se sente então parte daquele cenário porque o calor do sol de repente toca seus braços e o vento está soprando e fazendo misérias com os cabelos de duas garotas que tiram fotografias com um celular. As duas olham para ele enquanto Arthur caminha rumo à única construção da pequena praia, tirando a casinha que ele acredita ser uma escola náutica e um prédio abandonado revestido de chapas metálicas, lá atrás, perto da estrada. Chega na estrutura comprida de madeira com alguns estabelecimentos comerciais, dos quais dois ou três estão para alugar. Enquanto acessa a escada externa e sobe até o Chowder House, pensa se Dusk vai se parecer com um hippie, um bandido ou uma mistura dos dois. Número três. Aquele é o condado de Mendocino, afinal, e todo o país sabe o que isso significa.

Alguns rostos envelhecidos parecem manter sua versão de quarenta e quatro anos atrás ainda acessível, como se estivessem nos jogando na cara uma evidência sobre o quanto o tempo é relativo. Dusk tem esse tipo de rosto. Mergulha a colher na sopa ainda fumegante. Arthur consegue perfeitamente enxergá-lo deixando o Texas com uma mochila nas costas e aqueles mesmos óculos em 1971. Gotículas salpicam o bigode grisalho mal aparado, mas isso não é importante porque ele está pedindo carona para a Califórnia e tem a impressão de que vai chegar tarde demais. Uma namorada o segurou em Austin e tudo bem enquanto o encantamento durou, só que agora parece ter sido uma coisa estúpida continuar amarrado a alguém que nunca iria entender seu desconforto existencial.

Dusk limpa a boca com o guardanapo de pano. O Chowder House é um grande salão comprido que não deve encher nem nos finais de semana de verão. Arthur tentou as *enchiladas*. Três garfadas e todo o interior da sua boca se transformou em uma caverna de fogo pedindo por alguma coisa fresca. Essa foi a última chance que ele deu para *enchiladas*. Talvez para qualquer comida mexicana.

"Claro que com vinte e poucos anos eu não tava preparado pra amor livre ou fossas sépticas", Dusk retoma. "Ninguém tava."

Ele tinha ficado apenas duas semanas vagando pelas ruas de San Francisco até descobrir que o sonho já era outro. Então catou suas coisas e partiu para o norte com um grupo de lunáticos místicos em ônibus escolares pintados com todas as cores de seus delírios lisérgicos. Enquanto eles serpenteavam pela Highway 1, uma garota leu a palma da sua mão. Os olhos dela estavam cheios de lágrimas. Aquilo não parecia exatamente um bom presságio.

Arthur tenta imaginar esse monte de garotos e garotas saindo da cidade e querendo viver da terra. Eles tinham vindo de todos os cantos do país e, como Dusk, passaram semanas ou meses mendigando nas esquinas do Haight-Ashbury, fumaram maconha e experimentaram LSD, benzedrina, metedrina, heroína, perderam seus violões surrados, pegaram pneumonia deitados no gramado do Golden Gate Park, declamaram poemas ruins em vão, foram presos, começaram sete vezes uma carta para os pais. Quando a cidade se tornou hostil demais para eles, chegaram à conclusão de que era preciso voltar à natureza, construir algo novo no meio do mato. Não, eles não estavam mesmo preparados para amor livre ou fossas sépticas, ou para criar cabras, fazer sopa de lentilha, geleia de amora, um banquinho, deixar a coleção de discos para trás, descamar peixes, cuidar de crianças, não estavam preparados para as cabanas, o inverno, o tédio inevitável do inverno. Mas talvez um alto nível de incapacidade, aliado à confiança cega da juventude, fosse o motor necessário para pôr em marcha uma pequena revolução. Serrar. Pregar. Cavar. Plantar. Discutir. Compartilhar. Quase tudo pela primeira vez. Acreditar. Sobretudo acreditar.

O sistema de som do restaurante reproduz sucessos da década de 50. Dramas adolescentes contados através de intrincadas harmonias vocais. Parece óbvio que o lugar está se empenhando bastante para criar um certo clima, mas o resultado acaba sendo deprimente e artificial. O fato de que há apenas mais duas mesas ocupadas também colabora para uma atmosfera de fracasso. Um cara sozinho em uma, três mulheres na outra. Divorciadas de Idaho ou de Montana tentando se convencer de que a vida é boa quando você viaja para lugares ensolarados com as amigas. A menos vaidosa delas usa uma camiseta do Bubba Gump, uma cadeia de restaurantes de frutos do mar.

Arthur pede mais água à garçonete. Ainda não conseguiu perguntar a Dusk o que queria. Está deixando que o velho hippie fale à vontade baseado na crença de que isso criará a necessária intimidade entre eles, embora nesse ponto desconfie que aquilo não seja um bom plano. Quanto mais Dusk fala, mais Arthur fica quieto.

"Qual o limite entre o coletivo e o individual? Todo mundo que começava a fazer um pouco de arte era automaticamente rechaçado pelo grupo, do tipo 'você não devia se preocupar com seus pequenos traumas burgueses, nós estamos falando de algo muito maior aqui'."

"Você fazia algum tipo de arte?"

"Nah. Quer dizer, eu tentei um pouco de escultura por um tempo. Até tinha talento, mas era péssimo com a figura humana. Gostava de corujas. Sabe aquela com a cara branca como um coração?" Ele dá uma risada. "Eu era meio obcecado por corujas. Mas aí é que tá. Na comunidade, eu me sentia culpado até de *pensar* no porquê disso."

"Você tava precisando de um analista, não de uma comunidade hippie."

Dessa vez, Dusk não ri. Talvez seja o tipo de cara que só consegue achar graça de suas próprias piadas, o que Arthur não pode saber com certeza, embora todo esse falatório e quase nenhuma pergunta revelem ao menos uma tendência a um narcisismo constrangedor, algo como a convicção de que sua experiência na Terra está sendo muito mais rica do que a da maioria dos seres humanos.

"Até quando você ficou lá?"

"1995. Depois eu voltei quando já não tinha mais ninguém por lá e fiquei até 2013. É." Dusk se reclina na cadeira, como se estivesse pronto para ir embora. "O tempo engana a gente."

Eles estão falando da Fish Rock Farm, a cerca de uma hora dali, a comunidade hippie onde Dusk e outras vinte e duas pessoas viveram, algumas por cinco meses, outras por mais de vinte anos. A propriedade pertence agora a um artista de Los Angeles chamado Hans Velachio. Pelo que Arthur pôde apurar, Hans comprou a Fish Rock Farm em algum ponto de 2013. Deixou em LA uma casa em formato de domo geodésico, equilibrado no Topanga Canyon, com uma vista estonteante para a praia de Malibu. Tudo isso está na internet. Domos geodésicos eram uma moda arquitetônica e espiritual no fim dos anos 60, mas o domo de Hans tem a perfeição incômoda e um certo minimalismo rústico que só o mundo de hoje pode oferecer.

Arthur passou toda a noite anterior no quarto de motel onde provisoriamente mora, lendo, fumando, pulando de um site para o outro. Hans comprou a propriedade com doze cabanas malconservadas, ajeitou duas delas e colocou-as para alugar no Airbnb. O dinheiro que entra o ajuda a pagar a restauração das outras nove. Uma foi demolida. Quer transformar o lugar em uma nova comunidade de artistas e, enquanto isso não acontece, tira fotos quadradas de troncos caídos, de uma edição antiga do Walden de Thoreau e de lesmas que se parecem com bananas. Arthur não vai perguntar o que Dusk pensa sobre Hans Velachio e sobre o futuro da propriedade. Meio que já intui a resposta. A diária da maior das cabanas custa cento e oitenta dólares. Parece uma torre de observação engolida pela floresta.

"Você tá dirigindo um Grand Marquis dourado?"

Arthur sente toda a sua mucosa oral queimar. Não devia ter tentado as *enchiladas* de novo.

"Como você sabe?"

Toma um gole d'água.

"A polícia usa esse carro."

Ele já ouviu esse tipo de comentário antes. A polícia de fato usou esse carro por muitos anos. Era algo que se via nos filmes mesmo se você estivesse no Brasil. Aquele carro. O policial comendo donut de manhã. O policial com uns óculos tipo aviador pedindo para ver os documentos de alguém. Mas qual era a importância disso afinal?

"Olha, eu não tive muito tempo pra escolher."

"Você tava com pressa?"

"Eu simplesmente não me importo, sabe? É só um carro."

"Sei bem o que você quer dizer. Eu não dou a mínima pro meu. Arranhões por todo lado."

"Você me viu chegando? Eu achei que—"

"Ah, não. Não. É uma cidade pequena, essa."

Arthur dá uma risada.

"Isso é estranho porque, bom, eu não tô ficando em Point Arena, eu vim até aqui só pra encontrar você."

"Eu sei, eu sei. Motel em Fort Bragg, certo? É um condado pequeno."

Dusk olha para o prato de Arthur, as panquecas soterradas em um molho vermelho espesso.

"Parece que você não gostou muito disso. Deve tá sentindo falta da comida da sua casa. Você se importa se—"

Lá fora, o sol o acerta de novo. Suas pupilas começam a trabalhar. Dá para ouvir o barulho do mar e os latidos roucos de um cão. Ele passa por um pai e um filho na parte externa do prédio onde há uma argola pendurada em um fio de náilon. O objetivo é gerar um movimento pendular e fazer a argola encaixar em um gancho posicionado a um metro dali. O menino está tentando, mas a argola dispara e faz o caminho de volta sem encostar em nada. "Quer jogar mais uma vez?", Arthur escuta o pai dizer. Ele tem o sorriso de quem está ensinando alguma coisa que pode ser fundamental lá adiante.

Dusk anda na frente de Arthur. O cabelo grisalho amarrado em um rabo de cavalo insignificante ainda é o cabelo loiro de 1971 se emaranhando no primeiro outono em Fish Rock Farm. Aquele homem mora sozinho agora em algum lugar a uns quinze quilômetros da cidade, nas montanhas. Deve ser uma casa simples com algumas sequoias vermelhas de segunda e terceira geração, acessível por uma estrada poeirenta com placas de *private road*. Provavelmente ela é protegida por uma cerca de madeira do tipo compacto, sem vãos. Talvez haja uma estufa no fundo, talvez não.

"Espera."

Dusk se vira.

"Eu preciso te perguntar uma coisa. Desculpa ter demorado tanto."

Ele tem esses olhos de quem não está exatamente curioso com a pergunta.

"Tamara disse que você podia me mostrar sua plantação. Eu quero aprender a plantar. Você não precisa me ensinar do zero, eu plantei um pouco lá no Brasil, fui pego, é uma longa história. A colheita não vai começar nas próximas semanas? Eu posso te ajudar. Posso pôr uma barraca na sua propriedade, sei lá, trabalhar o dia inteiro e não ganhar nenhum centavo."

"Achei que você era professor."

Arthur ri.

"Eu sou. Você sabe melhor do que eu que isso não é exatamente um paradoxo aqui."

O velho hippie tira do bolso a chave do carro, o que Arthur interpreta como um desfecho ruim. Ele vai acabar indo embora. A conversa está terminando. Alguma coisa deu errado.

"Professor de quê?"

"História."

"E você não tem aulas para dar no Brasil?"

Arthur não sabe exatamente o que dizer. Teria aulas sim, se não tivesse perdido o emprego. Mas pode não ser uma boa ideia falar sobre isso, de pé, no meio do estacionamento, e ainda por cima levando em conta que ele jamais mencionou para Tamara que a escola onde ele trabalhava o tinha demitido da noite para o dia, e que isso estava diretamente ligado ao fato de ele estar ali, no norte da Califórnia.

"Digamos que não por enquanto. Eu me envolvi em, ahn, uma situação confusa. Uma injustiça de grandes proporções."

“Parece que você tá cheio de longas histórias.”

Arthur sente a tensão se distender e se permite sorrir. Cedo demais.

“Vamos ser sinceros, Arthur, eu não sou a pessoa que você devia procurar. Eu só cultivo *tomatillos*. Você quer aprender a plantar *tomatillos* por acaso?”

“*Tomatillos*?”

“Você sabe o que são *tomatillos*?”

“É um tipo de código, talvez?”

Dusk dá uma risada.

“É assim que você pretende falar com as pessoas daqui? Boa sorte, cara.”

No minuto seguinte, Dusk entra em uma picape que parece uma relíquia de guerra, dá ré e desaparece em uma dessas pequenas estradas vicinais do condado.

Em 1975, o governo norte-americano começou a pulverizar plantações de maconha em Sierra Madre, no México, com um herbicida chamado Paraquat. Helicópteros azuis e brancos foram comprados a um custo de vinte e um milhões de dólares. O Paraquat caía como uma chuva ácida insistente no meio das montanhas verde-esmeralda de Sierra Madre. Acocorados nas sombras, os camponeses, vendo o dinheiro ir embora, vendo suas mulheres chorarem sem que isso quebrasse o silêncio das coisas enormes da natureza, tentavam pensar em alguma saída para aquela desgraça vinda dos céus.

Naquela época, mais de treze milhões de jovens americanos fumavam maconha regularmente. Quase todo o fumo vinha do México. Nenhum garoto coberto de acne rindo sem motivo aparente e começando a sentir fome no porão de sua casa, no entanto, estava pensando em mexicanos cor de chocolate ao leite, com suas cicatrizes inexplicáveis, carregando armas na cintura em Sierra Madre.

O Paraquat mata com a ajuda do sol. Três dias de incidência

solar são o suficiente para que as plantas definhem. Os cultivadores logo entenderam isso. Quando os helicópteros americanos iam embora, eles ensacavam os pés de maconha e os deixavam em um lugar escuro. Tudo parecia bem desse jeito. Nenhuma alteração de cor, sabor ou cheiro nas plantas. Era só colocar a maconha para secar e em seguida enviá-la para o vizinho rico do Norte. O Acapulco Gold era o tipo mais conhecido nos anos 70. Uma parte considerável das três mil toneladas de cannabis que faziam o caminho México-Estados Unidos anualmente estava contaminada com Paraquat.

Muitos anos depois de terem começado, as ofensivas do governo foram parar na imprensa. De certa maneira, os Estados Unidos estavam deliberadamente envenenando seus próprios cidadãos, primeiro com o presidente Ford, depois com Jimmy Carter, depois com Reagan. Inalar Paraquat não era uma boa ideia. Paraquat estava associado ao mal de Parkinson, à síndrome do desconforto respiratório do adulto, a danos no fígado, rins, coração, pulmões. Pessoas ainda se suicidam em todo o mundo ingerindo Paraquat. Uma inglesa recheou uma torta para o marido com Paraquat em 1981. A histeria com o herbicida, portanto, foi um dos fatores que vieram a estimular, a partir da década de 70, a produção interna de maconha no país, sobretudo no norte da Califórnia. Os hippies que viviam em comunidades rurais tiveram um papel fundamental nisso.

Arthur adora esse tipo de ironia histórica. Gostaria que a humanidade inteira se juntasse agora em uma grande gargalhada, mas está sozinho em um quarto de motel, número 39, em Fort Bragg, a alguns metros da praia e das redes de fast-food cuja comida real parece a versão já mastigada daquela que as fotos mostram em painéis luminosos. Deixa o livro sobre a cama, a icônica folha dentada na capa, e vai até a janela. Há uma pilha de livros parecidos com aquele sobre uma cadeira.

Um dia de tempo ruim está acabando. As linhas brancas do estacionamento tentam organizar carros que não estão lá. Dali, Arthur não consegue enxergar a recepção, mas imagina o funcionário atirado na frente da TV em uma dessas poltronas nas quais os hóspedes nunca se sentam. É um oriental de vinte e poucos anos, talvez um descendente dos chineses que vieram derrubar todas aquelas sequoias no século XIX. Arthur tem a impressão de que ele não vai muito com a sua cara.

Na Highway 1, os faróis iluminam momentaneamente as partículas de ar condensado. Isso e o neon vermelho escrito *vacancy* enfiado na neblina parecem um convite para que vá embora. Se parar para pensar um pouco, sua presença ali soa quase como um capricho. Gostaria de saber agora para onde as pessoas estão indo. O que carregam nas picapes. Como é a escuridão que precisam atravessar para chegar em casa.

Naquele início de tarde, tinha dirigido até o café onde Tamara trabalha.

"O que é um *tomatillo*?"

Sentia que podia facilmente se apaixonar. Ela tinha cinco anos a mais do que ele e, percorrendo rapidamente sua história, Arthur não encontrava nenhuma mulher mais velha com quem tivesse se envolvido de alguma forma, mas quem sabe esse fosse um momento de primeiras vezes na sua vida. Estava apenas começando.

"Oi, boa tarde", ela disse, com alguma ironia. "Do que você tá falando?"

O piercing no nariz era um pequeno ponto brilhante. Arthur não respondeu. Tamara usava pouquíssima maquiagem e tinha sempre um jeito meio francês de prender o cabelo. Não era um coque, era quase uma cena congelada de um coque sendo desfeito. Mas estava lá, aguentando aquelas horas todas.

Ela pegou uma caneca de café e foi entregá-la a uma senhora. Tinha aprendido a fazer corações na espuma, estava orgulhosa disso. Arthur esperou. Jovens estudavam, velhos liam os pedaços de um mesmo jornal. Um cara passava rostos de garotas em um aplicativo de celular. Tamara voltou no momento em que Arthur pensava que talvez gostasse dali porque o lugar tinha carpete no chão e isso transmitia algum tipo de personalidade quente e despreocupada, além de trazer à tona incontáveis memórias da sua infância e juventude. Sua mãe fora proprietária de um lugar chamado Palácio dos Tapetes.

"É um tipo de tomate verde com uma casquinha seca, nunca viu? Não sei como explicar. Um tomate mexicano. Você arranjou a receita de alguma coisa?"

"Seu amigo Dusk. Qual o problema daquele cara, hein? Ele passou o tempo inteiro agindo como se fosse a porra da musa de todas as canções do Grateful Dead para depois dizer 'eu só planto *tomatillos*, meu'. *Tomatillos*!"

Tamara não disse nada. Pegou uma pilha de folhetos com a programação musical do café e foi colocá-los no lugar onde eles normalmente ficavam. Tinha nascido no sul do Arizona, mas Arthur não sabia exatamente o que isso queria dizer. Tentou imaginar quantas tempestades de verão e quanta terra arenosa havia dentro dela.

"Olha, será que a gente pode continuar essa conversa depois? Eu tô trabalhando. Depois, tá? Você quer me encontrar na praia mais tarde?"

Arthur fecha a cortina do quarto e de repente é uma sombra desenhada pela luz amarela do abajur. As estampas florais ao seu redor parecem mergulhá-lo em um estado sonolento e anônimo, provavelmente porque ele viu filmes demais sobre pessoas de passagem derrotadas pela vida. Olha o relógio digital. Hora de ir. Calça as botas. Quer ser desesperadamente um cara que usa botas.

Fort Bragg está bastante diferente agora. Os turistas começaram a ir embora assim que o feriado de Labor Day terminou, removendo da cidade de súbito aquele verniz crocante de alegria e preguiça. É início de setembro, quase o fim do verão. Garotos e garotas tocados por paixões fulminantes se despediram na beira da praia, gaguejando finais infelizes não muito originais. Jovens cobertos de tatuagens ou velhos que pareciam o Willie Nelson pediram carona segurando pedaços de cartolina. Comida pronta foi comprada em grande quantidade no supermercado e nas lojas de conveniência. Motor homes fizeram um comboio não intencional na Highway 1, saídos dos vários campings que ficam colados à estrada, com áreas para fazer churrasco, chuveiros de temperaturas imprevisíveis e muito barulho à noite. De maneira que, enquanto caminha na direção da praia, Arthur vê uma outra Fort Bragg, a verdadeira, a durona, uma cidade com uma indústria arruinada que rouba há décadas um bom pedaço da sua vista para o mar. Velhas serrarias contemplando o Pacífico. Fort Bragg sem os visitantes ocasionais. Hotéis, sorveterias, lojas de souvenirs e todos esses lugares representantes de um certo tipo de turismo deteriorado típico das cidades costeiras devem ficar às moscas pelo menos até a primavera.

É significativo que a maior atração dali, a Glass Beach, seja o produto final de um grande lixão à beira-mar, desativado em 1959: vidros descartados por anos e anos foram moldados pelas ondas e se transformaram em uma espécie de cascalho colorido e artificial, algo que Arthur não consegue exatamente chamar de bonito.

Tamara já está lá, em um caminho de asfalto que quase toca a borda das falésias. De costas, ela parece uma mulher pensativa que esqueceu de trazer um casaco. Olha para a grande escuridão do Pacífico, uns vinte metros abaixo deles.

"Ei."

Ela se vira.

"Oi, Arthur. Vem cá, você não acha estranho que a gente esteja tão acostumado a uma visão planificada do planeta? E que só essa noção pode mais ou menos justificar a sensação de que estamos no fim do mundo? Na ponta do mundo."

"Isso não é o fim do mundo."

"Tenta dizer isso pra alguém de Nova York."

"Meu deus, vocês, americanos. Não é cansativo ser tão autocentrado?"

Ela ri.

"Gostei das suas botas."

"Brigado."

Comprou as botas em um lugar que vendia tudo quanto é tipo de coisa de segunda mão. Patos de porcelana. Discos arranhados da Dolly Parton. Cinzeiros de cassinos que não existem mais. São marrons com cadarço e parecem ter passado por momentos difíceis.

"O.k., eu tenho uma pra você", Arthur diz. "A palavra mar é masculina em português, feminina em francês e obviamente neutra em inglês. Isso muda a percepção que as pessoas têm do mar? Pra piorar, em francês 'mar' tem a mesma pronúncia que 'mãe'. Fico me perguntando se isso torna o mar mais dócil e acolhedor para os franceses."

"Como se mães fossem sempre dóceis e acolhedoras, né? Enfim, acho que é uma ótima questão."

Eles caminham um pouco e ele sabe que Tamara ainda está pensando sobre o assunto. Arthur gosta disso, da capacidade que ela tem de se envolver com questões que não ocupariam dois segundos da vida de outra pessoa.

"Então você e Dusk não se deram bem", Tamara diz depois de um tempo.

"Você acha que eu pareço um cara não confiável? Pode ser sincera."

Ela dá uma boa olhada em Arthur, com suas botas, seu jeans e sua camisa preta de manga curta. Alguma coisa parece errada.

"Eu acho que na verdade você tem um ar de pessoa confiável demais, e por isso não parece confiável, sabe? Faz algum sentido isso que eu tô dizendo? Talvez você devesse ser menos cuidadoso com essa sua barba. Você com certeza não parece um cara daqui."

Ele consegue rir. O vento empurra fatias de neblina para o continente e de novo Arthur está se sentindo como quem procura o interruptor de luz em uma casa desconhecida. Ele está tentando. Só que às vezes não entende por que as pessoas precisam ser tão misteriosas ali. A maconha medicinal foi legalizada na Califórnia em 1996, a primeira iniciativa do tipo em todo o país. De modo que ninguém precisa mais esconder os pés de maconha embaixo de árvores altas como nos anos 80, ou andar não sei quantas horas no meio da floresta vestindo roupas camufladas para não ser visto pelos helicópteros da polícia. Ou ao menos Arthur acha que não. Diz isso para Tamara enquanto passam por uma ponte de madeira. Compara plantar maconha com andar de caiaque ou ter uma horta de vegetais orgânicos, uma tradição do condado, mas sente que está exagerando antes mesmo de terminar de falar.

Tamara respira fundo, como se um pouco de maresia fosse restabelecer sua paciência com Arthur. Eles se conhecem há apenas duas semanas, mas ela já tem a sensação de que está sendo um pouco maternal demais, o que se revelou um erro em outros pontos da sua vida. É simplesmente angustiante agora perceber que isso vai continuar acontecendo.

"Não é uma atividade como qualquer outra, Arthur."

"Tudo bem, a gente não lê mesmo sobre isso nos folhetos turísticos."

"A maioria vende pro mercado ilegal. Eles não têm licença

nem nada. Eu não tô aqui há muito tempo, sabe? As pessoas também não saem me mostrando seus jardins. Não dá pra você só relaxar um pouquinho?"

Eles passam por uma fileira de hotéis cujos quartos têm varanda com vista para o mar e grandes portas envidraçadas. Um homem está fumando no segundo andar. É estranho ver a vida das pessoas acontecendo nos quartos, como se o prédio tivesse sido seccionado para um estudo antropológico.

"Eu só queria saber como você conheceu esse Dusk", ele diz.

"Certeza?"

Tamara tem quarenta e dois anos, mas às vezes sorri como uma garotinha.

"Me diz se eu devo me sentar primeiro."

"Ele é meu pai."

"Porra, Tamara. O quê? Seu pai?"

Não consegue deixar de pensar que isso é uma tremenda má notícia.

"Não faz essa cara, Arthur. A gente se encontrou pela primeira vez no ano passado. As pessoas vêm até o fim do mundo por um monte de razões."

"Dusk abandonou você?"

"Dusk tinha toda uma nova sociedade pra inventar."

"Ah, qual é. Isso não soa um pouco contraditório?"

"Talvez. Vem, vamos descer até a praia."

Glass Beach. A praia feita de lixo. Quando se olhava para ela à luz do dia e de uma certa distância, não dava para perceber que aquilo tudo fosse algo além de puro e simples cascalho. Mas aí bastava a pessoa se abaixar para ver que estava como que pisando em feijões de vidro colorido, e isso parecia tão absurdo que era preciso implorar para que os visitantes não levassem embora os feijões. Em todo caso, muitas pessoas já o tinham feito, porque um só nunca parece fazer diferença, as crianças gostam, você quer se lembrar, você não tem a noção clara de que está colaborando para um progressivo apagamento da história, um grande erro ambiental que se transformou em uma atração turística e que atualmente corre o risco de se tornar a praia que deveria ter sido desde o início.

Durante o dia, portanto, era comum que houvesse pessoas encurvadas ali, cada uma no seu processo solitário de encontrar a partícula mais interessante, colocá-la no bolso e ir embora como se nada tivesse acontecido.

Ele acorda com três batidas fortes. Demora uns segundos para entender onde está. Oceanside Inn, quarto 39, Fort Bragg. Deve ter pegado no sono enquanto lia. Veste a calça jeans e tenta enxergar alguma coisa pela janela, logo à direita da porta, mas tudo que pode concluir é que o dia já amanheceu e alguém na frente do seu quarto não parece muito feliz. O.k. De novo. Uma pessoa está esmurrando sua porta. Seu coração acelera.

A luz do sol, refletida no chão do estacionamento, explode na cara de Arthur.

"Ei. Você é amigo do Carl?"

O sujeito na frente dele usa uma camiseta cinza-escuro cujas mangas foram cortadas. Isso e o bigode avermelhado dizem muito sobre ele. Dizem principalmente que é bom ficar longe de sabe-se-lá-qual-é-seu-nome, de Carl e de qualquer coisa que eles estejam tramando ali fora.

Arthur tenta parecer à vontade.

"Desculpa, meu. Porta errada."

O cara suspira e balança a cabeça, depois tira um papel todo amassado do bolso traseiro.

"Ele escreveu 39 aqui. O idiota de merda."

Tatuagens cobrem toda a superfície de suas mãos. Um escorpião. Algumas palavras ilegíveis escritas em letras góticas. A camareira passa atrás dele com o carrinho de limpeza sem nem olhar para o que está acontecendo.

"Desculpa", repete Arthur, e agora fecha a porta e torce para que o cara não se irrite muito com isso.

Pronto. Sozinho no quarto onde dorme há duas semanas e meia, com aqueles criados-mudos medonhos pintados de branco, o carpete — de novo sua mãe — oscilando entre o bordô desbotado e um marrom que alguém devia ter pelo amor de deus removido do catálogo de cores, a pilha de livros sobre história da maconha, os saquinhos de chá orgânico, o caderno, o tubo plástico contendo alguns gramas de uma *strain* híbrida chamada White Russian. Não é uma casa. Não é nem mesmo um lugar para se criar algum tipo de familiaridade. Ele odeia dar de cara todo santo dia com a trama metálica que disfarça o sistema de aquecimento.

Escuta batidas no quarto ao lado e de repente o mesmo homem impaciente grita "você é um idiota ou o quê?". Fecham a porta. Um minuto depois, o volume da TV vai para uma altura estratosférica, de forma que Arthur consegue ouvir através da parede toda a bobagem que o jornal da manhã está dizendo sobre Bernie Sanders, o pré-candidato democrata. Não é ingênuo de acreditar que Carl e o outro estão se encontrando às oito horas da manhã para ver televisão coladinhos.

Lava o rosto, escova os dentes. Fica parado no meio do quarto depois de se vestir tentando captar algum fragmento da conversa dos dois, mas é impossível. Talvez precise se convencer de que está sendo um pouco paranoico, não quer ficar assustado a partir de agora com qualquer branco pobre que aparecer na sua frente, como se todos estivessem trabalhando para montar laboratórios de metanfetamina a poucos passos de onde ele está. Caras agressivos e mal-humorados não são necessariamente bandidos. Começa a achar sua reação um pouco constrangedora.

Então já se esqueceu do sujeito com as mãos tatuadas quando sai para pegar alguma coisa no "continental breakfast" que o hotel oferece, um canto de balcão com *bagels* e *muffins* industrializados, alguns potinhos de geleia, *cream cheese*, cereal em embalagens individuais, um cacho de banana, mais o café aguado de sempre. O lugar tem apenas três mesas porque servir café da manhã de graça é uma novidade que o mercado hoteleiro impôs há poucos anos, de maneira que toda a estrutura necessária ali teve que ser improvisada em um pedaço ocioso da recepção. As três mesas estão ocupadas. Arthur se serve de café, cata o último *muffin* sabor mirtilo e vai comer do lado de fora.

Ele é agora essa pequena figura de costas para um velho motel, a quatrocentos metros do Pacífico e dos rochedos afiados em que as ondas vão morrer com estrondos dramáticos. Nunca viu um lugar tão bonito assim. Muito próximo do oceano, há um conjunto de árvores gigantescas moldadas pelo vento que sopra sempre para o mesmo lado. É como se elas estivessem fazendo uma reverência ao continente. E quem diria que, afastando-se dali rumo a leste, na direção da cidade de Willits, começariam a aparecer em questão de minutos montanhas e mais montanhas revestidas de coníferas, a estrada sinuosa, às vezes um caminhão carregado de toras avermelhadas, e uma ou outra casa mais sugerida pelas caixas de correio do que propriamente visível para quem está apenas de passagem. Arthur dá a última mordida no *muffin*, mas o café continua quente demais. Encosta a ponta da língua no céu da boca e sente uma queimadura leve. Brinca com um pedaço solto de mucosa enquanto as pessoas acordam e abrem suas portas e devagar se engajam na coreografia de mais uma manhã em um estabelecimento que não pode se vangloriar de ter as melhores avaliações on-line: um cara do Wisconsin já encontrou cabelos no ralo e um casal em lua de mel escreveu que aquele momento especial foi meio que comprometido por uma estada que deixou a desejar em vários aspectos, incluindo negligência na limpeza, funcionários não muito prestativos e uma decoração sem dúvida ultrapassada.

Sua mãe teria adorado aquela região. Pinheiros. Cabanas. Ar puro. Por décadas e décadas, ela tinha perseguido a ideia de ir para o Canadá, às vezes como um plano de férias, outras como uma mudança radical de vida, em ambos os casos motivada pelas lembranças de uma viagem que fez com os pais quando era só uma menina de quinze anos. O que ela podia ter vivido de tão fundamental nessas duas semanas em 1971 entre Montréal, Québec e Toronto? Nunca fizera o tipo viajante, mas conheceu lugares depois disso, uma meia dúzia de países, e mesmo assim era o Canadá que aparecia quando ela ficava cansada da situação política do Brasil, da violência, do calor, da família. Recolhia fôlderes em agências de turismo. Deixava essas pequenas pilhas de papéis brilhantes pelos cantos da casa. Depois de uns meses, inexplicavelmente, elas desapareciam. Canadá era o seu arrependimento assim que ela ficou debilitada demais para sequer cogitar uma viagem intercontinental.

Nas últimas semanas de vida, Lúcia Kazinsky Lopes mencionou um tombo sobre as folhas secas dos bordos. Estava em um delírio de morfina, e Arthur não queria que o fim tivesse sido esse, a ronda dos enfermeiros, as injeções, a cama de um quarto semiprivativo do Hospital Moinhos de Vento, um crucifixo retirado, marteladas em uma ala em reforma. As folhas secas de quarenta anos atrás deixaram Arthur perturbado porque pareciam sugerir que sua mãe não tinha vivido nada digno de nota depois disso. E, puta merda, ele tinha vindo depois.

Mas era besteira pensar nisso agora. Arthur termina o café

horroroso e procura uma lixeira com a sensação de que não quer ficar muito mais tempo naquele motel. Do outro lado do estacionamento, Carl e sabe-se-lá-qual-é-seu-nome estão entrando e saindo de uma picape. Carl é um grandão que anda como um pato. Ele usa uma camisa dos Giants de San Francisco, preta e laranja, e para Arthur parece o tipo de cara que mata uma pessoa sem querer e depois chora copiosamente. Os dois estão carregando o carro, Carl levando todas as coisas pesadas, mas ambos têm o cuidado de fechar a porta do quarto toda vez que saem lá de dentro. Arthur começa a caminhar na direção do 39. O tatuado segue sua trajetória com a cabeça e isso não é exatamente agradável, aquele sol transformando o motel numa fotografia superexposta, o bigode ruivo que desce quase até o queixo, os olhos apertados olhando para Arthur como se ele estivesse fazendo algo suspeito até que finalmente ele destranque a porta do seu quarto, entre, passe a chave de novo e sente diante do computador, ainda com a respiração um pouco acelerada.

Quer escrever um e-mail para o pai. O velho deve estar preocupado com seu silêncio, mas sempre espera que Arthur entre em contato para então dizer algo do tipo "opa, achei que tinham cortado tua internet". Pensa em mencionar as folhas secas dos bordos. Melhor não. Tudo que ele não precisa agora é ser melodramático. Alguém dá a partida em um carro lá fora, provavelmente o maluco do escorpião e Carl. Arthur escuta o barulho da ré seguido de uma acelerada desproporcional e depois disso mais nada, uma sequência de açoes que o deixa aliviado e faz com que ele se concentre completamente no que precisa escrever.

Conversa fiada. Alguma coisa sobre as aulas de pilates que o velho decidiu fazer duas vezes por semana. Insere um comentário maldoso sobre um médico sedentário que finalmente se rendeu às atividades físicas e que parece estar gostando de rolar no chão abraçado a uma bola gigante. Pergunta sobre o jardim da casa, as plantas inofensivas, as rosas-do-deserto, suas favoritas. Aquelas mudas vingaram? Churrascos. Costela. Tia Beth. Tia Janine. Consultório. O clima pegajoso de Porto Alegre. E nada, absolutamente nada, sobre os vizinhos.

Precisa então dar notícias suas. Tudo está correndo bem em Berkeley, ele escreve. O clima universitário é aconchegante e dinâmico. Escolhe essas palavras, aconchegante, dinâmico, e se sente escrevendo um anúncio publicitário, mas não apaga a frase. Fez alguns amigos por ali. Um pernambucano chamado Marcelo que estuda a interação entre imigrantes brasileiros e portugueses em uma área específica de Los Angeles e uma garota dos estudos pós-feministas de quem com certeza seu pai iria gostar. Tamara, do Arizona. "Estou te mandando uma foto do quarto que eu aluguei", Arthur digita por fim, ali naquele motel triste e cheio de ácaros, anexando a imagem de uma casa arejada onde ele jamais pôs os pés.

Ele se sente mal por mentir. Para no estacionamento oblíquo da Laurel Street ainda pensando se não era melhor acabar logo com aquela história de Berkeley. Dizer onde está de verdade. Dirigindo por aí no condado de Mendocino. Aquela rua é uma rua inocente onde se concentra o comércio simpático e refinado de Fort Bragg, as fachadas em tons pastel, as vitrines que sabem que não devem mostrar toda a mercadoria ao mesmo tempo. Podia estar em qualquer lugar, aquela rua com uma boa aparência, esperando uma gente de fora a fim de gastar uns dólares. Mas são só dois quarteirões disso. Como se o povo tivesse achado frescura demais e mudado de ideia no meio do caminho, preferindo manter aquele jeito cru e desbotado do resto.

"Oi, pai, na verdade eu tô no condado de Mendocino."

Se chegasse a escrever isso, a próxima coisa que seu pai faria, depois de ficar puto porque afinal Arthur não estava em nenhum programa de pós-graduação na Califórnia, o que tinha soado tão bem no início, um jeito de seu filho colocar a carreira de volta nos trilhos, a próxima coisa que o velho faria com certeza seria digitar "Mendocino County" no Google e clicar em "Imagens". E daí Arthur podia estar ferrado. Haveria o Pacífico visto de cima, o azul-esverdeado do Pacífico em um dia claro, tudo bem. Haveria as falésias de Stornetta e as casas vitorianas do vilarejo de Mendocino. Haveria árvores, um monte delas, e talvez vinhedos, o que não era mentira, mas também não toda a verdade. Um cara com uma tarja preta nos olhos mostrando sua plantação de maconha ia estar lá. Um agente federal removendo tubos de irrigação do meio da floresta também ia estar lá. Melhor era não dizer nada.

Sim, por uns meses tinha mastigado a ideia de fazer um doutorado. Era o que esperavam dele, que aproveitasse todo o seu potencial e, ao mesmo tempo, que tivesse o instinto bovino e apático de quem enxerga apenas um caminho à frente: salas climatizadas, café adoçado, cochilos em simpósios, alunos com preguiça de ler e o progressivo inchaço do Currículo Lattes com artiguinhos regurgitados às duas horas da manhã. Podia fazer isso. Podia não se dedicar tanto a isso e, ainda assim, subir até um ponto confortável da cadeia alimentar acadêmica. Mas por quê? Pelo menos os adolescentes eram mais divertidos, e talvez ele fosse passar a vida toda nas dependências controladas dos colégios particulares, tirando fotos com alunos no intervalo, exercendo sua autoridade afetiva em sala de aula, se um ato de sua vida *privada* não tivesse provocado sua demissão e acabado com a possibilidade de ele ser contratado por qualquer outro lugar pela próxima década. Liberdade era mesmo apenas uma palavra para "nada a perder".

Agora parou diante de uma vitrine. Um calendário lunar. Meias com estampas geométricas. Pensa se precisa daquilo e por um momento acha que sim, mas então o autocontrole de sempre, algo que se relaciona intimamente com uma noção bem radical que ele tem de senso de ridículo, o deixa imobilizado. Está se vendo no vidro também. Parece absurdo que esteja tão interessado em ser outro. Sempre detestou as personalidades camaleônicas; para ele, aquilo significava não a tão admirada capacidade de adaptação, mas sim uma inconsistência brutal e embaraçosa do Eu. Teve namoradas assim. Perdeu o contato com todas elas.

Mesmo assim, acaba entrando na loja. Dá bom-dia para a mulher do caixa e começa a olhar a arara de camisetas. Então de repente está escolhendo a menos provável, a que se distancia completamente da ideia que faz de guarda-roupa. É preta com manchas laranja, roxas, azuis, verdes. Nebulosas. Um universo salpicado de estrelas e fumaça. Ele passa no caixa disposto a gastar vinte dólares para vestir o universo e se sente uma criança fazendo isso. Deve estar com um sorriso empolgado e inocente. A mulher tira passas de uva de uma caixinha e as coloca na boca.

“É uma camiseta bonita”, ela diz.

Os vendedores sempre dizem que você fez a escolha certa.

“Você tá comendo passas em algum lugar por aqui”, Arthur diz, com o dedo indicador sobre um ponto aleatório da camiseta.

Ela acha engraçado. Alguma coisa precisava alegrar o seu dia. Fim de setembro. Nem dá pra se conformar achando que aquilo é apenas um emprego de verão.

“Bom dia pra você”, ela diz, estendendo a sacola de papel.

“Pra você também.”

O café onde Tamara trabalha fica em um desses dois quarteirões da Laurel. Quer dizer que Arthur teria que passar lá na frente mesmo se não quisesse. Tamara talvez seja uma dessas pessoas camaleônicas, ele pensa enquanto caminha, e não há na calçada ninguém além dele e de um velho se movendo com passos curtos. Arthur aposta que Tamara veio para cá em um ônibus da Greyhound que saiu de Tucson, Arizona, e parou na escaldante Phoenix porque é muito mais difícil mudar quando se fica no mesmo lugar. Então ela estava carregando uma mala e uma trilha sonora, alguma voz feminina que ela tinha acabado de conhecer, que cantava aos sussurros com um trompete ao fundo. Ela cruza meio deserto sem nenhum arrependimento. Se teve um marido, não pensa nele nem por um segundo, não pensa tampouco na casa que deixou pra trás lá nas montanhas vermelhas de uma antiga cidade de mineração, a apenas alguns poucos quilômetros da fronteira com o México. Nada mais que uma mala. Tem algo a ver com rir da cara do destino e entender que escapar é a menos pior dentre as opções.

Tamara está servindo uma torta coberta por uma camada de geleia de frutas vermelhas. Arthur observa de fora. Fica olhando os fios de cabelo rebeldes na nuca enquanto ela pousa o prato na frente de um homem que usa um boné azul. Suas costas são algo desenhado por uma vida inteira de ioga e de caminhadas no deserto de Sonora. Mas ele pode estar errado. Talvez isso faça parte de uma nova Tamara apenas.

Agora ela olha na direção do vidro e acena. Parece que tem algo a dizer, mas não pede a ele que entre. Em vez disso, a mão simula um telefone ao mesmo tempo que Arthur pode ler nos lábios dela: "Me liga mais tarde". Faz que sim com a cabeça e vai embora.

Será que Dusk mudou de ideia? Seu pequeno passeio na Laurel está quase terminando e ele não sabe o que fazer com tanto tempo livre até que ache um jardim pra tomar conta. Precisa de um jardim. Se pudesse falar com Dusk mais uma vez, tem certeza de que iria convencê-lo, a colheita está chegando, todo cultivador é obrigado a confiar em um punhado de pessoas que aparecem, manipulam suas plantas por alguns meses e depois vão embora para outro emprego que nunca pagará tão bem quanto aquele. Arthur sente uma batida no ombro. Um sujeito pede desculpas imediatamente, são dois, trinta e poucos anos, estão caminhando com pressa. Viram a esquina.

Há algo errado. Um carro da polícia e umas dez pessoas tentando enxergar alguma coisa para além de uma cerca baixa. Ele vai ser mais um desses ratos de tragédia. A casa está com a porta aberta e um policial rígido como uma sequoia guarda a entrada, os músculos do pescoço tão retesados que aquele parece ser seu primeiro contato com a disciplina e o cumprimento da lei.

"O que aconteceu aqui?"

Arthur não diz isso para ninguém em especial, então uma senhora pega a pergunta no ar e balança a cabeça, inconformada.

"Acho que o Philip se desentendeu com alguém. Puseram fogo na estufa dele, dá pra acreditar? Ele tem uma lista de problemas, a mãe, três remédios pra hipertensão. O cachorro dele está perdendo tufos de pelo. Querem que você cumpra as regras, mas nunca dizem o que fazer com as contas que não param de chegar! O que mais se tem pra fazer num lugar como esse?"

"Então você conhecia o cara."

"Philip? Aham. Ele ainda tá vivo, o.k.? Eu *conheço* ele. Uma boa pessoa."

Seus braços finos estão cruzados. Ela usa óculos de aro vermelho e às vezes fecha os olhos, como se a realidade fosse muito mais do que ela pudesse suportar. Arthur não consegue ver estufa nenhuma do lugar onde estão parados.

"Mas dá pra dizer que ele não é muito esperto. Deus. Fort Bragg. Apenas não faça isso em Fort Bragg."

"Como assim?"

A mulher olha para o carro da polícia e emite um suspiro pesado.

"Eles estão sempre por aí e às vezes precisam incomodar você. Não é tanto culpa deles quanto é dos caras lá de cima da pirâmide, entende o que eu quero dizer?"

"Mas nas montanhas todo mundo está livre pra fazer o que quiser, não? A polícia não vai muito lá."

"É, acho que dá pra entrar pelado numa jacuzzi sob as estrelas sem se preocupar com muita coisa. Não é isso que as pessoas fazem por aqui?"

Um espasmo de sorriso passa pelos lábios daquela senhora, mas logo os músculos se empenham no combate novamente.

"Que lugar maravilhoso se todo mundo pudesse ter uma banheira no meio do mato, hein, que tal isso? Todo mundo tendo os pés massageados, só a cabeça aparecendo no meio de toda aquela espuma depois de um dia duro de trabalho."

Agora Arthur não sabe como reagir, então só balança a cabeça e ergue um pouco as sobrancelhas. É difícil detectar ironia no discurso de pessoas muito perturbadas. De qualquer maneira, ele tem a constante sensação de que está perdendo a sutileza das falas, de que o seu radar precisa receber algum tipo de ajuste, se é que isso será possível em uma semana, um mês, meio ano, algum dia. Outro policial sai da casa. Se a conversa não tivesse chegado ao fim, aquilo teria terminado com ela porque de repente todos estão prestando atenção na cena que se desenrola, a má sorte do pobre Philip, não a má sorte de nenhum deles, por que alguém perderia tanto tempo diante da cena de um crime se não fosse para ter certeza de que a vida não está tão ruim como pode de fato ficar? Philip saindo algemado. Philip, que não tem muito cabelo no topo do crânio. Philip hipertenso com o cachorro doente, perdendo tufos de pelo.

"Olhe pra ele. Humilhar um homem desse jeito. Não é certo."

"Não haveria humilhação se não houvesse público, a senhora não acha?"

Ela o encara pela primeira vez. Olho no olho com uma precisão milimétrica. E qualquer coisa que tivesse pensado em responder acaba sendo deixada de lado por alguma razão, de modo que Arthur volta a olhar para a entrada da casa, onde o policial que estava ali parado um pouco antes agora carrega uma planta que com certeza passaria da cintura de Arthur. Completamente queimada. É o primeiro pé de maconha que ele vê desde que chegou ao norte da Califórnia, um irreconhecível pé de maconha preto mirrado ainda exalando o aroma de uma carne esquecida na churrasqueira. Ele se lembra de suas plantas. Ele se lembra de que também fracassou e da terrível sensação que veio com aquela avalanche de má sorte, uma coisa desmoronando depois da outra, provavelmente algo muito parecido com o que Philip está sentindo agora ao olhar para a sua casa através daquela tela de galinheiro, sentado no banco de trás do carro da polícia.

Quando Arthur conta cento e doze plantas carbonizadas, colocadas lado a lado no pátio, esperando certamente por um veículo que possa removê-las dali, percebe que os rostos a sua volta já são outros, que a senhora dos óculos vermelhos desapareceu, que Philip desapareceu e que o sol começou a dar uma trégua, derramando uma luz ocre sobre aquela rua larga e parada de Fort Bragg. Cento e doze plantas. Começa a se afastar. Dá uma risada. Cento e doze plantinhas chamuscadas que não valem mais um único centavo. Parece que Philip tinha conseguido deixar alguém irritado de verdade.

"Então você comprou sua primeira camiseta tie-dye."

"São nebulosas, Tamara."

"Neb... o quê?"

"Nebulosas."

"Ah, sim. Muito mais sóbrias, quase minimalistas, essas suas nebulosas."

Ela levanta do sofá abafando uma risada e dá a volta pelo balcão da cozinha. A casa é um único grande ambiente rústico, mas acolhedor o suficiente para alguém da cidade, com aqueles detalhezinhos de milhares de dólares que o diferenciam das casas autenticamente rurais.

"Talvez eu tenha cansado do preto e dos tons terrosos. Enfim, você ficaria surpresa em saber que tipo de adolescente eu fui."

"Que tipo?"

"O cara do cabelo comprido."

Quando ela estiver com sessenta anos, que é uma boa idade para parar quieta, vai querer um lugar mais ou menos como este aqui. Mas quem estará ocupando a cadeira de balanço no sábado à noite? Por mais não convencional que Tamara acredite ser, algo faz com que suas projeções de futuro venham com pequenas silhuetas a serem preenchidas.

"Eu achava os cabeludos os melhores. Quietos, mas com alguma coisa lá dentro, palpitando, sabe?", diz enquanto abre sua segunda cerveja com um abridor em que se lê "Cuba", provavelmente um toque de ironia que Jimmy Pitelkow tinha colocado ali de propósito. Ele era esse tipo de pessoa. "Você bebe devagar. Isso faz com que eu me sinta alguém meio sem modos."

Ele se balança na cadeira e sorri. Fazia um tempo que não se sentia tão à vontade. Está na casa de alguém chamado Jimmy Pitelkow, alguém que ele nunca viu na vida, usou os pratos de porcelana dele e esfregou as mãos em sua toalha de muitos fios, vai pisar nas agulhas dos seus pinheiros mais tarde, a música que toca é uma balada indie com metais mexicanos e, à sua frente, pode ver essa mulher incrível falando sobre o número de coincidências a que temos direito em uma vida inteira. Tamara tinha conhecido Jimmy em Bisbee, cinco anos antes. Era um amigo do seu ex-marido, ex-namorado, ex-companheiro, de que jeito mesmo ela havia se referido a ele? Tanto fazia. Jimmy Pitelkow, o amigo que estava muito interessado em ganhar seu primeiro milhão de dólares brincando. Não ia ter a menor graça se ele não pudesse ir para qualquer lugar de chinelos de dedo e se não pudesse pilotar seu aviãozinho de controle remoto no final do dia, ou melhor, não ia *valer a pena* se não fosse assim. O que não era propriamente uma excentricidade de um sujeito chamado Jimmy Pitelkow, que tinha cursado o ensino médio em Douglas, Arizona, na época em que bastava dar um passo a mais para se cruzar a fronteira com o México, e não fazia tanto tempo assim. Não, Arthur pensa, o maluco Jimmy com os dedos dos pés de fora acendendo um incenso para uma deusa de oito braços e planejando viagens para o Vietnã não tinha mesmo nada de especial; ele era apenas mais um desses capitalistas da contracultura.

Então Jimmy havia feito o que pelo jeito caras como ele sabiam fazer de melhor: ele teve uma única ideia boa, encontrou dois investidores empolgados e, depois de alguns meses de trabalho, lançou um aplicativo de celular para adeptos do poliamor. Funcionava por geolocalização, mas era mais do que isso, explicou Tamara, sem no entanto fornecer para Arthur nenhum detalhe adicional. Jimmy estava morando em Palo Alto agora. Precisou de alguém que topasse cuidar da sua propriedade no norte da Califórnia por um tempo, o ponto em que tudo virava uma coincidência empolgante, Jimmy lendo seus e-mails de negócio em voz alta em uma mesa lateral do San Ramón, em Bisbee, uma hora antes de o restaurante abrir; Jimmy falando sobre a mudança; Tamara de pé com a sensação de que devia se agarrar àquilo, o pai que ela nunca tinha visto morava a cerca de uma hora da casa que Jimmy precisava deixar para trás, ela sabia disso havia exatas três semanas menos um dia, três semanas menos um dia tentando dar corpo a esse pai que antes era só um espaço vazio.

"Como você o encontrou?"

"Dusk? Ah, eu sabia sobre a Fish Rock Farm fazia um tempo, que ele tinha vivido lá. Quando ele conheceu minha mãe, tava morando na comunidade, quer dizer, foi só uma viagem de algumas semanas que ele fez pro Arizona, e daí aconteceu. Eu aconteci." Ela ri, como se aquilo a envergonhasse de alguma maneira. "Corta para: eu sozinha em casa, já adulta, em uma noite de insônia, meio inconformada com a vida que levo. Começo a pesquisar sobre a Fish Rock Farm e acabo entrando em contato com esse cara de LA, o novo dono do lugar."

"Hans."

"Sim, Hans. Carinha estranho."

"Estranho como?"

Sentada no sofá, ela inclina a cabeça para trás. A superfície uniforme do teto a ajuda a pensar.

"Estranho como o homem que você não gostaria que surgisse de repente atrás de você."

Arthur ri.

"E então você pegou um ônibus para a Califórnia."

"Eu peguei um ônibus para a Califórnia, sim. Deixei o carro com Will e Sarah."

Se Will era o ex-namorado, quem era Sarah?

"E você estava em uma batalha horrorosa com o passado ou só esqueceu de tudo no momento em que sentou na poltrona, olhando pela janela, vendo aquele deserto interminável se desenrolar?"

"Eu acho que —" Ela detecta sinais de sarcasmo, com alguma demora. "Ei, o que você tá fazendo exatamente?"

Arthur ri. É um timbre um pouco abafado pela timidez. Tamara ri também.

"Eu só quero conhecer você", ele diz.

"Então eu vou ter a minha vez também?"

"Claro."

"Tá certo. Eu era sócia de um restaurante mexicano, o San Ramón. Um lugarzinho simpático com doze mesas no centro histórico de Bisbee. A família de Will era dona do prédio todo, na parte de cima tinha um hotel que era problema da irmã dele. Tem um hotel. Todo mundo ainda está lá, menos eu. William Millner. A gente se conhece há muito tempo, é impossível não se conhecer em Bisbee. Ele teve suas namoradas, eu tive os meus namorados, vivi em Phoenix por vários anos, mas um dia nos reencontramos, tomamos tequila e nos beijamos no topo de um morro. Ele disse que eu o deixava intimidado, que ele precisou de uma década para ganhar um pouco de confiança, essa é a história que ele conta até hoje. 'Sempre te achei bonitinha.' Enfim. Lá estamos eu e Will casados, cuidando do San Ramón. Nosso quintal é visitado por lagartos de noite. Somos um casal feliz que não pensa em filhos. Bisbee é uma cidade de artistas, já ouviu falar? Eles fizeram o lugar se reerguer nos anos 60 porque ele tinha morrido completamente depois que a mina de cobre fechou, então com frequência você vê esses jovens talentosos de espírito livre aparecendo em um estado conservador como o Arizona. Um dia, uma menina entra no restaurante e eu tô lá. Ela faz cerâmica. Sarah. Pisco o olho, tô apaixonada por ela. Nunca tinha me acontecido uma coisa dessas, mas eu não fico nervosa nem nada, só deixo ver aonde isso vai me levar. Acontece que Will e Sarah se conhecem uns dias depois e também se apaixonam. Eu acho que não sou capaz de explicar se os meus motivos são os mesmos de Will e, de qualquer forma, é inútil falar em *motivos*. Fico pensando em quantas pessoas, quantas mulheres, já tinham entrado naquele restaurante antes de Sarah, centenas a cada fim de semana, milhares no total? Então por que só agora eu tô sentada na frente de casa pensando se sou lésbica, entende o que eu quero dizer? Ainda por cima, ela é treze anos mais nova que eu e quinze mais nova que Will. Mas Sarah também tá encantada. Encantada pelos dois. Não por um e por outro em separado, eu acho, mas por essa terceira coisa, essa força poderosa, essa única personalidade que a gente era junto, você acha isso possível? Ou ao menos é numa coisa assim que eu acreditei por muito tempo. Nós vivemos algo incrível por dois anos e meio, eu, Will e Sarah. A gente não chama isso de poliamor. É só *amor*, certo? Sarah constrói seu ateliê na garagem. Ela também ajuda no restaurante durante os finais de semana. A família de Will meio que faz vista grossa pro relacionamento e a gente dá risada disso juntos, espalhados em uma cama king size de lençóis brancos. Depois eu não sei o que acontece. É estranho.

Eu posso ir até aqui e então há um ponto de onde não consigo passar. Talvez isso queira dizer que o grande nó do fim é menos importante do que uma única cena de pura felicidade, amor, compaixão, sei lá. Eles ficaram em Bisbee, juntos. Eu peguei um ônibus para a Califórnia."

Tamara se levanta. Parece que não sabe exatamente o que fazer com as mãos. Então anda até a cozinha e pega mais duas cervejas.

"Você tá pensando que não tinha como dar certo, né?", ela diz, estendendo a garrafa para Arthur. Colocou um pedaço de limão no gargalo.

"Eu?"

Ele enfia o limão para dentro da cerveja. Não diz nada.

"Todo mundo pensa isso, Arthur, tudo bem. As pessoas ficam muito surpresas quando ouvem sobre o início e nada surpresas quando eu falo do fim. Ficam até meio aliviadas, sabe? Às vezes não conseguem disfarçar. Mas você pode culpar o poliamor mesmo? Quase ninguém vai levantar o dedo para acusar a monogamia quando um casal resolve se separar. As pessoas vão argumentar que os temperamentos eram inconciliáveis, que os planos foram em direções opostas, que ele começou a beber, que ela queria filhos e ele não queria de jeito nenhum. Nunca vão pensar: 'Monogamia? Você é um idiota por ter acreditado que uma coisa dessas ia dar certo!'."

Há um silêncio que deixa Tamara desconfortável. Talvez ela tenha sido sincera demais, um traço de sua personalidade do qual ela já se orgulhou, mas que ultimamente lhe parece um defeito a ser corrigido. Arthur, estático na cadeira de balanço, começa a sorrir.

"Quê?", ela pergunta.

"Nada. Eu acho você incrível, é isso. É tudo que eu tenho pra dizer."

"O que você pensa sobre monogamia?"

"Bem, qualquer coisa que comece por *mono* costuma ser ruim. Monótono. Monotemático. Monomania. Eu não quero ouvir um disco em mono, eu quero estéreo."

"O que é monomania?"

"Algum tipo de transtorno mental ultrapassado."

"Você tá sendo condescendente comigo."

"Não, sério. Acho que você é uma pessoa admirável por ter tentado uma coisa diferente do que o que está estabelecido."

Tamara se levanta. As canções pararam de tocar há um tempo, mas só agora a ausência delas parece incômoda.

"Então você acha que foi uma *tentativa*. O.k. Mas me explique por que não podemos chamar de *acerto*. Acertar é o que exatamente, Arthur? Ficar amarrada a uma única pessoa pro resto da vida? Só assim podemos nos considerar vencedores em matéria de relacionamentos? Como isso termina, só com alguém morrendo? Desculpa, mas me recuso a pensar assim."

Estava tudo indo tão bem. Como ele podia consertar aquela situação agora? Ela tem um bom argumento. Está de pé diante dele, exaltada, querendo brigar. Ele mexeu em um ninho de vespas sem saber o que estava fazendo. Encostou-se em uma viga para descansar e lá estava o ninho, de repente todas aquelas asas começaram a bater não sei quantas vezes por segundo.

"Você tá certa. Faz sentido, de verdade. Mas sim, a maioria das pessoas acha que, quanto mais tempo você passar com alguém, mais merece ser recompensado de alguma maneira. Não tem toda aquela bobagem de bodas disso e daquilo? Começa no papel, na lã, e chega na prata, diamante, rubi. É como escalar o Everest, eu acho. A recompensa tá diretamente relacionada ao sacrifício."

"E há todos aqueles corpos no caminho. Que são uma advertência horrível, mas, ao mesmo tempo, deixam a vitória mais saborosa."

Arthur sente algum tipo de alívio pelo rumo da discussão, mas não ri dos corpos. Nunca poderia. Não dos corpos. Não de qualquer imagem que não possa escapar do fato de que somos carne, órgãos, feixes de músculo. É quase intolerável para ele.

"Que tal a gente ir lá fora um pouco?", ele pergunta, balançando um baseado entre os dedos como se ainda fosse aquele cabeludo de dezesseis anos querendo escapar de uma festa ruim.

Uma hora depois e eles ainda estão lá. Tamara acendeu as luzes do pátio. Um brilho dourado e difuso flutua sobre o gramado, seco demais pela falta de chuva, mas o seu limite são as primeiras árvores de Jimmy Pitelkow. A partir dali, há só um emaranhado de escuridão. Estão sentados em duas cadeiras de jardim agora, de frente para o mato, e Arthur não ficaria nem um pouco surpreso se alguma coisa pulasse dali, quer dizer, é como se eles estivessem esperando por isso. Seria frustrante se fosse apenas uma floresta decorativa, uma paisagem para acalmar os nervos de Pitelkow, ou então algo para ser transformado naquelas pinturas medonhas que são expostas e vendidas em alguns restaurantes locais, imitações toscas de impressionismo feitas por gente que acha que o valor artístico de um quadro está garantido caso a paisagem retratada seja de uma beleza inegável.

Mas ele tinha opiniões radicais quando ficava chapado.

"E sua mãe?", ela pergunta.

Sua mãe. Do que Tamara está falando? Do que *eles* estão falando?

"O que tem ela?"

Tamara mexe em seus anéis de prata. Tira o anel do dedo médio e o recoloca no lugar. Parece que tem um pequeno prazer ao senti-lo passar apertado pela segunda falange.

"Você disse que seu pai não sabe que você tá aqui. Mas e a sua mãe, você se dá bem com ela?"

"Ela morreu no ano passado. Câncer."

"Ah. Eu sinto muito, Arthur."

"Tá tudo bem."

Volta e meia, um carro passa na frente da casa, e lá de trás eles ouvem o ruído durar muito mais tempo do que duraria em outro lugar. Borracha rolando no fio de asfalto espremido entre as árvores.

"O que você queria falar comigo ontem?", ele diz. "Com sua pequena mímica de telefone."

Achou aquilo bonitinho. Uma intimidade que não imaginaria ter tão rápido com alguém em outro país.

"Como tá o Oceanside Inn?", ela pergunta.

"Você sabe como tá. Horrível."

Se ao menos ele pudesse cozinhar. Já decorou o cardápio do tal Café Del Mar.

"Talvez eu tenha um lugar pra você. O que você acha de ficar na casa de uma professora aposentada, hein?"

"Parece promissor."

Os dois começam a rir.

"Sério, eu imaginei uma vida de fora da lei e você quer me apresentar a uma professorinha?"

"É só um lugar pra ficar. Vocês não precisam virar melhores amigos."

"Onde ela mora?"

"Albion. População, cento e sessenta e oito. Você vai gostar de lá."

"Sei, é onde fica a Fish Rock Farm, né? Por acaso ela tem cabelo branco?"

"Não." Tamara abre um sorriso como se estivesse achando Arthur a pessoa mais interessante do mundo. "Se você tem alguma coisa contra senhoras de cabelo branco, olha, eu acho melhor você ir embora desse condado."

Arthur ri.

"Não. Se ela fosse a sua professora, eu preferiria viver dentro de uma árvore, sério. Eu só me lembrei agora de alguém que eu conheci em Fort Bragg ontem. A gente tava vendo esse cara, Philip, ser preso. Tinha um pequeno grupo na calçada. Eu me odeio por isso, o.k.? Enfim, alguém incendiou a estufa de Philip, aí a polícia veio e encontrou cento e doze pés de maconha queimados."

"Que prejuízo."

"Você acha que ele vai ficar preso?"

"Duvido."

"Porra, são muitas plantas."

"Você disse cento e doze? Nah. Isso não é muita coisa."

"Sério?"

"Quantas você tinha no Brasil mesmo?"

"Dezesseis."

O céu tem alguma claridade, ainda que seja noite. Não é exatamente o escuro da floresta; este, uma única massa impenetrável. O topo das árvores forma uma linha confusa, o limite entre as duas escuridões.

"Você tá bem, Tamara? Quero dizer, depois dos seus dois rompimentos."

"Eu tô legal, sim."

Ele olha para sua camiseta nova.

"Eu acho que tô começando a ficar legal também."

Harry Anslinger

É só uma pequena lápide no cemitério presbiteriano de Hollidaysburg, Pennsylvania, esses homens que nascem e voltam ao mesmo lugar para morrer, 1892-1975. A cidade está coberta de neve e o trem joga no ar um grito arrastado de agonia e cansaço. Alguém ainda se lembra do Harry Anslinger Day em 1962? Aquele velho de bengala por acaso se lembra? Era 8 de agosto. Organizaram um piquenique no American Legion Park. Um monte de gente sacudindo pequenas bandeiras. Um monte de crianças brancas sobre os ombros dos pais. As autoridades se sucediam ao microfone, suando sob o sol do verão. Ele estava voltando para casa depois de trinta e dois anos à frente do Federal Bureau of Narcotics. Mais de cinquenta telegramas haviam chegado de Washington.

Harry Jacob Anslinger, que tinha uma casa pontuda na Pine Street, a esposa recém-enterrada, elefantes, dragões de marfim, tapetes do Curdistão, uma vitrine com cachimbos de ópio feitos de bambu. Harry Anslinger, o tsar antidrogas, que seria esquecido por quase todos, menos pelos militantes pró-maconha das décadas futuras, mandou presentes para J. Edgar Hoover, mas nunca, jamais, foi amigo de J. Edgar Hoover ou do FBI (*muito obrigado pela parafernália para fumar ópio! É um equipamento dos mais interessantes, com o qual eu não tinha familiaridade alguma. Na verdade, não sei se eu teria sido capaz de saber para que servia se não tivesse sido informado. Fico feliz de receber essa peça, e agradeço sua consideração em me apresentá-la. Com minha mais alta estima, me despeço, J. Edgar Hoover*).

Harry tinha sido o oitavo em uma família de nove filhos. O pai, Robert, trabalhava na ferrovia da Pennsylvania, e Harry ainda garoto seguiu seus passos, estudando de manhã, martelando trilhos, sentado ao longo dos trilhos quando o sol se punha. Estudou no Altoona Business College e se aprofundou mais um pouco em engenharia e administração de empresas no State College, enquanto tocava piano em um cinema mudo no centro de Altoona e esperava um dia fazer parte de uma orquestra.

Veio a Primeira Guerra, ele tentou se alistar, mas foi cortado duas vezes porque tinha um olho ruim. Trabalhou assim mesmo para o valoroso Estado americano na burocracia da guerra, recrutando soldados, verificando a qualidade de produtos manufaturados, de maneira que sua extrema competência administrativa o levou a ocupar posições em Haia, depois em Hamburgo, na infernal La Guaira, Venezuela, e finalmente nas Bahamas, onde Anslinger demonstrou um talento ímpar no combate aos traficantes de bebida.

Em junho de 1930, foi criado o FBN, primeiro órgão federal de combate às drogas, naquele momento sob o controle do Departamento do Tesouro. O presidente Herbert Hoover colocou Anslinger na grande cadeira preta estofada. Anslinger era casado com a sobrinha do secretário do Tesouro. Tinha o apoio da indústria farmacêutica, do barão da mídia William Randolph Hearst e dos seus amigos juízes, banqueiros e republicanos que caçavam cervos no Canadá. Morava em uma suíte no Shoreham Hotel, em Washington. Depois do fim da Lei Seca, em 1933, ele era aquele homem alto que podia ser visto bebendo uísque perto da janela.

Logo perdeu os cabelos. O sujeito alto e careca, um soldado de deus com saudades do seu querido estado da Pennsylvania, tinha também um enorme instinto de autopreservação nas estruturas da burocracia; era necessário sempre mostrar serviço para justificar a manutenção do seu pequeno FBN, um órgão que nunca passou dos trezentos e cinquenta agentes, mas que colocava na prisão mais do que qualquer outro.

Naqueles anos, enquanto rastreava os grandes traficantes de ópio, dentro e fora dos Estados Unidos, Anslinger também liderava uma cruzada interna contra uma planta de folhas dentadas, a erva daninha do diabo que vinha em forma de cigarros e podia transformar um bom menino em um assassino cruel, uma boa menina em uma suicida ou depravada, mas a verdade é que quase ninguém tinha sequer visto ou sentido o cheiro de um baseado quando, em 1937, o Congresso aprovou o Marijuana Tax Act, a primeira medida antimaconha do país. Um inimigo comum sempre une uma nação, especialmente quando essa nação se chama Estados Unidos da América.

Então Anslinger e o povo estavam muito preocupados com a juventude (*alunos de cor da Universidade de Minnesota em festinhas com alunas* [*brancas*] *fumando e conquistando sua compaixão com histórias de perseguição racial. Resultado: gravidez*). Então Anslinger e o povo estavam preocupados com os comportamentos desviantes e o futuro da América (*não faz muito tempo, uma menina de quinze anos fugiu de sua casa em Muskegon, Michigan, e mais tarde foi presa na companhia de cinco jovens em uma boca de fumo em Detroit. Um homem e sua esposa eram os donos do lugar. Nunca se saberá quantas crianças já tinham fumado no local. Havia sessenta cigarros por lá, alimento suficiente para sessenta assassinos*). Mas quase ninguém associava o novo narcótico ao velho e conhecido cânhamo, os dois variações da mesma cannabis, cujas fibras tinham estado nas caravelas de Cristóvão Colombo, no papel da Constituição americana e no pátio de ninguém menos que George Washington.

Veio a Segunda Guerra. Harry Anslinger foi chamado pela recém-criada agência de inteligência norte-americana Office of Strategic Services para colaborar no desenvolvimento da Droga da Verdade. A Droga da Verdade ia fazer com que espiões e soldados capturados falassem. Após alguns meses, os cientistas chegaram ao acetato de tetra-hidrocanabinol, o princípio ativo da maconha. Era um concentrado incolor e sem cheiro. George Hunter White, um dos agentes mais atuantes do FBN, estava lá nos interrogatórios-teste. Mas a maconha que, segundo Anslinger, ameaçava o país foi reprovada nos porões do OSS porque fazia as pessoas rirem e não muito mais do que isso (*ela ressalta os sentidos e explicita qualquer característica marcante de um indivíduo. Inibições sexuais diminuem e o senso de humor se intensifica, de forma que qualquer enunciado ou situação pode ser extremamente engraçado para o sujeito. Pode-se afirmar que, de forma geral, a reação será caracterizada por grande loquacidade e hilaridade*).

Harry Jacob Anslinger, durante a Segunda Guerra, estocou trezentas toneladas de ópio nos armazéns do Departamento do Tesouro, em Washington, para os soldados que eventualmente precisariam da substância, negociou a droga também com os aliados e fez seu preço aumentar trezentos por cento no mercado negro. Harry Jacob Anslinger organizou os dois volumes do *Livro da máfia*, uma compilação de bandidos internacionais (capa bordô) e nacionais (capa marrom-escura) com descrições extensivas de conexões, áreas de atuação, aliados e modus operandi. Nunca quis dar o *Livro da máfia* para J. Edgar Hoover. Harry Jacob Anslinger fornecia morfina para um membro do Congresso que, ao que tudo indica, era Joseph McCarthy. Harry Jacob Anslinger olhava para o outro lado quando seus agentes fraudavam relatórios a fim de fornecer pequenas quantidades de droga e dinheiro apreendidos para informantes, e eventualmente alguns agrados para suas esposas.

Mas não é que os agentes do FBN e seu chefe fossem todos corruptos e inaptos; às vezes eles se viam enredados em situações que ultrapassavam a lógica binária dos mocinhos e dos bandidos, e então era preciso fazer sacrifícios em nome da segurança nacional. Isso quer dizer que Anslinger e seus homens entenderam quando mafiosos como Santo Trafficante ganharam imunidade do governo dos Estados Unidos porque a CIA engendrava com ele uma trama para matar Fidel Castro. Não era incomum que o Estado usasse membros da máfia no combate aos comunistas e aos trabalhadores sindicalizados.

Anslinger também sabia que a China vermelha não podia ser responsável por noventa e cinco por cento de toda a droga que chegava em San Francisco, Califórnia, mas lá estava ele diante do Comitê de Segurança Interna do Senado dizendo exatamente isso (quando relatórios provavam que países aliados dos Estados Unidos tinham envolvimento com o tráfico internacional, esses relatórios eram enterrados e esquecidos). Naquele dia, Price Daniel, senador do Texas, gostou imediatamente do que estava ouvindo. Ligar drogas ao comunismo caía bem nos anos 50. Os comunas queriam controlar nossas mentes. Os comunas queriam desmoralizar o povo americano. E Price Daniel era um texano faca na bota que almejava o governo do seu estado. Daniel estava a fim de ser esse lutador incansável contra comunistas e entorpecentes. Comunistas traziam entorpecentes? O comunismo, no fundo, era um grande entorpecente? Daniel e Anslinger bebendo uísque em Washington DC. Em 1955, Daniel levou Anslinger e alguns agentes do FBN para depor no Senado e, no ano seguinte, a casa aprovou uma legislação mais dura para o tráfico de drogas (*Daniel: Agora, o que eu estou entendendo é que enquanto estamos aqui discutindo sobre maconha, o perigo real existente é que o uso da maconha leva muitas pessoas, mais cedo ou mais tarde, a usar heroína e drogas que causam total dependência, é isso? Anslinger: É esse o grande problema e a nossa grande preocupação em relação ao uso da maconha; se usada por um longo período, ela realmente leva ao vício em heroína*).

Price Daniel foi eleito governador do Texas em 1957.

Enquanto isso, o agente do FBN George White estava no número 81 da Bedford Street, em Greenwich Village, Nova York, trabalhando para a CIA na operação MKULTRA. Ele ficava atrás de um falso espelho bebendo gim enquanto prostitutas contratadas pela agência ofereciam bebidas batizadas com LSD para espiões, diplomatas e políticos. Tudo era gravado.

John Kennedy e Robert Kennedy nunca gostaram muito de Anslinger. Mas a velha raposa já estava quase se aposentando quando os anos 60 chegaram. O LSD ia sair das casas secretas da CIA e ganhar as ruas. Um dos últimos atos de Harry Anslinger foi assinar a Convenção Única sobre Entorpecentes da ONU em 1961. Naquele momento, sua presença nas Nações Unidas, desde 1946, já tinha determinado os rumos de toda a política internacional de combate às drogas.

Em 1968, Harry Jacob Anslinger disse: "As únicas pessoas que me dão medo são os hippies". Em 1971, recebeu o repórter Michael Kernan, do *Washington Post*, na casa pontuda da Pine Street, em Hollidaysburg. Era um viúvo muito alto com nenhum fio de cabelo andando com certa dificuldade. Falou longamente sobre a máfia. Disse que um copo de Jack Daniel's era capaz de levantar seu astral em um dia ruim. O filho Joseph morava logo ao lado e Hollidaysburg estava cheia de velhos amigos. Sobre a crescente popularização da maconha, comentou: "Não estava espalhada pelas universidades quando eu deixei o cargo. Eu teria adotado uma política de alta perseguição e teria tirado isso de lá. Eu não sei. Eu não sei qual é a resposta".

Então Albion. População, cento e sessenta e oito. Apenas um punhado de estradas curvas que parecem levar a lugar nenhum, começando na beira do oceano e se distanciando dele em um labirinto de pequenas propriedades rurais. Há um mercadinho. O correio. Duas bombas de gasolina cara. É preciso estar desesperado para abastecer ali. Albion, que foi dos índios Pomo em primeiro lugar, que foi dos lenhadores em segundo, mandando rio abaixo troncos gigantescos de sequoias vermelhas até a serraria lá do estuário a partir de 1853. Às vezes eles tacavam fogo em tudo e saíam da floresta como quem saía de uma mina de carvão. Depois Albion dos hippies. Terra barata. Gente nova chegando com ideias utópicas naquele lugar majestoso e quase abandonado desde o fim da indústria madeireira.

O Grand Marquis anda devagar, reverente, deixando correr pelas janelas abertas o som agridoce de uma canção do Mazzy Star. Há quanto tempo Arthur não ouvia aquilo? Sente o ar da floresta e isso não o faz lembrar de coisa nenhuma. O céu está azul sem uma única nuvem. Ele tinha mesmo sido um guri estranho. Manteve o cabelo comprido a partir dos treze anos, deixando-o sem lavar por uns seis dias, não o máximo que ele podia aguentar sem coçar desesperadamente o couro cabeludo, mas o máximo que sua mãe tolerava as mechas gordurosas e compactas caindo sobre a comida. Por que ele tinha que quase enfiar a cara no prato?, era o que Arthur se perguntava agora. Parece haver uma conexão profunda entre os olhos dos adolescentes e o chão. Lembra das pedras do calçamento do colégio onde estudava, do linóleo barato das salas. Lembra das grades das bocas de lobo e da vez em que Fabrício, seu melhor amigo, escondeu ali a metade de um baseado. Lembra de ser derrubado no areião do campo de futebol, e de como as partículas se misturavam com o sangue do machucado e de como essa mistura, sangue e areia, um vermelho diluído e granulado, escorria depois pela pia do banheiro masculino. Seu cabelo comprido, além de uma tentativa fracassada de evocar Kurt Cobain, funcionava como uma cortina entre ele e o mundo, aquele negócio que você puxa para esconder a bagunça no caso de não haver uma porta. Era muito mais eficaz do que andar *apenas* com a cabeça baixa. Com catorze anos, ele conheceu Mazzy Star porque um primo mais velho tinha comprado um CD do grupo durante uma viagem aos Estados Unidos. Nunca disse para Fabrício, muito menos para todos os outros, o quanto aquela música dormente e psicodélica o envolvia. Escutava sozinho no quarto, apenas. Mazzy Star fazia Arthur olhar para o teto. Uma voz de mulher. Teclados como se todo o Doors tivesse passado por um retiro espiritual de dois anos no Tibete. Violões. Algo feito para sonhar acordado. Na adolescência, ninguém se orgulha de ser calmo, de modo que ele vivia com a constante sensação de que estava colocando para dentro o que seus colegas costumavam pôr para fora, sem saber exatamente quais seriam as consequências de ambas as coisas no futuro. Mazzy Star era um segredo porque, naquele momento, ele não conseguia lidar com essa diferença.

Tenta observar sua nova vizinhança agora, as árvores, a grama ressecada, fragmentos de casas sem nenhuma presença humana perceptível, como se ele estivesse navegando pelas imagens congeladas do Google Street View. Passa por uma propriedade onde conta seis esqueletos de automóveis. Quanto tempo até as carcaças de ferro serem engolidas de volta pela natureza? No clima sempre úmido do sul do Brasil, é provável que os carros já estivessem fundidos à vegetação, completamente irreconhecíveis. Parece possível que a natureza tenha uma relação íntima com a organização social de um país, e por um momento ele acredita nessa ideia sem restrições, que a retidão das coníferas não é um mero pano de fundo, e que os galhos retorcidos das tipuanas brasileiras teriam levado tanto ao Carnaval quanto à maleabilidade das instituições e à corrupção endêmica. Tem certeza de que seus colegas da história ririam dele, mas qual era o problema de brincar com suposições? Olhando para trás, será que poderia ter sido de outro jeito? O tropical conquistando o temperado? O exuberante se impondo sobre o cartesiano?

Foi depois da apreensão que construiu a ideia de se mudar para a Califórnia. Se tivesse que escolher a cena fundadora, apontaria para um fim de tarde abafado no seu velho quarto de adolescente. Estava sentado na cama de solteiro. A sua frente, Fabrício tinha se acomodado no chão, as pernas compridas quase tocando o estrado da cama. Era como ter passado para o lado de lá das cordas acetinadas em um museu, o quarto do poeta, o quarto do pintor, o quarto do psicanalista, onde tudo parece muito pequeno e qualquer criado-mudo banal se carrega com a formalidade da história. Naquele caso, tratava-se da sua pequena e insignificante história: a gaveta em que, na adolescência, costumava guardar maconha e camisinhas, um constrangedor abajur com a forma de um foguete, o canto da parede onde antes havia um pôster do Smashing Pumpkins — naquele ponto, digerido e transformado em outra coisa pelos vermes insaciáveis de um aterro sanitário. Olhou para a camiseta de Fabrício fazendo uma careta de quem, ultimamente, não estava gostando muito da vida.

"Tu nunca foi pra Califórnia", disse.

Fabrício parou de balançar a cabeça no ritmo da música — uma boa canção de alguma fase subestimada de David Bowie — e encarou Arthur.

"Nunca. E daí?"

"Tu tá usando uma camiseta que diz 'Califórnia'."

"Cara, eu comprei essa camiseta ali na Independência."

"Por que tu usaria uma camiseta de um lugar pra onde tu nunca foi?"

"Tem toneladas de camisetas com a palavra Califórnia no *mundo inteiro*, Arthur."

"É o que eu tô dizendo. Me explica isso. Me explica."

Fabrício deu uma risada.

"Me explica tu, professor."

Mas ele ficou em silêncio, pensando em Corrida do Ouro, hippies e plantações de maconha. O dia terminou e o quarto foi engolido pelo lusco-fusco. Ninguém se deu ao trabalho de ir até o interruptor. Do outro lado da porta, ouviu o pai passar arrastando os chinelos.

"Tu vai ficar aqui nessa casa?", Fabrício perguntou depois de um tempo. Eram dois vultos então. Dali a pouco Arthur ia se levantar para acender a luz.

"Não sei. Talvez mais uns meses."

"Eu tô tocando a cama com a sola dos meu tênis, Arthur. Isso não pode ser bom."

No som do carro que percorre agora as estradas vicinais de Mendocino, Hope Sandoval canta "*there's a world under it, I think I see it*". Arthur segue pela Albion Ridge Road. Com exceção da propriedade dos carros deteriorados, todo o resto tem um ar organizado e limpo, levemente mais rico que as imediações de Willits, onde Tamara está ocupando a casa de Jimmy Pitelkow. É claro que às vezes parece certo demais, e ele não está acostumado com nada disso. Certo demais pode ser monótono para quem nasceu e cresceu na caótica América Latina.

Ele dobra à direita, conforme as intruções do GPS, na Albion Middle Ridge Road, um pouco mais estreita que a estrada anterior. O sol tem certa dificuldade em entrar ali. Mais alguns minutos e ele está diante da casa de Sylvia Watkins. É uma casa de madeira escura com as esquadrias pintadas de branco, mais próxima da estrada do que a maioria das outras. Enfia o carro grandalhão no intervalo da cerca viva e desliga o motor. Um gato preto passeia pelo gramado, onde há um varal sem roupas.

"Não, você não fez isso."

Escuta a frase no instante em que abre a porta do carro. Levanta a cabeça. Sylvia olha para ele, mas não faz nenhuma menção de cumprimentá-lo. Está vestida como alguém que passa o dia todo em casa, pés descalços, jeans folgado, casaco de lã até o joelho, o telefone equilibrado no ombro como se suas mãos estivessem ocupadas com outra atividade.

"Eu acho que você já gastou muito tempo e energia com essa Jessica. Você tem um emprego agora, Danny. Seu chefe gosta de você. Não acha que deveria focar nisso? Eu sei o quanto pessoas como a Jessica podem parecer atraentes no início, mas você ia acabar cansando. Ela parece *intensa demais*. Só um minutinho, querido."

Sylvia estende a mão para Arthur. Seu olhar analítico o deixa pouco à vontade.

"Meu hóspede chegou aqui", ela diz enquanto dá uns passos para trás, deixando o caminho livre para que Arthur entre na sala arrastando sua mala de rodinhas. É uma sala comum de classe média americana, que não parece ter aderido às tendências burguesas-boêmias e à fusão com culturas exóticas. Um pôster com o símbolo da paz é o que há de mais fora do padrão ali. Enquanto ele fica parado sem saber o que fazer, Sylvia vai para a cozinha e coloca água na chaleira, ainda com o telefone no ouvido.

"Será que eu tenho que lembrar de quando você me ligou da Mulholland Drive às quatro da manhã dizendo que ninguém mais o veria de novo? Danny, por favor."

É como se Arthur não estivesse ali. Sente um arrepio ao imaginar seus próximos meses com aquela mulher, assistindo ao espetáculo que podem ser os dias de uma ex-professora de ensino médio que se mudou para o meio do mato há menos de dois anos, aparentemente deixando um monte de problemas pendurados em Los Angeles. Parece ser a última história que ele gostaria de acompanhar entre as 87 649 histórias espalhadas em dez mil quilômetros quadrados. Continua de pé no meio da sala.

"Eu ligo pra você de noite, querido. Só não fala com a Jessica antes de falar comigo, o.k.? Eu sei que você não quer ver o que está bem na sua frente. Eu não fiz isso com o seu pai por anos? Você não tem que se sentir culpado por isso, a gente erra. Bom trabalho, Danny, até depois."

Ela desliga o telefone e o coloca de volta na base. Olha para Arthur. Não está usando nenhuma maquiagem e seus olhos piscam bastante, como se estivessem sempre lidando com alguma poeirinha.

"Era meu filho."

A chaleira apita. Arthur tenta oferecer um sorriso reconfortante.

"Ele tá com problemas?"

"Ah, o Danny sempre tá com problemas. É algo de família. Quer dizer, meu outro filho escapou disso de algum jeito. Você quer um chá? Eu tenho hortelã e earl grey."

“Sim, brigado. Hortelã tá ótimo.”

“Então, Arthur. Ouvi falar que você também é professor. O que um professor brasileiro veio fazer em Mendocino? Me fale um pouco sobre você.”

Seus primeiros dias em Albion correm tranquilamente. Arthur tem todo o andar de cima para ele, com uma meia dúzia de janelas que enquadram a floresta. Espalha suas coisas pelas três mesas, um exagero de mesas, e usa uma velha bicicleta ergométrica como cabide. A cama fica em um canto da grande peça, separada por uma cortina preta. Às vezes ele se fecha lá dentro para ler.

Sylvia passa a maior parte do tempo em casa. Seus únicos compromissos fixos são o trabalho voluntário na biblioteca de Fort Bragg, nas tardes de quarta-feira, e os encontros do grupo Filhos Adultos de Alcoólatras no centro comunitário de Mendocino, nas noites de quinta. É uma leitora voraz, Sylvia. Sabe que devia estar lá fora mexendo na sua horta, não é para isso que ela se mudou pra lá afinal?, o espinafre vai morrendo pelas bordas e os morangos não passam do tamanho de uma unha, mas ela prefere ficar sentada na poltrona com um livro na mão. Há algumas semanas, alguém na biblioteca lhe recomendou um romance de T. C. Boyle, aquele cara com cabelo estranho e roupas extravagantes, um livro cuja história se passava ali no condado e do qual ela gostou tanto que foi para a prateleira atrás de outros romances do autor. O tema que se repete parece ser o da natureza violenta do americano por baixo de uma camada de civilidade. Isso interessa muito mais a Sylvia do que qualquer investigação sobre qualquer traço de qualquer outra cultura.

Deve ser porque ela percebe a violência em quase todos os pontos de sua própria vida doméstica, e estar ali agora, no norte da Califórnia, sozinha, é a tentativa mais drástica que já fez para romper com um padrão de erros e abusos. Às vezes ela pensa que tudo poderia ter sido diferente se sua mãe não fosse aquela pessoa mentalmente perturbada e incapaz de cuidar de duas crianças pequenas — sabe-se lá que doença tinha, nunca foi tratada pela porcaria do sistema de saúde deste país —, mas isso não seria jogar para cima das mulheres mais uma culpa que elas não mereciam carregar sozinhas? Como se uma sucessão de homens poderosos não tivesse deixado a vida e a morte dos cidadãos americanos nas mãos das companhias privadas. Como se seu pai não tivesse deixado as crianças chorando e ido para a esquina beber Four Roses com um cara que tinha uma dentadura ruim e outro que morava de favor no sul de La Verne. Como se os tipos escrotos com quem ela se envolveu, cujo único talento passava por ignorar o fato de que eles não tinham talento algum, não tivessem se sentido autorizados a controlar sua vida de um modo radical e doloroso, mesmo que *ela* fosse a pessoa inteligente ensinando Shakespeare para meninos e meninas de quinze anos às dez horas da manhã.

Pelo menos ela protestou contra os testes atômicos em Nevada, viveu uma metade de grande amor e mais uns pedacinhos aqui e ali, criou dois meninos — embora o caçula ainda estivesse se debatendo com a vida —, foi homenageada em incontáveis cerimônias de formatura da El Monte Union High School, e agora era a feliz proprietária de uma casa em um lugar muito distante da sua antiga vida, em todos os sentidos possíveis. E tudo bem se ela tinha que receber hóspedes de vez em quando para que as contas fechassem no final do mês. Ninguém mandou ela não segurar o tranco e entrar com a papelada solicitando uma aposentadoria precoce. Era isso ou a vida se resumiria a um colapso nervoso atrás do outro. De qualquer maneira, ser uma *superanfitriã* do Airbnb, com a pequena medalha ao lado da foto de perfil, podia ser gratificante; queria dizer que Sylvia Watkins havia recebido cinco estrelas em pelo menos oitenta por cento de suas avaliações. Queria dizer, em resumo, que as pessoas gostavam de sua casa e que as pessoas gostavam dela.

Quando Arthur desce, ela normalmente está por ali. Olha para ele com aquele sorriso de quem quer começar a falar, mas não diz nada. Isso deve ser o que Sylvia entende por "respeitar a privacidade dos hóspedes". Se ele lhe dirigir a palavra, ela vai lembrar de alguma história intrincada, então em geral Arthur só devolve o sorriso e vai fazer outra coisa. Às vezes ela está ocupada preparando o Quarto Debaixo das Escadas para alguém, trocando lençóis e enchendo um cesto de vime com toalhas limpas enroladas. Há um urso de pelúcia marrom-escuro sobre a cômoda desse quarto, como se ele fosse uma maneira de resumir uma ideia de lugar aconchegante sem que se precise gastar dinheiro em outros detalhes. A maioria das pessoas que ficam no Quarto Debaixo das Escadas está só de passagem, dirigindo até a parte mais setentrional da Califórnia ou então até a costa do Oregon. Do contrário, elas procurariam por algo além de um *futon* dobrável em uma peça onde mal dá para ficar de pé.

Arthur sai para caminhar com frequência. Pega a Albion Middle Ridge Road no sentido oposto ao de onde veio. Há um cara criando lhamas por ali. Ele instalou uma placa não muito amigável que diz que, se seu cachorro atacar as lhamas, o bicho pode acabar levando um tiro. Mais adiante, um casal idoso está reformando uma casa quase colada à estrada. Ambos estavam de pé no telhado no final de uma manhã ensolarada quando Arthur passou lá embaixo sem olhar para cima. O velho deu um bom-dia em tom de reprimenda. Ele tinha uma voz inconstante, como se a estivesse afinando enquanto falava.

Arthur sentiu o rosto queimar quando respondeu ao bom-dia, odiando-se por aquela reação extrema e infantilizada. Continuou seu caminho e ainda lhe parecia estranho que a cordialidade obrigatória entre vizinhos andasse lado a lado com aquela noção bélica de propriedade privada; todas as placas de *private road* meio que sugerindo que, se você as ultrapassasse, estava por sua conta e risco, o que, nos primeiros dias, funcionou no sentido de mantê-lo sempre na estrada principal. Em outra manhã, Arthur encontrou uma criança loira. Achou que era um menino, mas não dava para ter certeza. A criança estava usando um casaquinho verde cheio de gomos que pareciam ter sido soprados por alguém. Não parava de inventar histórias sobre ataques de ursos. No final da conversa, ela remexeu os bolsos do casaco e lhe deu uma pena de presente, que Arthur depois guardou dentro de um livro sobre Dennis Peron, o ativista de San Francisco que tinha se esforçado bastante para que a lei da maconha medicinal fosse aprovada no estado da Califórnia em 1996.

Ele nunca fumava quando Sylvia estava em casa. Não, ela não tinha nenhum preconceito contra quem o fazia, mas sempre preferiu as pessoas que passavam pela dureza da vida sem o falso conforto dos alteradores de consciência. Sylvia disse isso certa noite e repetiu no dia seguinte, como se fosse algo que escutara em um encontro dos Filhos Adultos de Alcoólatras, e que precisava então passar adiante para ajudar a erguer um mundo onde famílias não fossem destruídas pela bebida e pelas drogas. Mas o seu azulejista plantava maconha, acrescentou. E mais uns três ou quatro caras que ela tinha conhecido num site de relacionamentos, mas que pareceram instáveis demais e barbudos demais para que ela realmente pudesse vislumbrar uma vida a dois. Depois ela abriu a porta para deixar Zanzibar, o gato, entrar. Ele gostava daquela vida selvagem no mato: 87 649 histórias espalhadas em dez mil quilômetros quadrados e Arthur estava ouvindo fragmentos da vida de Sylvia Watkins, cuja antipatia pelos alteradores de consciência provavelmente impedia que ela aderisse de corpo e alma aos ideais dos anos 60, quer dizer, à versão revista e um pouco distorcida desses ideais.

Ele subiu para o andar de cima com uma xícara de chá. Ficou um tempo parado sem fazer nada. O que havia de mais perturbador na casa de Sylvia era certamente aquela caixa envernizada perto de uma das janelas, com um pássaro e um galho florido talhados na madeira e a inscrição *Frances Watkins 1927-2009*.

Estão comendo uma pizza no Piaci, Arthur, Sylvia e Dave. Dave, o cara que vai ficar no Quarto Debaixo das Escadas por um par de noites, chegou de Oakland faz três horas com um caiaque laranja sobre o carro. Usa óculos pequenos e redondos e um colete de fotógrafo, mas pareceu indiferente à paisagem durante todo o caminho até Fort Bragg.

O Piaci é um bar frequentado sobretudo por gente do condado, com um balcão e uma meia dúzia de mesas pesadas de madeira. Nas paredes há cartazes de cervejas produzidas não muito longe dali e uma placa azul que diz *Hippies, usem a porta dos fundos — sem exceção*, o que provavelmente é algum tipo de piada local.

"Então você pega sua cadeira dobrável e fica na praia o dia inteiro?"

Sylvia começa a rir da própria pergunta.

"É mais ou menos isso que eu faço", responde Dave. "Ou eu pareço novo demais pra uma coisa dessas? Dá pra fazer nada com qualquer idade, sabe."

Agora os dois riem juntos enquanto Dave estende o corpo para trás, como se precisasse mostrar o quão à vontade se sente. O lugar começou a ficar barulhento. Arthur pega mais um pedaço de pizza. Acha que Sylvia está flertando com seu hóspede, o que deve ir contra todas as políticas do Airbnb, mas não tem certeza sobre Dave e fica pensando nisso, sobre o quanto ele deve ser bem mais jovem do que ela, embora a questão talvez não seja bem essa e sim o fato de ele parecer aquele tipo de cara problemático que ainda mora com a mãe e que jamais conseguiu estabelecer relações, exceto com prostitutas ou mulheres com níveis baixíssimos de amor-próprio e que devem ter aceitado chupar o pau dele a troco de uma vaga sensação de serem amadas.

De todas essas coisas, a única realmente verdadeira é que Dave nunca se casou ou teve filhos. Contou isso no carro porque Sylvia foi indiscreta o suficiente para perguntar. Não teria contado de outro jeito. Não era algo de que pudesse se orgulhar. Mas de quem tinha sido a ideia de saírem os três?, Arthur se perguntou durante todo o trajeto pela costa e se perguntava agora enquanto ouvia Dave e Sylvia trocarem impressões sobre uma série de TV com um protagonista muito complexo.

"Ele é quem eu gostaria de ter sido, se você quer saber", Dave diz.

Não parece ser a primeira vez que ele afirma isso para uma pequena plateia.

"O que você acha de T. C. Boyle? O romancista", Sylvia pergunta a Dave.

"Eu gosto dos blazers dele."

Dessa vez, até Arthur ri.

"Não, sério. Faz tempo que não sou um grande leitor de ficção. Acho que deixei toda a mentira pro cinema e pras séries de TV."

Dave pede mais cerveja para ele e Arthur. Sylvia não bebe

uma gota de álcool. As mesas estão cheias de gente falando alto e a música que toca parece ter algo a ver com classic rock, mas não dá para ter certeza. Uma segunda pizza aparece na frente dos três. Aquela camada de flerte vai se dissipando aos poucos, como se Sylvia visse Dave com mais clareza agora; sim, ele tem algo de perturbador. Talvez sejam aqueles óculos com lentes tão pequenas que mal enquadram os olhos e a indiferença que Dave mostra quando eles escorregam pelo nariz, sem pressa alguma de colocá-los no lugar, o que o deixa temporiamente com aquela aparência de um velho já no processo de soltar a corda da realidade.

E de repente Arthur começa a falar sobre as pizzas brasileiras, embora ninguém tenha lhe perguntado nada a respeito disso porque quase nunca lhe perguntam sobre qualquer coisa relacionada ao Brasil. Pizzas ralas de molho. Pizzas com não sei quantos tipos de queijo ruim. Pizzas doces. Ele se empenha na descrição de um pêssego escorrendo calda açucarada sobre a mozarela e com isso arranca algumas expressões de nojo e grunhidos de total incompreensão, mas acontece que aquele é apenas o primeiro degrau das diferenças culturais. Pizza de coração de galinha. Aí sim. Dave está rindo como se aquilo não pudesse existir em nenhum lugar do planeta e Sylvia ficou paralisada em alguma parte do relato; um clássico da sua região, o Rio Grande do Sul, último estado do Brasil, pequenos corações servidos nos churrascos em espetos como aperitivo — ele tenta explicar o conceito de espeto —, e é claro que é muito fácil ver aqueles pedaços de músculo torrado com uma pontinha de artéria gelatinosa e imaginar a galinha que não está lá.

Tem a impressão de que algumas pessoas ao redor olham para ele, talvez se perguntando *quem* é capaz de tamanha crueldade. Sente-se desconfortável. Foi divertido prender a atenção dos dois por um tempo, mas agora não gosta nada do fato de seu país ter se tornado a piada da mesa.

Por sorte, alguma coisa mais interessante surge no fundo do bar. É para lá que Sylvia se virou, como se empurrasse as pessoas com os olhos para daí ver com toda a clareza algo que está perto do acesso à cozinha.

"Lembra dos caras que eu te falei? Do site de relacionamentos", ela diz, olhando para Arthur.

"Barbudos demais?"

"E encrenca demais. Um deles tá ali atrás, camisa de flanela amarela. Não olha agora."

Ele dá um tempo, depois se vira. O único homem usando amarelo é Dusk. Está conversando com dois rapazes de rostos meio lenhosos, queimados pelo sol. Claro que é ele quem tem a palavra.

"Dusk? Mas ele é tão mais velho que você."

"Aparentemente você nunca foi uma mulher de cinquenta e seis anos, Arthur."

"Não mesmo."

"Bem, há algumas coisas que você precisa entender. A gente fica com as sobras. Os homens da nossa idade estão ou enterrados em casamentos medonhos ou procurando mulheres mais novas que eles e que ainda tenham algum colágeno. Então você é obrigada a dar uma vasculhada nos caras que estavam lutando pelos direitos civis enquanto você andava por aí de fraldas, e o único atrativo de alguns deles, querido, é o fato de ainda não estarem ligados a um tubo de oxigênio."

Dave dá uma gargalhada.

"Ah, meu deus, Sylvia. Você é dura, hein? Onde você aprendeu isso?"

"Minha vida nunca foi fácil."

A verdade é que Arthur está menos surpreso com o discurso de Sylvia do que com a informação de que Dusk tem um perfil em um site de relacionamentos.

"Fico imaginando onde e por que você conheceu Dusk", Sylvia diz a Arthur.

"Ele é pai da Tamara."

"O quê?"

"Essa foi minha reação também."

Dave se inclina para a frente.

"Quem é Tamara?"

"Uma mulher adorável do sul do Arizona. Arthur. Ele abandonou a Tamara?"

"Provavelmente."

"Que canalha de merda. Por que os homens fazem uma coisa dessas?"

"Ei, eu não tô acompanhando nada, será que vocês podem me ajudar? Você é feminista, Sylvia?"

Dusk não faz ideia de que, a poucos metros de distância, pessoas estão discutindo a seu respeito como se aquilo fosse problema deles. Está falando sobre beisebol com dois irmãos meio simplórios enquanto uma professora aposentada e um brasileiro acham que têm o direito de julgá-lo pelo modo como ele conduziu a porcaria da sua vida, certos de que o fato de ele ter morado em uma comunidade deveria lhe conceder algum tipo de superioridade moral em relação àqueles que vivem de acordo com as regras já postas. Mas, ei, ele teria uma coisa para dizer a Sylvia, Dave e Arthur, se soubesse o que está se passando na mesa perto da entrada, atrás das três mulheres animadas que vão ao Piaci toda sexta-feira: ninguém é melhor do que ninguém e infelizmente você já nasce sob a influência de todas as estrelas mortas, dos genocídios, do choque das placas tectônicas, da cobiça, dos planos fracassados dos outros, suportando a ideia da mortalidade dia após dia, como uma faca que arranha seu pescoço dia após dia, portanto só o que resta é fazer o melhor que se pode dentro desse riscadinho onde nos colocaram. Você. O riscadinho. Não dá para ir muito além disso.

"Na verdade, Hans é meu concorrente." Sylvia ri com um pouco de culpa. "Ele comprou a Fish Rock Farm e tudo estava caindo aos pedaços. Acho que a última pessoa a sair de lá foi Dusk, em 2013. Ele restaurou três cabanas até agora, mora em uma delas e as outras duas ele colocou no Airbnb. Se você quer ter uma experiência total, você não vai na minha casa, você vai na cabana de Hans, é disso que eu tô falando. Mas óbvio que vai pagar muito mais caro por isso."

"É caro querer ser um hippie em 2015", Dave diz.

"É falso." Arthur sente que precisa falar sobre aquilo. "É uma ideia totalmente invertida, e Hans está se aproveitando disso. Quando você transforma intenções e ideais em bens de consumo, a gente tem um problema sério. Hans, o artista de Los Angeles. Ele é o colonizador trazendo a civilização para um lugar primitivo." Arthur desenha aspas com os dedos em "lugar primitivo". "Está usando os mecanismos mais cruéis e mais baixos para vender uma fantasia. É publicidade."

"Qual o problema com a fantasia? Eu tive a impressão de que você tava me achando limitado agora há pouco por não ler ficção, mas pelo que estou entendendo você parece acreditar que vender um estilo de vida por dois dias é um crime hediondo? Qual a diferença entre um romance e a cabana de Hans?"

"É muito diferente, Dave."

O bar começa a esvaziar. Alguns clientes especialmente barulhentos saem quebrando o silêncio da noite de Fort Bragg. Por fora, o Piaci é só uma pequena porta sob um toldo vermelho com muita sujeira acumulada.

Sylvia olha para seu copo d'água como se esperasse que houvesse outra coisa ali dentro.

"Parece que você tem algo em comum com Dusk, afinal. Ele odeia o Hans. Ele realmente odeia o Hans."

Por volta da meia-noite, os três vão embora. Não sobraram

muitos carros no estacionamento e o Toyota azul de Sylvia está coberto por gotículas de orvalho. Arthur deixa o banco do carona para Dave. Senta atrás e se espalha tanto quanto o cinto de segurança permite, sentindo-se levemente bêbado e feliz. Àquela hora, não há quase ninguém se deslocando pela estrada. A escuridão lhe parece aconchegante pela primeira vez.

"O que você faz quando não faz nada?", ele pergunta a Dave de repente. Estavam todos em silêncio desde que deixaram Fort Bragg para trás.

"*Bird watching*."

"Ah, que ótimo! Você pretende fazer isso por aqui?", diz Sylvia, olhando para Dave por um instante.

"Claro."

Arthur observa uma casa aparecer e desaparecer.

"Não deve ser a melhor época do ano pra ver pássaros", diz Arthur.

"É. Outono. Não é a melhor estação mesmo", Sylvia concorda.

"Mas dá pra achar umas espécies bem interessantes na floresta."

Dave tira o celular de um dos vários bolsos do seu colete. O interior do carro fica temporariamente azulado enquanto ele fala sem parar sobre um aplicativo que é um catálogo de pássaros de toda a América do Norte. Ele dá zoom em um mapa e percorre com o indicador uma lista de espécies de coruja que sobrevoam o condado de Mendocino e param nos postes com seus olhos brilhantes encarando os faróis dos carros. Ao dobrarem à esquerda em Albion, o pequeno alto-falante do aparelho está reproduzindo o canto de uma torda-miúda-marmorada, uma ave que, segundo Dave, vai desaparecer em breve.

Dave sai cedo no outro dia sem dizer aonde vai. Ninguém pergunta. Pega uma mochila, brinca com o gato, verifica se o caiaque está bem preso sobre o carro. Fica feliz de se livrar daquelas duas pessoas e dirige tranquilamente ouvindo os sucessos de Peter, Paul & Mary. Mary Travers, que mulher. Aquela voz de anjo caído tinha sido a coisa mais importante de sua infância, e ele gostaria de agradecê-la por isso se não fosse tarde demais, porque Mary ficou gorda, com um cano transparente sob as narinas, e depois morreu de leucemia, mas ele se lembra ainda, o disco girando enquanto sua mãe ia de um lado para o outro puxando as meias de náilon para cima. Parece que Mary Travers tinha o poder de deixar sua casa um pouco menos sufocante, como se "Where Have All the Flowers Gone" fosse como abrir as janelas para que todo o vento da baía entrasse. Ela era bonita, tinha uma boca carnuda, a franja quase caindo nos olhos, e Dave pensava nela trancado no banheiro quase esfolando o pau, enquanto sua mãe batia na porta porque precisava entrar e *a gente só tem uma porra de banheiro na casa, menino.* Ele passa aquelas cenas na cabeça agora escutando "Early Mornin' Rain" e dirigindo até a foz do Navarro. Uma música que parece um abraço apertado demais. Quando chega lá, estaciona perto do banheiro público, uma pequena casinha de madeira escura ao pé do morro.

Dave esteve ali no ano anterior. Às vezes um encontro no meio da floresta pode acabar chamando mais atenção do que num espaço aberto como aquele, onde teoricamente qualquer um pode aparecer, mas já não se lembra se foi Noah ou ele mesmo quem sugeriu a praia do Navarro. Talvez Noah. Alguém tinha se dado mal nas montanhas de Laytonville e o rapaz andava bastante impressionado com isso. Tudo bem, era importante ser um pouco paranoico afinal de contas. Dave desliga o motor, abre a porta e respira fundo como se houvesse algo de muito especial no ar. Não há nenhum carro estacionado além do seu. O limite entre o céu e o oceano está completamente indefinido por enquanto. Na areia, centenas de pedaços de troncos arrastados pelo rio se acumulam, como se aquele fosse o dia seguinte ao apocalipse.

Arthur não deixou a casa de Sylvia exatamente atrás de Dave. Não havia como seguir alguém com quem você estava cinco minutos antes, muito menos dirigindo uma banheira dourada daquelas. Então esperou um pouco, pegou o carro e foi na direção do mar. Se Dave ia mesmo andar de caiaque, havia uma quantidade limitada de lugares onde poderia estar agora. Na costa de Mendocino, é mais fácil achar um ponto alto e rochoso de onde se atirar do que uma faixa de areia para estender uma toalha. Se você quer mesmo fazer isso, não perca tempo e vá para o sul da Califórnia.

As pequenas praias se formam ali na foz dos rios. Não que Arthur entenda alguma coisa de geomorfologia, mas, naquela altura, isso lhe parece óbvio. Tenta a praia do Little River primeiro. Nada de Dave. Big River, um pouco mais para o norte, é a próxima. Um dia desses, viu ali um grupo de estudantes da Humboldt State praticando mergulho e, porque não tinha nada que pudesse chamar de compromisso, sentou em um tronco e ficou observando os jovens entrarem e saírem da água. Na maioria, não eram muito mais velhos do que seus alunos do colégio. Eles tinham o mesmo jeito de se comportar em grupo, uma espécie de bobeira moderada que era mais evidente nos meninos. Além disso, o esforço que faziam para parecer relaxados dava a impressão de estar sugando toda a sua energia. Foram embora em um ônibus da universidade quando a luz acabou. O condado de Humboldt ficava umas três horas para o norte. Mendocino, Humboldt e Trinity formavam a região conhecida por Emerald Triangle, o lugar de onde saía boa parte da maconha consumida no país. A referência à esmeralda veio do formato que os pés de maconha têm quando vistos de um helicóptero.

Mas Dave não está ali tampouco. Há apenas um homem solitário fazendo uma fogueira na beira da praia, o que não deve ser exatamente legal. A fumaça branca começa a subir. Arthur caminha de novo até o carro, passando por baixo da ponte e chegando a um lugar que lhe lembra um pouco o Brasil, onde o rio tem um tom esverdeado e a vegetação da margem é mais tropical do que californiana. Entra no carro, engata a ré. Por um momento, tudo aquilo lhe parece idiota e exagerado, seguir um sujeito que ele conheceu ontem só porque não está muito claro o que esse cara foi fazer em Mendocino, como se as pessoas precisassem de razões muito concretas para estar em um lugar ou em outro. Elas não precisam. Mas foda-se, ele vai continuar. Sobe mais uma vez para a Highway 1 e pega a direção sul.

Em quinze minutos, está perto da praia do Navarro. Há uma estrada que desce até lá, mas Arthur encosta o Grand Marquis assim que dobra à direita. Acha que viu o carro de Dave quando estava lá em cima, fazendo a curva. Vai andando pelo asfalto. A manhã ainda está fria e ele esconde as mãos nos bolsos da jaqueta jeans. Lembra da garota vendendo bijuteria na feira. Brincos de ametista. Ele disse que aquela pedra podia ser do lugar de onde ele vinha e ela perguntou onde era isso e ele respondeu bem no sul da América do Sul e então ela começou a rir com vontade. Ela estava bebendo algo em uma caneca térmica. De repente, começou a falar sobre karma. Ele não se lembra quando e nem por quê, talvez seja mais simples supor que ela era uma dessas pessoas que conversam sobre espiritualidade como quem fala do tempo, para gerar um mero movimento de aproximação entre estranhos, enquanto para Arthur encontrar aquela garota era como abrir um biscoito da sorte, quer dizer, não que ele acreditasse nesse tipo de coisa. Pelo que ela estava dizendo, karma tinha a ver com as ações que as pessoas praticam e com as consequências dessas ações, o que deixou Arthur surpreso e com a sensação de que havia um ponto de contato entre aquilo e o pensamento existencialista, sobre o qual ele lera um bocado quando tinha a idade dela mas que agora estava fora de moda. Ele não falou nada. Ficou olhando para o rosto redondo da garota, os brincos tilintando no mostruário, as pessoas indo de um lado para o outro com suas sacolas de pano. De qualquer maneira, talvez houvesse uma diferença brutal: enquanto os budistas achavam importante esvaziar a cabeça e por isso meditavam, para os existencialistas uma coisa dessas seria como matar a própria essência do ser humano, que era pensar, pensar e pensar.

Ele mandou uma mensagem para ela, mas ela nunca respondeu. O resultado de nossas ações se chama *vipaku*, ela tinha dito. Então ele chega finalmente na praia e lá está o carro branco. Há também uma van no estacionamento, do tipo que fica jogada nos fundos, se deteriorando até que alguém venha e faça uma oferta de quinhentos dólares e saia satisfeito, mas sinta um arrepio a cada curva fechada porque há só aquela camada fina de lata velha e depois seu corpo frágil, que pode facilmente se arrebentar numa daquelas árvores. Uma van com cortinas coloridas nas janelas laterais. Arthur para uns cinco metros antes. Não há muito onde se esconder ali. Dave apenas tirou o caiaque de cima do carro e isso faz com que Arthur tenha vontade de rir. Olha para a praia. Lá está o hóspede estranho de Sylvia em uma cadeira de frente para o mar. Sentado exatamente ao lado de Dave, em uma cadeira idêntica, um cara de costas largas e cabelo preso num coque dá umas olhadas para seu companheiro de observação do oceano enquanto fala.

Dave escuta. Ele está escutando há um bom tempo e muito mais do que gostaria.

"Então esse cara, que não é o mesmo cara da noite da lua cheia, acredite ou não, pula a cerca, *chuta* o cachorro e sai tropeçando pelo pátio em busca de qualquer coisa que valha uns pilas. O cachorro é um bobo epiléptico, sei lá o que acontece com ele."

"O cachorro é o quê?"

"Ele tem epilepsia."

"Um cão de guarda."

"Exato. Esse é *um* dos problemas do meu amigo: ele é bom. E eu não tenho certeza se isso o levou a algum lugar até agora. Enfim. O tal do cara tá dentro da propriedade, completamente alucinado, e começa a escutar o ruído contínuo de um gerador. Ele sabe que o gerador é a coisa mais valiosa que ele pode encontrar ali, então vai seguindo o barulho enquanto meu amigo tá dentro da casa marinando um tofu. Eu não tô brincando. Acontece que de repente a luz cai. Meu amigo pega a arma e vai pra fora. Agora sim a escuridão é praticamente total. Ele dá um tiro pra cima e o imbecil sai correndo e vai parar no meio das plantas, que nessa altura já estão com pelo menos um metro e meio."

"Qual é a versão curta dessa história, Noah?"

"Calma. Ele encontra o cara praticamente enroscado nas plantas e manda o imbecil embora. No dia seguinte, eles se esbarram por acaso numa ferragem em Willits. O invasorzinho tá com o rosto todo cortado. Retalhado, mesmo. Nenhuma mulher vai olhar pra ele de novo."

"Quem fez isso?"

"Não foram as plantas, com certeza."

Noah fica em silêncio por uns três segundos, olhando para o mar.

"Eu não quero ter que lidar com esses viciados em metanfetamina, meu. O que você faria?", pergunta Noah.

"Eu acho que não sou tão bom nem tão mau."

"Talvez essa seja minha última colheita."

"Você disse isso no ano passado."

"Disse?"

"Só me passa esse saco, o.k.?"

O cabeludo fala quase o tempo todo, mas Dave acaba de dizer alguma coisa e então se levanta segurando um objeto azul. Parece um saco dobrado. Começa a vir na direção do estacionamento, o que deixa Arthur em pânico por um instante, mas na verdade há tempo suficiente para recuar, quer dizer, haveria, se ele decidisse simplesmente ir embora porque já viu demais.

Ele fica. Anda uns metros na direção da estrada e se abaixa atrás de uns arbustos se sentindo ao mesmo tempo ridículo e corajoso. Aquilo é bom. É o seu *vipaka*. Dave entra no carro e fecha a porta. Não dá para ter ideia do que ele faz lá dentro. Na praia, o outro se levantou e está jogando pedaços de madeira na água. É um cara grande mesmo, barbudo, com calças largas e um moletom de capuz, mas o fato de ele arremessar coisinhas no mar faz com que ele pareça um pouco inocente e desengonçado, talvez como seus alunos ou o pessoal que ele viu outro dia na foz do Big River. Quase simpatiza com ele.

De repente, a porta do carro se abre e Dave está de pé com o saco azul. Começa a andar de novo para a praia. Quando entrega o saco para o cara do coque e nenhum dos dois faz menção de sentar novamente, Arthur sabe que é hora de ir. Sai correndo pela estrada. Não se lembra da última vez que correu.

Ele não teria por que achar que foi um covarde. Tem certeza de que fez mais do que faria a maioria dos filhos, mesmo se considerarmos apenas o grupo restrito dos filhos únicos. Deixou o apartamento onde morava havia algum tempo, seu quinto ou sexto apartamento alugado, e isso foi bem difícil para um cara de mais de trinta anos, voltar para o lugar onde tinha crescido sem saber quando nem como sairia de lá outra vez.

A casa dos pais era uma homenagem tardia ao modernismo, erguida em 1979. Pilotis a mantinham equilibrada em um terreno em aclive. A luz do dia a tornava discreta ou mesmo imperceptível no meio daquele ecletismo de casas do bairro, mas vê-la de noite tinha lá a sua graça: com as janelas da sala formando uma faixa contínua no retângulo de concreto, a impressão de quem passava pela rua e olhava para aquela linha alaranjada de vida era a de que havia — sempre — algo de interessante acontecendo lá dentro.

Não havia, claro que não. Apenas uma vida regular com pitadas discretas de excentricidade. Para chegar até a porta da entrada, era preciso subir uma longa escadaria de pedra, quatro lances que formavam linhas diagonais no aclive. Ninguém imaginou que seria tão penoso quando viram o desenho na mesa do arquiteto, mas a mãe de Arthur costumava enxergar a subida como um bom exercício do qual não podia escapar, o que de certa forma a consolava. No entanto, não lhe ocorria que aquilo pudesse ser mais do que um pequeno aborrecimento à medida que os anos passassem, como tampouco lhe ocorria que os metros quadrados de carpete que ela vendia como água no Palácio dos Tapetes um dia seriam arrancados sem piedade e substituídos por piso laminado e depois piso vinílico e depois porcelanato e depois sabe-se lá o quê. A passagem do tempo e as mudanças que obrigatoriamente a acompanhavam não eram algo que Lúcia levasse em consideração. De maneira que, embora ela e o marido imaginassem ficar naquela casa para sempre, essa concepção de futuro parecia estar atrelada à ideia de que eles seriam eternamente jovens e bem-dispostos, apaixonados um pelo outro e com expectativas previsíveis de felicidade.

Havia um bom espaço ao ar livre nos fundos: uma churrasqueira, com uma mesa rústica e bancos compridos; caminhos ladeados por arbustos de caliandra levando a lugar nenhum; um gramado onde por muito tempo houve a intenção de se instalar uma piscina. A piscina nunca veio, mas Fernando havia comprado três espreguiçadeiras com almofadas amarelas na metade dos anos 80, uma ideia extravagante e precipitada que acabou dando ao jardim um certo senso de incompletude.

Foi em uma dessas espreguiçadeiras que Arthur se sentou em uma tarde de maio de 2013. Suas unhas estavam sujas de terra. Ele se sentia bem; útil para a mãe e para o pai, no caminho certo, eticamente falando, com a sensação de que tinha o controle da doença e de tudo que vinha com ela. Um estado frágil, ele sabia. Podia durar minutos. Podia durar horas. Estava olhando para o azul contínuo e irretocável do céu. A Vila Conceição era um bairro tranquilo da Zona Sul de Porto Alegre, com ruas de paralelepípedo que circundavam um morro à beira do Guaíba, e por muito tempo o terreno contíguo ao dos Lopes, à esquerda, fora um lote vazio enrolado em disputas judiciais. Dez meses antes, uma retroescavadeira tinha aparecido. As fundações foram cravadas no solo poucas semanas depois disso. Se o mundo fosse apenas o mundo de Lúcia Kazinsky Lopes, aquele podia ser classificado como o pior momento para se iniciar a construção de uma casa. Seu útero tinha uma anormalidade descrita como "espessamento da camada interna" na ecografia transvaginal do dia 17 de novembro de 2012, e agora ela já estava no ponto de organizar cronologicamente as imagens translúcidas do seu aparelho reprodutor em uma dessas pastas que os estudantes de artes carregavam. O barulho era infernal, mas ninguém podia fazer nada se o herdeiro de uma empresa de elevadores industriais queria o melhor para a sua família, o que nesse caso vinha a ser uma casa que estava tomando a forma bizarra de uma *villa* italiana, com uma pequena torre e tudo. Deitado na espreguiçadeira, Arthur olhava para o céu e para a copa das árvores, e a torre recém-acabada, infelizmente, tinha virado parte do cenário.

"A gente devia ter construído um muro antes desse negócio subir."

Ele achou graça, talvez porque concordasse mais do que gostaria. Então ela se deitou também, mas deixando uma espreguiçadeira vazia entre eles. Estava usando um vestido florido como uma autoafirmação de que tudo ia dar certo.

"Essa é tua noção primitiva de convivência, mãe, um muro entre vizinhos?"

"Convivência. Tu fala como se fosse algo que todo mundo estivesse louco pra ter."

Ele riu porque já esperava um comentário nessa linha. Olhou para ela. Não dava para dizer que a doença estava lá dentro.

"Eu preciso ir numa loja de perucas na Zona Norte, na Franklin Roosevelt."

"Claro, mãe, eu te levo lá."

"JJ Perucas e Apliques."

"Eles são a referência em perucas na cidade?"

"Aparentemente sim. O pessoal da oncologia não fala em outra coisa."

Então ela deu um sorriso sem olhar para ele.

"Queria que não fosse tão pesado pra ti, filho. Meu deus, eu adorava teu apartamento, ainda que por fora a gente não desse nada por aquele predinho sem graça. A sala, com aquelas janelas enormes! Tu não podia ter sublocado pra alguém por um tempo, só pra não perder?"

"Eu acho que a gente não precisa se preocupar com isso, mãe."

"É." Ela virou o corpo todo e deitou de lado, com o rosto na direção de Arthur. Às vezes era difícil acreditar que ela tinha gerado um ser humano adulto, com uma vida privada e uma barba. "Por que se preocupar? Eu devia ter te dado um irmão, Arthur."

"Não acredito que a gente vai voltar a essa história."

"Me desculpa. A gente fica repetitiva. E talvez seja como alguém que perde uma perna ou um braço e ainda sente de vez em quando uma coceirinha no membro amputado. Agora sou eu e o útero. Eu tenho pensado muito no meu útero ultimamente. Meu útero fantasma."

O estranho era que Arthur também andava pensando no útero dela. Sua mãe tinha produzido algo como quinhentos e oitenta óvulos ao longo da vida, usado apenas um, e depois fora a máquina desativada que havia entrado em colapso. Um saco que não tinha função havia décadas, completamente esquecido durante o regime militar e só lembrado no primeiro mandato de Dilma Rousseff. De certa forma, parecia mais injusto do que descobrir um tumor em um órgão ativo.

Depois do almoço, eles pegaram o carro dela e atravessaram a cidade. A loja de perucas ficava em uma galeria decadente, com estabelecimentos que já teriam fechado muito tempo antes se o aluguel não custasse uma pechincha. Era o tipo de lugar que sempre teria uma sapataria, uma costureira lacônica e algum cara meio maluco consertando coisas que ninguém queria mais. Algumas pessoas estavam no corredor tomando um ar porque simplesmente não havia muito que fazer ali.

"Loja 16", ela disse, olhando o celular.

Era bem no fundo. Lúcia Kazinsky Lopes em uma galeria da Zona Norte. Gostaria de estar em qualquer lugar, menos ali, mas uma parte dela se esforçava muito para acreditar na importância daquilo. Conhecer o novo. Não é isso que dizem que você precisa fazer? Tudo bem, um passeio à avenida Franklin Roosevelt podia não ser exatamente como viajar a uma ilha grega e, de qualquer maneira, Lúcia nem tinha certeza se valia a pena se deslocar até o Mediterrâneo em busca de uma suposta mudança que viria de que jeito, comendo mussaca em uma mesa de toalha branca enquanto algum cara de cabelo engomado ajeitava cacos de louça com os pés? Era a ditadura da mudança radical de vida! Fazer tudo diferente a partir da doença. Mas poucos percebiam, pelo jeito, que acreditar nisso pressupunha acreditar que se tinha vivido uma vida inteira de erros, cuja rota o impacto de um tumor permitia corrigir. E ela não ia dar a ninguém esse gostinho. Não mesmo. Qual era o problema em continuar fazendo tudo igual?

Viram o letreiro da JJ Perucas e Apliques. Lúcia apertou um botão para que a funcionária liberasse a porta. Perucas de cabelo de verdade valiam alguns milhares de reais. A princípio, Arthur ficou olhando as cabeças dos manequins enquanto sua mãe recebia explicações de alguém chamada Kelly, que tinha a voz de quem estivesse permanentemente tentando transformar um chiclete em nada. As cabeças eram perturbadoras.

"O que tu acha dessa?"

Tinham colocado uma peruca na sua mãe. Ele olhou bastante antes de se sentir capaz de responder. Havia alguma similaridade entre o tom daquele cabelo e o castanho-claro que corria em toda a família Kazinsky, mas o corte estava errado. Uma montanha de ondas sedosas.

"Não tenho certeza."

"Tu não gostou."

"A cor tá certa."

Ela ficou tentando se entender em um espelho que Kelly apoiava no balcão.

"A gente pode mexer no corte, viu? Deixar exatamente do jeito que a senhora quiser."

Lúcia continuou sem dizer nada.

Talvez Arthur tivesse o poder de transformar aquele processo penoso em uma espécie de busca meio engraçada pela peruca perfeita, ou dizer alguma coisa leve que no fundo significasse algo como é-tão-libertador-poder-ser-outra-pessoa-através-de-uma-peruca, mas infelizmente ele não conseguia fazer nada disso.

"Tu acha que dá pra cortar uma franja, Kelly?"

Aparentemente eles tinham um cabeleireiro profissional nos fundos da loja, então ela saiu de lá usando o cabelo novo-velho porque quis, deixou um cheque pré-datado de sete mil reais por algo que tinha sido feito com o cabelo de umas três ou quatro pessoas endividadas. Ele às vezes olhava para a mãe nos semáforos e ela estava lá, o rosto para a frente, perdida, atordoada, como se a paisagem não estivesse nem encostando nela.

Na garagem, ela disse:

"E as tuas plantas, como é que elas tão?"

Ele abriu a porta do carro.

"Crescendo, eu acho."

Ela deu uns passos e parou, sem pressa. Estava pensando em alguma coisa grande que não conseguia desenredar.

"Acho que teu pai e eu, a gente era bem— "

"Conservador?"

"Tradicional. Vai ser um crime, Arthur. Tecnicamente."

"Já é um crime, tecnicamente."

"Tu sempre foi meio rebelde, né? Era uma criança quietinha e solitária, mas depois não podia se aguentar quando via um jeito de burlar alguma coisa."

"Acho que eu prefiro chamar isso de desobediência civil, mãe."

"Espero que não seja tarde demais para essa sua *desobediência civil.*"

Quando entraram em casa, o cabelo dela parecia uma fotografia sendo arrastada de um lado para outro.

A luz que entra pelas janelas de Sylvia parece mais fim do que começo, com uma falta de intensidade perfeita para se ficar o dia todo na cama. Mas ela levantou cedo e foi quebrar ovos porque o Quarto Debaixo das Escadas está ocupado por aquele Dave. O golpe baixo da *superanfitriã*: ovos e bacon surpresa para compensar o fato de que ela não pode oferecer um banho decente. Funciona mesmo. Nas avaliações da casa número 32 350 da Middle Ridge Road, os hóspedes acabam mencionando aquela mesa cheia e inesperada enquanto parecem se esquecer de que tiveram que ficar de pé em uma velha banheira, segurando o tempo todo o chuveirinho com uma das mãos, como se estivessem tomando banho na França ou algo parecido.

A mesa foi posta para três e agora ela joga uns cogumelos e uns legumes refogados em uma travessa. Ela diz que fez a travessa. Criou alguma coisa do barro. Orgulha-se de não usar aqueles negócios plásticos da sua infância, melamina, Melmac, os pratos azul-bebê inquebráveis. Faz ela se sentir como que corrigindo os erros da geração anterior à sua. Pode parecer estúpido, mas, de certa forma, está tudo com ela agora, porque o que esperar de Margareth a não ser a próxima má notícia?

"Como foi com o caiaque, você conseguiu—"

"Ah, foi incrível. Ótimo dia."

"Foi um bom dia aqui também. Tinha essa linda família de cervos no pátio de manhã, Zanzibar ficou todo animado. E o seu dia, Arthur?"

"Tudo bem. A comida tá deliciosa."

"Você saiu?", Dave pergunta.

"Dei uma volta."

Sylvia olha para a travessa de cerâmica. Não está ruim. O professor ajudou um pouco com os padrões indígenas que ela decidiu criar nas bordas. Não foi uma cena de *Ghost* nem nada parecido, mas ela era ruim com a esteca e ele meio que guiou sua mão insegura nos primeiros pequenos triângulos de um jeito que só alguém de origem latina faria (ele era latino; enfim, seu pai ou sua mãe). Sylvia não estava acostumada com aquela proximidade em uma relação professor-aluno. Era algo que ela sempre tinha tentado evitar quando lecionava. Claro que o fato de os dedos dele encostarem nos dedos dela, e um pouco do braço, e talvez mesmo os ombros, podia não significar absolutamente nada, mas ela preferia acreditar no mínimo em uma atração reprimida. Só que, no último dia do curso, ele teve completa condição — ética e carismaticamente falando — de pedir o telefone dela. Em vez disso, tinha ficado lá na porta acenando para Sylvia com aquele grande sorriso latino enquanto ela entrava no carro sentindo mais uma vez o gosto insuportável da solidão. Nessas horas, ela podia se concentrar na sua irmã Margareth para ter certeza de que estava se saindo melhor, bem melhor, léguas e léguas melhor, embora não sentisse nenhum orgulho em ter que apelar para isso.

Má notícia de Margareth, agosto de 2008 (em um cartão-

-postal com um par de pêssegos em primeiro plano): ela está vivendo num trailer em algum buraco da Geórgia, e não é possível que a pessoa vá tão longe só para se ferrar. Sem trabalho, sem futuro. Seu namorado é um ogro movido a álcool pior do que a pior versão do pai delas. Margareth adora a umidade fértil da Geórgia.

Má notícia de Margareth, fevereiro de 2010 (em um telefonema de cinco minutos e vinte e dois segundos): como Sylvia, ela recebeu quarenta mil dólares de herança da mãe, mas já que não tinha uma coisa simples como uma conta no banco, Margareth e o namorado decidiram transferir o dinheiro para a conta dele. Dois dias depois, ela acorda com o barulho da moto. Ele nem se incomodou em levar as roupas. Margareth pega aquela tralha e acende uma fogueira descontrolada, o que viola completamente as regras do camping onde mora. A carta de expulsão chega algumas horas mais tarde, mas alguém precisa ler em voz alta para ela porque Margareth está completamente catatônica.

Má notícia de Margareth, junho de 2012 (através de uma velha conhecida delas): começa a trabalhar em um abatedouro de aves. Quando os animais passam pendurados pelas patas, ela é a pessoa que tira o coração da cavidade toracoabdominal e descarta em um tonel de plástico branco.

Sylvia empurra os ovos para o canto do prato.

"E como tá sendo viver aqui?"

Dave está perguntando. Ele tirou os óculos e agora limpa as lentes com o guardanapo de pano.

"Ah, tá ótimo! Tão diferente da vida que eu tinha antes. Eu escolhi o lugar, né?"

"Sim, sim. Cervos no pátio e todo esse negócio."

Parece que os olhos de Dave foram encaixados no rosto com força demais. Ele coloca os óculos de novo.

"Mas você não fica preocupada com esse pessoal da indústria da maconha?", Arthur pergunta. "Eles tão por tudo, e como não é exatamente legal — "

"*Indústria* talvez seja um exagero", diz Dave.

"Essa produção artesanal da maconha. Essa aplicação dos preceitos jeffersonianos no cultivo da maconha."

Sylvia dá uma gargalhada.

"Ah, meu deus, jeffersonianos? O que você anda lendo ultimamente?"

"Só alguns livros que eu encontrei numa mesa da Barnes & Noble."

Os dois hóspedes se encaram por um instante.

"Bom, eu não me incomodo com ninguém, sempre fui uma pessoa do tipo cuide-da-sua-vida. Meus vizinhos são livres pra fazer o que quiserem, quer dizer, não é como se eu não soubesse dessa fama antes de me mudar pra cá. Metade dos meus amigos de LA pensa inclusive que eu entrei no negócio, e a outra metade que eu tô sendo burra em não entrar."

"Talvez você devesse mesmo", Arthur diz, rindo.

"Por que não?"

Mas ela sabe que só falou isso para parecer mais corajosa do que é. Nunca pensou em plantar maconha.

"Pelo menos ninguém corre o risco de ser morto", diz Arthur, e a palavra *morto* deixa Sylvia desconfortável. As galinhas. Os pequenos corações das galinhas.

"Às vezes sim", replica Dave.

Arthur sorri com a cabeça baixa, olhando na direção da mesa. Seus pensamentos são uma bola macia que só ele pode tocar.

"Parece que você sabe bastante sobre o que acontece por trás das cercas", Arthur diz.

"Não, tudo bem. É um negócio inofensivo se você comparar com o que rola lá na sua terra. Nenhuma cabeça vai aparecer solta por aí."

"Cabeças?" Arthur ri. "Você tá pensando no México, cara."

"Certo. Tão diferente do Brasil. Você entra numa favela no Rio de Janeiro e os caras devem te receber com chá e bolo. A gente tem televisão aqui, Arthur."

"E a sua televisão já mencionou quem começou essa porra toda? Guerra às drogas e tal? Você tem alguma noção do que o seu país faz com o resto do mundo, ou 'resto do mundo' é um conceito muito abstrato pra você?"

"Quem sabe você me ensina, professor."

"Ei, gente, isso não tá ficando um pouco mais animado do que deveria?", diz Sylvia.

Estava.

Vinte minutos depois, deitada na cama, na semiescuridão, como se estivesse com uma crise de enxaqueca que na verdade ela não tinha havia anos, Sylvia Watkins ia chegar à conclusão de que, embora ela fosse meio responsável por ter interrompido aquele negócio no momento em que as faíscas começaram a espocar, não teria sido nem um pouco mau assistir um embate de verdade entre seus dois hóspedes. Estava se sentindo levemente entediada.

Ouviu quando Dave bateu a porta. Isso foi depois de uma mala de náilon ser arrastada pelo chão. Daí o motor. Ele ficou lá soando por mais tempo do que o necessário, como se estivéssemos ainda em uma época em que era preciso esquentar o carro antes de ir embora. Esperar. A gente estava mais acostumado a esperar, antigamente. A gente ficava olhando para o nada e esperando. Sylvia só torcia para que aquele incidente não comprometesse a avaliação de Dave a respeito do pequeno, mas muito confortável, Quarto Debaixo das Escadas.

Então ele finalmente dá uma ré e vai embora. Está pensando que está de saco cheio das curvas da estrada antes de a viagem de volta a Oakland ter sequer começado. Está pensando em alguma mulher gostosa com peitos grandes, que tem orgulho de seus peitos e que gosta de balançá-los na frente dos homens e que gosta de guardar coisas no meio deles, chaves, batom, a lista de compras. Coloca nela a cara da sua vizinha, que parou de cumprimentá-lo por algum motivo, a imperfeição dos seus traços esculpidos por um bêbado degenerado, o contrário absoluto dessas mulheres delicadas com narizinhos e boquinhas e que agarram tudo com a ponta dos dedos e que nunca trepariam na lavanderia escoradas em uma velha secadora de quarenta quilos. Ele ia gostar disso. A sua vizinha no corpo de outra pessoa e sem aquela tralha brochante das crianças. Tudo o que você tem que carregar para a porra de uma criança pequena deve acabar sendo maior e mais pesado do que a criança em si. Faz algum sentido? Uma linha de oceano aparece à sua direita, intermitente, bloqueada pelas casas contíguas à estrada, e de repente a imagem da deusa do sexo, que ele teve certo trabalho para construir naquela sua cabeça estragada, começa a se dissolver. Vê a ponte esticada sobre o rio, a última e condenada ponte de madeira dali. Quando entra na Highway 1, parece que já está todo negativo de novo, pensando no quanto ele se incomoda toda vez que interage com estranhos, o que significa que tem que parar com isso, e não importa o que sua mãe tenha dito a vida inteira sobre *tentar ser agradável*. Como se ela tivesse conseguido. Ao menos não com ele.

Ele deu uma ré e finalmente foi embora. Arthur estava lá em cima tentando ler, ou tentando se convencer de que estava lendo, o que ele faz com alguma frequência; abre um livro e escolhe pontos aleatórios da página, passando os olhos um monte de vezes pelas mesmas linhas. *Por que deixaram os cultivadores se safar dessa? Todo aquele dinheiro fácil — e nenhum imposto! Todo aquele dinheiro fácil — e nenhum imposto! O preconceito cultural antes direcionado aos pés descalços e às políticas assistencialistas aponta agora para as notas de cem dólares obtidas ilegalmente. Por que deixaram os cultivadores. Todo aquele dinheiro fácil.*

Agora que Dave não está mais ali, Arthur até consegue simpatizar com ele. Ele se lembra de duas cabeças decepadas que apareceram na sua cidade natal. Agiu como se Dave fosse um ignorante, mas, bem, o fato é que as cabeças apareceram mesmo. Em Porto Alegre. Houve na imprensa certa especulação sobre a primeira, a cabeça de uma mulher de trinta e quatro anos cujo corpo tinha sido encontrado a alguns metros dela, sobre o telhado de uma loja, no Centro. No fim das contas, tratava-se de uma história de suicídio; a mulher tinha se arremessado do vigésimo segundo andar de um prédio residencial, atingindo na queda o muro desse mesmo prédio, o que acabou seccionando a cabeça do resto. Uma coisa que ninguém, nem mesmo ela, teria podido imaginar. Não era culpa do Brasil, mas só um azar tremendo que poderia ter acontecido em qualquer lugar.

A segunda cabeça apareceu em uma viela da Bom Jesus, dentro de uma caixa de papelão e também em uma postagem no Facebook, junto a uma AK-47 e a doze pistolas. O corpo — cheio de buracos de bala, nas pernas, nádegas e costas — foi desovado a cinco quilômetros da cabeça. Estava enrolado em um edredom em que alguém tinha escrito as palavras "bala nos bala", uma provável referência à facção criminosa Bala na Cara. O vigia da rua do pai de Arthur, saindo para trabalhar naquela manhã, tinha visto a cabeça antes de a polícia chegar no local. Culpa do Brasil. Arthur fecha o livro e o abandona sobre a escrivaninha.

Um carro com um caiaque laranja preso ao teto passa em alta velocidade na direção da 128. Tamara está na outra pista, subindo para mais um dia de trabalho em Fort Bragg. Ela acompanha o carro pelo retrovisor até ele desaparecer. Sempre faz isso com quem não está seguindo as regras de trânsito, como se houvesse uma grande possibilidade de o motorista se dar mal exatamente naqueles segundos em que ela está olhando, e se dar mal incluiria ser parado pela polícia rodoviária ou simplesmente perder o contato com o asfalto na próxima curva. Tamara está cantando uns versos de uma canção que não sabe de onde veio. Aquela grama dourada e completamente morta passa pelo seu lado esquerdo agora como um tubo de tinta espremido sobre uma superfície rugosa demais. Ela tenta sintonizar alguma coisa no rádio. Lixo sexista pop country. Movimento entediante de sinfonia. Debate sobre aquecimento global. Acaba ficando com esse, mas sua cabeça começa a ir para um lugar bem mais longínquo enquanto o pessoal no estúdio da rádio comunitária fica todo nervoso falando em criação de gado. Bisbee. Impressionante como ela ainda pode ver com tanta nitidez aquela vermelhidão árida dos morros ao redor da pequena cidade, o "B" meio deitado em Chihuahua Hill, um tipo de grande plano aberto que parece servir apenas para levá-la de volta à cena seguinte: Brewery Avenue, escadaria de quarenta e dois degraus, porta azul, bandeiras tibetanas tremulando, o toca-discos ligado na sala. Quer saber, o que ela gostaria de fazer hoje à noite era ouvir música com Sarah e Will, se pudesse ignorar a parte da história que a mostra indo embora com uma mala sob a luz opressora de um fim de tarde em um lugar já tão naturalmente alaranjado. Quando o sol se põe ali, a sensação é de que alguém cometeu um excesso.

Quatro, cinco discos. Talvez só com Sarah, mojitos, as cortinas abertas, depois sentir que Will está subindo e tirando os sapatos no vestíbulo, voltando de algum lugar mais escuro e mais barulhento, de maneira que ele se juntaria às duas quando o quinto disco estivesse meio que terminando, e antes que todos pegassem no sono Sarah ia começar a insistir para irem a algum lugar alto ver o dia nascer, o que para Tamara e Will já se revestia de uma banalidade cansativa, ou porque eles tinham morado desde sempre no meio das montanhas vermelhas, ou porque alguma coisa termina quando a gente chega aos quarenta anos.

Ela tenta se convencer de que aquilo ficou para trás. Bisbee, Sarah, Will, o restaurante. Se ficar lembrando apenas dos bons momentos, vai ser difícil achar que fez a escolha certa. Seu corpo está tenso e os nós dos dedos apertados contra o volante, como se ela tivesse se perdido no meio da estrada e tentasse achar agora algum ponto de referência. É sexta-feira. Vai sair do trabalho às cinco. Coloca o telefone no viva-voz e disca para Arthur.

"Ei, Arthur. Como tá esse seu dia?"

"Ocupado."

"Sério?"

"Nah."

Ele ri. Tamara ouve o que parece ser ele passando de um lugar para outro.

"Fiquei pensando se você não toparia ouvir um disco."

"Um disco?"

"Isso. Preto, redondo, dois lados, umas doze músicas no total."

"Hahaha. Entendi. Você pensou em algum específico?"

"Aham. Devo te contar?"

"Hm, melhor não?"

Ela se esforça para sorrir porque sabe que se notam sorrisos nas vozes.

"Sete tá bom pra você?"

"Claro. Olha, eu adoraria te convidar pra vir aqui um dia, mas moro com uma pessoa que não gosta que fumem dentro de casa. E vá saber também que tipo de música você anda ouvindo."

"Eu acho que o ausente Jimmy Pitelkow não vai se importar nem com a fumaça nem com o disco."

Arthur chega exatamente às sete. Tamara colocou um jeans rasgado e uma blusa azul-marinho com alguma coisa miúda repetida muitas vezes. Parecem flores. Está com o cabelo preso em um coque. Por algum detalhe, não é o mesmo coque que ela costuma usar no café, mas ele não saberia dizer qual é a diferença entre os dois, muito menos o que isso significa. Ela entra na frente. A casa está iluminada por pontos de luz fraca, então quase não se pode ver o conjunto, apenas um canto aqui e outro ali, pequenos bonecos talhados por algum povo que acredita que bonecos são mais do que bonecos, um pôster de filme B de ficção científica, a cadeira de balanço. E aquilo lá é por acaso uma vela aromática? Arthur tem a impressão de que está num encontro por causa das luzes, e bem nesse ponto Tamara aparece com dois copos altos dizendo que hoje ele precisa beber. Um monte de folhinhas verdes boia num líquido translúcido. Se os anos lhe ensinaram algo sobre comportamento humano, sabe que uma afirmação dessas só revela que provavelmente é *ela* quem está precisando beber, mas tudo bem. Ele pega o mojito e responde com alguma piada sem originalidade do tipo "Então o disco é tão ruim assim?". Mais algum tempo e ele está sentado no sofá, o copo quase vazio na sua frente, um beque meio fumado no cinzeiro, enquanto Tamara acerta a agulha nas ranhuras do disco. E começa. Começa alguma coisa grande.

A banda se chama War on Drugs, o que inicialmente ele acha uma coincidência de mau gosto, mas Tamara diz que não há nenhuma razão para evocar a guerra às drogas que Nixon inventou etc., é só um nome escolhido pelo jeito que soa. Ele quer conversar e pergunta também sobre o álbum, cuja capa mostra um cabeludo olhando para o chão diante de uma janela com cortinas fechadas. Ela se senta no sofá. Está com o copo cheio de mojito, o segundo. "Adam Granduciel, o cara aí da capa, escreveu essas canções depois de terminar com a namorada." Isso é tudo que Tamara fala. Quer deixar a música em primeiro plano.

Trata-se de um Bruce Springsteen meio psicodélico, só que cheio de detalhezinhos, com um monte de camadas de melancolia, e quando a canção acaba ainda há um rastro de barulho, como se fosse preciso alguns instantes para restabelecer o fôlego. "Red Eyes", a segunda faixa, é uma ode ao movimento. É positiva e profunda. Uma adolescente girando sozinha no quarto com os olhos molhados, mas não necessariamente de tristeza. Faz com que ele acabe pensando em Elisa, no que ela pode estar fazendo agora, se há alguma chance de ela ter conhecido essa banda e ter gostado dela do jeito intenso, mas provisório, com que Elisa ama as coisas e as pessoas. Depois da terceira canção, Tamara vira o disco. São aqueles discos duplos de cento e oitenta gramas, com uma qualidade tão impressionante que só os ouvidos mais refinados conseguem perceber.

"Sarah me ligou hoje."

Ele não sabia que eles estavam autorizados a falar. Algo na

música talvez tenha dado esse espaço; batida bem marcada, guitarra distante, um fim se arrastando por no mínimo um minuto inteiro. Por um momento, Arthur não localiza Sarah na memória, mas aí se lembra: Sarah. Arizona. Poliamor.

"Posso acender isso de novo?", Tamara pergunta segurando o beque.

"Vai lá."

Ela dá uma tragada longa. Não tosse.

"Ela me ligou. Depois de, sei lá, cinco meses sem falar comigo."

"O que ela disse?"

Arthur pega o baseado.

"Nada."

"Nada?"

"Ela ficou lá com o telefone na mão fazendo com que eu ouvisse os barulhos. Os passos dela na madeira, uma porta sendo aberta, depois um armário, a xícara de chá contra o pires."

"Pera aí. Você quer dizer que ela ligou sem querer?"

"Não. Ela ligou porque queria."

Ele sente o gosto frutado da maconha passeando pela sua garganta.

"Eu não entendo. O que ela tava pensando quando decidiu ligar para a ex-namorada e ficar em silêncio?"

"Não era silêncio. E como é que eu vou saber, Arthur? As pessoas são um mistério."

"O que você fez?"

"Ué, eu fiquei só ouvindo. E depois fiz com que ela escutasse os meus sons também."

"Tipo?"

"O vento. Aí eu percebi que o vento só é vento quando bate nas coisas, você já tinha pensado nisso?"

Ele tem vontade de rir, mas se contém. Logo a música

volta com força. Eles ficam quietos de novo. Tamara coloca o segundo disco. Impressionante como aquele álbum cria uma atmosfera contínua e onírica. O cara compôs aquelas doze canções depois de terminar com a namorada e é isso que as pessoas acabam vendo, uma espécie de resumo da gênese da obra: um coração partido querendo se expressar. No entanto, para Arthur, essa ideia simplifica e banaliza o grande trabalho empenhado na sua criação, que não pode ser explicado apenas por um rompimento amoroso, mas provavelmente por um monte de músicas que o cara ali, triste, ouviu durante toda a sua vida, assim como por anos e anos de tentativas e erros em quartinhos bagunçados e shows para poucas pessoas e por todas as decisões perfeitamente racionais que ele tomou dentro do estúdio. A última faixa é um troço absurdo. Ele fecha os olhos e de repente está no meio da neblina. Não parece assustador nem mesmo desconfortável. Só um lugar rodeado de pinheiros. O chão coberto das agulhas que vão se acumulando até formarem um tapete macio. Quando acha que está completamente sozinho, sente um calor passando pelos lábios e depois de novo e depois dentro da boca. Abre os olhos. Tamara. Ela fala alguma coisa sobre ele ser um cara difícil e ele se deita sobre ela interrompendo a frase, meio fascinado, meio puto da cara. Esvazia a cabeça e começa a abrir um a um aqueles botões de pressão da camisa dela, simples como roupas de teatro.

Richard “Manzanita” Goldberg

Agora ele compra camisas de manga curta, mantém o cabelo preso em um elástico e diz coisas do tipo “deixa eu ver o que as flores estão aprontando ali fora”. Richard “Manzanita” Goldberg nasceu em Redondo Beach, Califórnia, onze meses depois de seu pai ter voltado da guerra (só ficava catatônico quando perguntavam se tinha atirado em alguém). Era o mais novo de três filhos, os narigudinhos da Jefferson Elementary School. Passou em branco na Redondo Union High School, lendo romances de Jack Kerouac e grudando chicletes nas mochilas de quem enchia o seu saco.

Em 25 de agosto de 1969, partiu para San Francisco. Tinha vinte e três anos e acabara de largar a graduação na UCLA em alguma coisa que o tornaria um triste professor de literatura. Isso foi algumas semanas depois de Charles Manson ter levado seis bons jovens americanos a invadirem o número 3301 da Waverly Drive. Uma carnificina. O mundo inteiro viu as fotografias daquela pobre gente pega de surpresa, os lençóis brancos poupando a audiência de toda a verdade, mas os jornais detalhavam a cena e diziam que a Família Manson tinha escrito palavras com sangue: *Helter Skelter, Death to pigs, Rise*. Alguns viram a imagem de Sharon Tate dobrada em uma poça vermelha, marcas no corpo inteiro, uma corda no pescoço e a bandeira dos Estados Unidos da América cuidadosamente ajeitada no encosto de um sofá de três lugares. Então a mãe de Richard Goldberg dizia: "Fique longe do Haight-Ashbury" (era lá que aquela gente maluca tinha se conhecido).

Fique longe do Haight-Ashbury. Todas as meninas com flores no cabelo estavam lá, elas eram uma força da natureza deitadas na grama fina do Golden Gate Park esperando seu próximo instante de iluminação e autoconhecimento, ele não ficou assustado, deixou que elas lhe falassem sobre Buda, a locomotiva da sociedade que tinha que parar, suas infâncias em lugares que, para Richard, estavam sempre com o tempo fechado, Michigan, Washington, Indiana. Uma garota de Minneapolis deu um nó no seu coração.

Toda a vizinhança tinha cheiro de mato queimado. Richard fumava maconha regularmente. A existência parecia tão mais limitada quando ele não estava chapado. Mas aí vieram 1971, 1972, o fim do amor no Haight-Ashbury. Um bando de gente estava usando heroína, roubando, pedindo dinheiro nas esquinas ao lado de cãezinhos famintos que nada tinham com isso. E um dia Ted Mountain Lion disse: "O sonho não está mais aqui". O sonho estava no norte da Califórnia, contou Ted, o cara mais ruivo e mais puro que Richard ia encontrar na vida, o sonho estava no norte da Califórnia em pequenos grupos que se formavam para viver em paz e em completa harmonia com a terra. De certa forma, eles tiveram sorte, porque havia esse cara cujos pais tinham morrido em um acidente de automóvel, um bom sujeito com uma boa herança que queria dividir seus planos de vida com outras pessoas com uma alma tão bonita quanto a dele.

Comprou um pedaço de terra em Albion, condado de Mendocino. Ted Mountain Lion disse: "Vai lá juntar suas coisas, Richie, nós vamos embora daqui amanhã".

Tudo vai ficar bem em Albion.

Mesmo que: os índios Pomo tivessem sido dizimados lá (rifle, varíola, rubéola); a floresta de sequoias vermelhas tivesse sido dizimada lá (suecos, portugueses, chineses, italianos). Vamos dar uma nova chance para Albion.

Tudo vai ficar bem na Fish Rock Farm. Quinze homens, onze mulheres, duas crianças pequenas. A princípio, ninguém sabia fazer muita coisa, mas eles tiveram que aprender na marra, revolvendo a terra, folheando livros sobre ervas com poder de cura, lendo velhas edições da *Whole Earth Catalog*. Enquanto os tomates lutavam para crescer, eles tomavam LSD e fumavam maconha.

Um dia, Richard Goldberg plantou as sementinhas que ocasionalmente vinham com o fumo. Quatro meses depois, dois pés de cannabis tinham um metro de altura. Richard e os outros fumaram as folhas, os camarões, tudo. Era o que se fazia naquele tempo. Naquele tempo, também não se sabia nada sobre plantas machos e fêmeas, sobre machos que precisam ser dizimados para que não polinizem as fêmeas, sobre fêmeas que precisam florescer para que esses hippies sujos nossos vizinhos fiquem doidões o tempo todo (*minha família que está aqui desde 1893 quando meu avô Fredrik Korpi veio trabalhar em uma serraria perdeu um dedo tentando colocar comida na mesa da sua mulher e dos quatro filhos escapou graças a Deus Nosso Senhor de um incêndio perto de Hopland a vida não era moleza para quem precisava fatiar uma árvore de noventa metros de altura abraçá-la é mais fácil claro que sim mas alguém precisa colocar um teto na sua cabeça tenho muito orgulho de tudo que meu avô Fredrik Korpi fez pela gente e por este lugar*).

Richard estava ganhando alguns trocados com suas plantinhas.

Em 1974, um sujeito com um Ford Thunderbird caindo aos pedaços passou pela comunidade, comeu burritos vegetarianos, sentou na beira do fogo e falou longamente sobre uma técnica de cultivo que estava sendo chamada de *sinsemilla.*

"Cara, você tira os machos da jogada, o.k.?"

Então ele tirou os machos. As meninas produziram mais THC em lindos camarões grudentos. Na colheita seguinte, ele tinha uma maconha que valia ouro.

Ele era bom naquilo. Começou a ir para San Francisco com um saco preto nas últimas semanas de outubro. Vendia tudo sempre para o mesmo cara que vivia numa casa eduardiana não muito longe de Russian Hill. Mas, na Fish Rock Farm, eles foram dando a entender que havia algo de errado nisso. Não com a maconha em si, que eles fumavam e reverenciavam tanto quanto antes, mas com o fato de Richard estar fazendo algum dinheiro (e isso que eles não sabiam nada sobre as notas de cem dólares enterradas em uma lata de biscoito). Um individualista, Richard Goldberg. Fruto da educação judaica, talvez. De qualquer maneira, não era para nada disso que eles tinham ido até lá.

Três colheitas. Era isso que Richard sabia fazer e gostava de fazer. Mas sua realização pessoal não se encaixava exatamente na Fish Rock Farm porque *realização pessoal* nunca tinha sido um motor para eles, mas a própria coisa a ser combatida. Eles estavam tentando compartilhar as roupas agora (pegue a primeira peça que estiver pela frente, combata a vaidade, o apego aos bens materiais etc.).

Então fizeram um círculo como sempre e, em uma noite de lua crescente, por dezesseis votos a um (Ted Mountain Lion era a pessoa mais pura que ele ia encontrar na vida), Richard Goldberg foi expulso da comunidade. Partiu com os olhos secos e de alguma forma aliviado depois de desenterrar a lata com as notas de cem dólares. Deixou a cova aberta de propósito.

Era 1976, quando comprou uma pequena propriedade perto de Boonville, no mesmo condado de Mendocino, onde o clima ia ser mais amigável para suas plantas porque ali elas estariam bem longe do oceano. Richard tinha passado tanto tempo isolado que nem sabia direito que o governo americano estava trabalhando para que ele prosperasse, por assim dizer: desde o ano anterior, os Estados Unidos estavam jogando Paraquat, um herbicida bastante controverso, nas lavouras de maconha do México. *Hasta la vista, Acapulco Gold.* Uma vez que os jovens americanos não estavam muito a fim de fumar uma erva batizada com Paraquat, a produção interna tinha disparado.

Califórnia, o estado verde.

Ninguém disse que ia ser fácil (mas era disso que Richard gostava, embora ele tivesse demorado para perceber por causa de toda aquela gororoba de coletividade; a sensação de estar fazendo a *sua* vida sem seguir as regras arbitrárias de nenhum estado. Além disso, ele precisava confessar que mexer nas plantas, naquela concretização vegetal de proibido, às vezes lhe dava uma ereção daquelas).

A vida estava boa. Richard tinha namoradas doces e temporárias. Richard tinha sequoias. Richard levantava às cinco da manhã e ai de quem dissesse que ele não estava dando um duro danado em busca de algum tipo de vida alternativa. Richard era um judeu de Redondo Beach com as costas sempre moídas de carregar tanto fertilizante. Richard virara um especialista em sistemas de irrigação.

Mas então começou aquela coisa feiosa chamada anos 80. Com aquele canastrão chamado Ronald Reagan. E o governo estava tão preocupado com a maconha que criou uma força-tarefa batizada de Campaign Against Marijuana Planting. As investidas da Camp, cheia de gente bem armada e com treinamento militar, ocorriam sobretudo no norte da Califórnia, onde era cultivada boa parte da erva que o país inteiro consumia.

De maneira que Richard Goldberg era só mais um desses caras espalhados por pequenas propriedades do condado que se cagavam de medo toda vez que ouviam o barulho dos helicópteros. Os pés de maconha eram mais altos que Richard em agosto. Lá de cima, diziam que eles lembravam pequenas esmeraldas. Richard aprendeu os truques, misturou os tons de verde, disfarçava os reservatórios d'água para que eles não fossem percebidos do céu. A manzanita era uma planta nativa cuja cor lembrava muito a das árvores psicotrópicas de Richard. Richard "Manzanita" (o que seu pai ia achar de tudo isso, o que ia achar da sua casa completamente desprovida de símbolos judaicos?). Soava bem. Ele era um malandrão que driblou a Camp. Ele achou que ia vencer Ronald Reagan, e aquele cara da casa eduardiana perto de Russian Hill dizia todo ano, enquanto enfiava o nariz nas sacolas: "Ei, Manzanita, a Camp anda te tratando bem". Até que um dia seis caras de fuzil estavam na frente do seu cachorro. O cão que ele tinha desde seu tempo em Fish Rock Farm. *Cala a boca desse cachorro agora, porra.*

Eles içaram a maconha, oitenta pés de maconha balançando em uma grande rede pendurada em um helicóptero. O recado voou para que os outros também vissem.

Richard "Manzanita" Goldberg teve a propriedade confiscada, algo que o Congresso americano tinha inventado recentemente. Além de ficar quase sem dinheiro, ele se sentia humilhado e impotente. Em 1987, comprou um pedaço de terra menor do que o que tivera um dia e plantou apenas leguminosas e umas flores miúdas junto à cerca. Mas não desistira de transgredir. Passou a cultivar maconha no meio da floresta, em uma terra de ninguém, tomando cuidado com os vizinhos, os lenhadores, a

Camp e o xerife. Outras pessoas estavam fazendo isso também. Richard “Manzanita” havia se transformado em um guerrilheiro. Não era bem um guerrilheiro estilo Che Guevara. Mas ai de quem dissesse que ele não estava dando um duro danado em busca de algum tipo de vida livre.

Richard “Manzanita” Goldberg se sentiu esgotado lá pelo início dos anos 90. Parou de plantar. Uma mulher tentou levá-lo para o Novo México, mas ele gostava de estar perto do oceano. Teve uma loja de discos em Mendocino durante quatro anos. Deu um soco num cliente em 1995 e passou a noite na cadeia porque o cara tinha tirado sarro de Crosby, Stills, Nash & Young. Quando alguém diz que o pessoal dos anos 70 foi indiretamente responsável por colocar Reagan no poder, ele fica irritado e vai fumar um cigarro lá fora.

Há alguma coisa de irreal sobre esse vilarejo, Mendocino. Fica em um promontório, rocha cercada de água por três lados, e todas as construções são do estilo vitoriano. Os jardins têm uma exuberância organizada, mas ninguém parece estar tomando conta deles como os mexicanos tomam conta dos jardins dos outros no sul da Califórnia. Um seriado antigo que teoricamente se passava no Maine foi gravado aqui. Há cinco ou seis ruas que correm no sentido leste-oeste e não mais do que dez perpendiculares a essas. As bordas do promontório são uma área protegida e mais ou menos selvagem, onde pessoas estacionam e descem para ver o pôr do sol e às vezes voltam para o carro porque está ventando demais. Venta muito. Venta nos microfones quando os visitantes querem gravar um vídeo para enviar a alguém que infelizmente não pôde estar lá.

É bonito. Cênico. Não precisa tirar nada do lugar para que fique bem em uma tela, a não ser os carros estacionados. São casas brancas de dois andares, com uma ou outra azul ou amarela esmaecida. Funcionam como residências, bed & breakfasts, restaurantes, ateliês de cerâmica, lojas de echarpes complicadas de usar, e mal dá pra acreditar que estiveram tão perto de sumir vagarosamente com o fim da indústria madeireira. Além disso, há as caixas-d'água. Foram construídas por volta de 1850, data da anexação da Califórnia aos Estados Unidos, e são de madeira crua, sustentadas por torres também de madeira com uns dezoito metros de altura.

Faz três dias que Arthur não tem notícias de Tamara. Não quer, no entanto, transformar isso em um problema. Eles não estão em um relacionamento sério, cada um com os seus motivos para não querer uma coisa assim agora. Entra na padaria e pede um sanduíche, tirando isso da cabeça às dentadas. Está sentado no balcão que corre junto à vitrine, lendo os anúncios de um jornal local, quando o vê.

Só pode ser ele. Alto, um coque, o mesmo tipo de roupa larga, atravessando a Lansing Street com uma sacola de compras cheia. Braços tatuados, óculos escuros de surfista. Um pouco mais distante a cada segundo. Arthur deixa o sanduíche pela metade e sai atropelando uma família de turistas. Na rua, uma maresia muito sutil, mas suficiente, o acerta. Lembra-se de catar conchinhas e se virar para trás à procura da mãe, muito pequeno, e anos depois deitar na areia dura do fim de tarde completamente chapado pensando em peixes abissais. *Melanocetus johnsonii*. O peixe-diabo negro com uma única antena luminescente, caçando nas zonas apagadas do oceano. A fêmea chega a uns quinze centímetros e o macho a somente três. Em alguma etapa do seu desenvolvimento, ele se cola na barriga da fêmea, e seus órgãos internos simplesmente se degeneram, tornando-o dependente da circulação sanguínea dela. Parasitismo entre a mesmíssima espécie. Algo que devia ocorrer durante todos os verões da infância e da adolescência de Arthur em Capão da Canoa, mil metros abaixo dos seus pés.

Ele segue a nuca. Na frente do Moody's, ela balança para alguém de idade indefinida que segura um cachorro pela guia. É hora do almoço. O vilarejo está um pouco menos calmo do que o habitual, com gente pegando mesas ao sol como se aquela fosse a última coisa maravilhosa que podem fazer na vida. De qualquer maneira, sempre há um grupo de pessoas embaixo da marquise do Moody's, de pé, não necessariamente bebendo café ou consumindo qualquer coisinha que seja. Ficam ali o dia todo.

O cara dobra na Albion Street. Dá uns passos e olha para trás. Em seguida, enfia a mão no bolso. Uma chave. Um pouco mais à frente está a van detonada, com panos cobrindo as janelas traseiras.

Então é mesmo o cabeludo que estava na foz do Navarro com Dave, olhando para o Pacífico e depois trocando um pacote azul que devia estar cheio de maconha. Mas Arthur ainda não conseguiu decidir o que fazer. O cara abre a porta da van, começa a acomodar as compras e, durante o tempo que isso leva, Arthur fica espiando lá para dentro, para aquela ideia desprendida de lar, tapete de ioga, ferramentas penduradas nas laterais, comida para cachorro, um tipo de cama coberta por uma colcha lilás. Aí aparentemente o cara decide rearranjar um pouco as coisas antes de ir embora, desaparecendo e voltando e desaparecendo de novo. Sai de lá a segunda vez com um par de patins na mão. Arthur já era bem grandinho quando patins in-line viraram moda no Brasil, lá pela metade dos anos 90. Está parado na calçada. Não dá mais para fingir que sua presença ali é um acaso.

"Massa, os *rollers*."

Ele precisa admitir que o cara é bonito, talvez com o que muitas mulheres considerariam a medida certa de rusticidade. Alguém que exala cheiro de madeira queimada, mas que sabe entrar no supermercado e achar a seção de cuidados especiais para a barba.

"Ah, esses? Meio velhos, mas dão pro gasto."

"Você anda por aqui?"

"Se eu ando de *roller* por aqui? Não tem muito lugar pra isso. Às vezes em Fort Bragg, sabe? O caminho de asfalto na beira do mar?"

"Sei, sim."

"Mas você não é daqui."

"Não."

"É de onde?"

"Brasil."

"Seu inglês é bom."

"Brigado."

Parece um desses momentos decisivos. Na calçada oposta, uma mulher, bem-vestida demais para uma cidade costeira, corre atrás de uma criança deslumbrada. De repente, ela quase se desequilibra no salto, mas retoma o controle no último segundo e vai adiante, esticando os braços em busca das pequenas mãozinhas. O que mais ele pode dizer? Se não tivesse a impressão de que está sempre procurando as palavras certas, tudo seria mais fácil. Para algumas pessoas, a vida é uma sucessão de desafios aos quais você simplesmente responde com o seu instinto, como se não houvesse no fim das contas quase nada a ser decidido. Não para ele.

"Bom, a gente se vê por aí", o cara diz.

"Espera. Eu conheço o Dave."

"Dave?"

"Dave de Oakland."

Ele passa a mão pela base do *roller* e faz as quatro rodas girarem.

"Olha, eu conheço três ou quatro Daves de Oakland. Talvez cinco. Eu sou de Oakland. Meu nome é Noah."

"Arthur. Prazer. O Dave que tava aqui na semana passada."

"Ah, esse Dave." Ele sorri, apesar de tudo. "Onde você o encontrou?"

"No Piaci."

"Piaci, sei. Ele tava bêbado?"

"Sim. Quer dizer, depende do que você considera bêbado. Eu acho que a gente tem escalas bem pessoais pra isso."

"Espera, meu, deixa eu entender. Tá um dia lindo em Mendocino e eu tô guardando minhas compras na van e pensando: por que eu não curto essa tarde simplesmente deitado o dia inteiro na praia? Aí um cara do Brasil aparece dizendo que conhece um Dave de Oakland. Qual é a história escondida? Você é viciado em metanfetamina?"

"O quê?"

"Deixa pra lá."

Noah abre a porta da frente e coloca os *rollers* no banco. Foda-se o Dave.

Quando Arthur era criança e alguém falava com ele de um jeito ríspido, ele se esforçava bastante para sair de perto o mais rápido possível, procurando o acesso a algum universo fantasioso onde todo mundo o entendesse e gostasse dele. Acontece que seus olhos eram muito mais velozes do que sua tentativa de fuga, e logo o pequeno Arthur tinha duas membranas aquosas prontas para estourar, o que já seria bem humilhante pura e simplesmente, diante do pai, da mãe, das tias, das outras crianças que só estavam esperando um motivo para rir, mas que se tornava ainda pior porque era acompanhado de uma espécie de engasgo agudo, visceral, desesperado e bastante solitário, não deixando dúvidas sobre o tamanho do abalo que tinha se produzido no pequeno e frágil Arthur.

"Tive a impressão que esse Dave é um idiota."

Noah ri.

"É uma leitura possível."

“Aqueles olhos dele, sabe? Que não entendem por que as pessoas ainda *tentam* falar umas com as outras?”

“Sei exatamente o que você quer dizer. Você é bom em analisar pessoas, hein? Esse é o Dave.”

Cada vez que entra em uma banheira e desliza para baixo de montanhas de espuma, Sylvia se lembra de uma noite específica de 1974. Ela tinha doze anos, e Margareth, oito. Por coincidência, foi o mesmo dia em que o seu vizinho, o senhor Wheeler, saiu levado por uma ambulância, e depois daquilo ele nunca mais voltou a falar uma palavra sequer, sendo que o senhor Wheeler sempre tivera ótimas histórias, que ele não se importava de contar a Sylvia quantas vezes ela estivesse interessada em ouvir. Ela sempre estava. A vida devia distribuir melhor os eventos marcantes, porque Sylvia tinha a impressão de não se lembrar de quase nada de 1975, 1976, como se esses anos tivessem sido apenas um tempo muito longo no qual ela ficou assistindo a uma interminável batalha entre seu pai e sua mãe, apostando consigo mesma em quem seria o primeiro a colapsar. Ela não torcia para nenhum, especificamente. Sabia que passar a viver apenas com o pai e Margareth seria uma tragédia, caso ele decidisse enfiar a mãe delas em uma instituição para pessoas malucas, mas a ideia de uma vida só com a mãe não parecia muito melhor. Pelo menos, com os dois juntos, quer dizer, compartilhando o mesmo teto, Sylvia recebia um pouco de atenção alternada, ainda que isso também parecesse ser consequência do conflito primordial: o pai sendo amoroso com as filhas apenas para provar à esposa que podia ser amoroso com as filhas, a mãe com súbitos acessos de responsabilidade apenas para provar ao marido que era perfeitamente capaz de tomar conta das duas meninas, mesmo que todo mundo pensasse o contrário. Tudo que seus pais podiam oferecer, portanto, era um subproduto venenoso de raiva, egoísmo e autodepreciação.

Mas em 1974 houve o episódio do senhor Wheeler, e Sylvia não tinha nem bem se recuperado disso, tendo visto pela janela do quarto a ambulância partir com a sirene ligada, além da parte que podia imaginar, que era o senhor Wheeler de pijama sem entender por que ele estava deitado e se movendo, quando então uma outra coisa importante da sua infância começou a acontecer.

Já era hora de dormir, mas sua mãe estava estranha. Não tinha mandado ela e Margareth para a cama, sendo que aquela era a única regra seguida na casa, o último ponto de contato com a normalidade. Andava de um lado para outro com os pés pesados e a cabeça com frequência se virando na direção da porta. Ralph havia saído. Nada de novo aí. O pai das meninas tinha que "encontrar os rapazes" quase todas as noites, uma gente que Sylvia nunca teve a chance de olhar direito porque a única vez que apareceram na frente dela foi no enterro da sua avó, e mesmo naquele dia ela não chegou muito perto, embora tenha percebido, de longe, que os três eram bastante tímidos e estavam usando as roupas erradas.

Naquela noite, sua mãe ligou para a única amiga que tinha. Elas haviam trabalhado juntas por alguns meses em um lugar que servia sorvetes enormes, mas aí sua mãe teve uma daquelas crises, que na época ninguém chamava de crise nem de nada, e pelo que Sylvia pôde entender nos dias seguintes à demissão, até que a história tinha saído barato, porque ao menos eles não iam ter que pagar por todas as taças quebradas. Não deu para ouvir direito o que conversaram ao telefone. A mãe fez questão de esticar o fio até o máximo, de maneira que tinha conseguido entrar no quarto e mais ou menos encostar a porta. Aquilo durou uns quinze minutos e ela se exaltou umas três vezes, momentos em que Sylvia pescou algumas palavras, "não nessa vida", "se ao menos eu soubesse", "eu tô indo embora". Quando ela desligou, foi buscar uma cadeira na sala de jantar e entrou com ela de novo no quarto, dessa vez fechando completamente a porta. Algum tempo depois, ela estava toda vestida como se alguma coisa diferente fosse começar a partir dali, segurando uma mala que Sylvia devia ter visto pouquíssimas vezes na vida.

"O que vocês acham de a gente sair numa pequena aventura?"

Margareth estava zonza de sono. Nenhuma das duas respondeu. Ela começou a vesti-las.

"Vocês deviam gostar de aventura com essa idade. Porque depois, meninas, a vida é uma armadilha que pega vocês."

Então Frances Watkins ligou o carro com um pequeno suspiro e deu ré, passando, de propósito ou não, sobre a grama queimada da frente da casa. As meninas iam no banco de trás. Estavam bem acordadas agora. Sylvia se lembra da viagem com nitidez porque elas quase nunca saíam de San Bernardino. As luzes do condado de Los Angeles e depois a escuridão da estrada a fascinaram. Talvez sua mãe tivesse razão sobre aventuras, mas ela gostaria de saber para onde estavam indo, se a mãe ficaria mais calma quando chegassem lá e o que o pai ia achar de tudo aquilo quando encontrasse a casa vazia. Será que ela tinha deixado um bilhete? Pararam em Pismo Beach. Sylvia nunca soube por que exatamente ali. Acharam um motel e Frances deu uma caminhada na areia enquanto as meninas ficavam no quarto, olhando pela janela. Depois ela voltou com uma lata de sais de banho e encheu a banheira para elas. Eram duas da manhã e Margareth ficou pulando, sorrindo, jogando a espuma para cima e tentando capturá-la no ar.

De modo que, quando Sylvia entra em sua banheira em Albion — ela tem uma banheira, uma casa, sequoias —, não consegue se livrar da caminhada de Frances em Pismo Beach e do corpo magricelo da irmã escorregando na espuma. Nunca vai se livrar daquilo e nem tem certeza de que quer ou precisa, porque toda essa porcaria da sua infância na verdade faz com que sua vida de agora pareça tão satisfatória quanto jamais foi. Não é exatamente um sentimento egoísta. Ela sabe que precisa fazer isso por Frances também. As cinzas estão lá em cima, um dia ela vai jogá-las no Pacífico. Fazer por Margareth, que está arrancando o coração dos frangos da Geórgia. Por Ralph, que teve sua família de volta no dia seguinte e que nunca mais pôde ouvir qualquer menção a Pismo Beach. No fim das contas, ele estava tentando o melhor que podia. Não era culpa sua que esse melhor fosse tão pouco.

Então ela não pode voltar atrás agora, por todos os Watkins que comeram jantares congelados em pratos de melamina e não conseguiram manter seus gramados verdes. Ela se lembra de quando Danny sugeriu que ela estava dando um passo maior que as pernas ao comprar aquela propriedade e se mudar para o norte da Califórnia, como se o próprio Danny não tivesse nada a ver com isso, abocanhando quase todos os meses uma fatia expressiva da sua aposentadoria, basicamente porque ele tinha "aqueles genes". Sim, ela conseguia admitir; alguma coisa em Danny não funcionava bem. Decerto ele também não podia se livrar da sua avó caminhando sozinha em Pismo Beach em uma madrugada de 1974, ainda que nunca tivesse sido sequer informado sobre esse episódio.

Ela abre o ralo da banheira e deixa a água toda ir embora. Tira o resto da espuma do corpo com o chuveirinho. Não vai dizer nada a Danny sobre dinheiro. Danny nunca soube lidar com dinheiro de qualquer maneira, deixando escapar tudo que por algum milagre fosse parar no seu bolso, enquanto Timothy sempre soube lidar bem demais, o que significa que ela não pode conversar com nenhum dos dois filhos sobre sua situação financeira porque ela não está a fim nem de um surto nem de uma recriminação silenciosa. Começa a se vestir. Pela janela do banheiro, vê o carro de Hans passando pela estrada. É uma dessas peruas novas na qual ele consegue enfiar um monte de poetas e fotógrafos de folhas secas dentro. Liga o secador, e o barulho contínuo do aparelho a deixa amortecida. Não consegue mais ficar bonita como antes. Sabe que parece uma velha quando está com a boca fechada, porque seus lábios foram gradualmente se torcendo para dentro à procura dos dentes, o que faz com que ela tente sorrir bastante agora, ao menor estímulo. Com o cabelo, no entanto, não há muito a ser feito. Por mais que todos os produtos de beleza prometam hidratação, eles não podem realmente hidratar o que já está passando por um processo natural de ressecamento. E ela usa tintura. Às vezes queria ser uma dessas mulheres de Albion com os cabelos longos e brancos, mas algumas coisas teriam que ter sido diferentes para que ela chegasse nesse ponto.

Sai do banheiro e volta. Abre a máquina de lavar e coloca lá dentro os lençóis sujos do casal que dormiu no Quarto Debaixo das Escadas. Os dois tinham um casamento para ir e chegaram bêbados e fazendo barulho na noite anterior, mas tudo bem; Sylvia precisava daqueles setenta dólares que, tirando as taxas do Airbnb, era o que sobrava para ela. Não passa a vassoura ou tira o pó. Eles vão e vêm tão rápido, quase não sobra nada de sua presença ali. Ainda assim, se há um ponto positivo além do dinheiro, é o fato de que normalmente dava tempo ao menos de uma pequena conversa no café da manhã. Não com esse casal, no entanto, que decidiu ir embora tão logo começaram a se mexer dentro do quarto, como se já tivessem determinado que Sylvia iria entediá-los com suas histórias e perguntas. Talvez fosse isso mesmo. Ela estava envelhecendo e às vezes tinha a sensação de que tentava segurar as pessoas ali. Mas, ei, ninguém a obrigara a se mudar para um lugar tão remoto.

Agora ela tem Arthur. Tenta deixá-lo à vontade para se aproximar dela ou para não se aproximar. Não sabe o que ele faz lá em cima durante tanto tempo. Às vezes ele sai. Caminha por aí. Volta rindo porque viu uma criação de lhamas. Pega o carro, chega só depois de o dia escurecer. Arranjou uma namoradinha, a garçonete do Headlands Coffeehouse que sempre foi tão simpática com ela, o que não parece exatamente uma combinação esperada. Disse hoje de manhã que ia passar a tarde em Mendocino. Sylvia começa a subir os degraus.

Está hesitante no início porque aquilo não é, teoricamente, uma coisa bonita de se fazer. Deu aula por trinta e dois anos, tinha que dar o exemplo. Gosta de pensar que foi um norte moral para muitas pessoas, todos aqueles latinos que precisavam encontrar alguma referência em algum lugar, e por sorte uns poucos, a cada turma superlotada com quarenta, quarenta e cinco alunos, conseguiam ir além da televisão e do apelo demoníaco da publicidade. Mas é sua casa. Ela tem todo o direito de saber o que está acontecendo ali. Ganha confiança, sobe agora de dois em dois degraus. Lá em cima, tudo está mais organizado do que ela imaginava. Talvez mesmo mais organizado do que estaria se *ela* estivesse usando aquele espaço, fora uma ou outra roupa pendurada na sua bicicleta ergométrica — aquele tipo de geringonça que não nos deixa esquecer como uma empolgação momentânea ou enche de lixo nossas casas ou vira um pedacinho de uma ilha de plástico em algum dos polos. O computador de Arthur está fechado sobre a escrivaninha. Do lado, há um par de fones acolchoados ligado a um velho iPod. Sylvia os põe no ouvido, aperta um botão e escuta a música interrompida. Parece relaxante. Voz feminina. Deixa os fones e o aparelho exatamente como os encontrou. Dá mais uns passos e olha em volta com um olhar clínico, como se estivesse pensando em comprar aquele imóvel.

Então ela puxa as cortinas da pequena peça onde fica a cama, sabendo que, com isso, ela provavelmente cruzou todos os limites do bom senso e da privacidade. Os lençóis estão esticados, os travesseiros são dois retângulos cobertos e perfeitamente no lugar. Há um livro no criado-mudo. *West of Eden: Communes and Utopia in Northern California*. E se isso fosse tudo que houvesse para ver, Sylvia teria saído de lá imediatamente, mas acontece que ela não pôde ignorar aqueles três potinhos de plástico verde, todos etiquetados e com palavras escritas à mão: Ingrid, White Russian, Blue Dream. Hoje em dia dá para comprar maconha como se compra chá. Os tipos têm nomes, estão em potes, têm níveis disto e daquilo, você aponta, cheira, toca, paga com cartão de crédito. Ela cheira os três camarões. Gosta do Blue Dream. Não era uma pessoa careta, mas tinha mais o que fazer do que ficar fumando maconha. Aquilo simplesmente nunca combinou com problemas reais. Há um frasco com um conta-gotas também. *Medical Cannabis: Daytime*, é o que está escrito na embalagem. Sylvia desenrosca a tampa e pinga na boca quatro daquelas gotas densas.

Durante três tardes seguidas, ele vai até Fort Bragg, mas ninguém está andando de *roller* por lá. Vê a neblina se formar sobre o oceano e fica caminhando à toa. Às vezes ela parece um reflexo da própria água, compacta, um segundo mar de fumaça que se encaixa exatamente sobre a linha do horizonte do mar original. Outras vezes, são pequenas porções de vento visível vindo na direção do continente, como se alguém tivesse jogado um corante por cima do ar para que as pessoas pudessem perceber de que jeito ele se move. Arthur entra no carro quando fica frio demais.

Algum desses dias, achou por um momento que tinha visto uma baleia. A água havia espirrado de um jeito estranho bem lá no fundo, mas podiam ser apenas as ondas batendo nas pedras, não dava para saber. De todo jeito, esqueceu rápido disso. Neblina, baleias, árvores, terraços vazios. Na época em que passava as férias em Capão da Canoa, podia ficar umas duas horas chapado refletindo sobre criaturas abissais, mas não lembra de pensar muito sobre si mesmo e sobre as coisas que o envolviam diretamente; parece que demora um pouco para que a gente se enxergue como algo tão interessante quanto um peixe que brilha no escuro.

Pensa com frequência na mãe. No útero dela. Faz ligações simbólicas, pequenas narrativas perigosas. Em um raciocínio simples, se não houvesse útero, não teria havido câncer. E ele tinha saído precisamente dali, de um órgão cuja única função durante toda a existência daquele corpo fora, no final das contas, gerá-lo. Ele, Arthur Lopes. Todos os outros óvulos, todas as outras possibilidades de vida e de combinações genéticas tinham ido parar em absorventes internos ou pedaços de papel higiênico descartados em um sem-número de privadas e lixeiras do sul do Brasil. É claro que seria muito improvável sua mãe ter nascido sem um útero, o que, seguindo esse mesmo raciocínio simples, seria sua única possibilidade de salvação; assim como era perfeitamente possível que uma célula de um útero que jamais houvesse gerado um bebê de repente enlouquecesse, ou que uma célula de um útero que tivesse gerado muitos bebês de repente enlouquecesse. Mas o fato é que tinha acontecido o que aconteceu. Não aquilo ou aquilo outro, mas isto: um único óvulo usado, uma única razão de existir, uma doença fatal que havia começado precisamente naquele lugar.

De maneira que Arthur não sabe se, quando teve a ideia de plantar maconha para ela, estava agindo movido por um amor legítimo, ou se apenas tentava livrar sua consciência. E ele queria fazer algo diferente. A vida andava chata demais naquele tempo. Cultivar daria uma sacudida na poeira da existência.

Na quarta tarde em Fort Bragg, está pensando em conceitos vagos como afeto, egoísmo e desespero quando percebe a van estacionada. Ao lado dela, há um carro verde identificado com o escudo do Departamento de Pesca e Vida Selvagem, os protetores oficiais da natureza do estado da Califórnia. Caminha na direção sul, se afastando dos motéis com vista para o mar. Um pequeno Noah deslizante aparece um pouco depois da Glass Beach. Arthur senta em um banco e espera, como se o tempo estivesse do seu lado agora. Não sabe quanto demora para que Noah o perceba e o reconheça, porque ele continua deslizando no caminho de concreto, fones de ouvido na cabeça, a boca e na verdade toda uma coleção de expressões faciais intensas acompanhando a música que só ele ouve. Noah é bom naquilo. Anda de costas, aproximando e afastando os pés, dá umas paradas bruscas, retoma com um impulso elegante, as costas arqueadas para ganhar velocidade. Então começa a deslizar em zigue-zague como se a pista estivesse cheia de pequenos cones. Está chegando perto. Para diante de Arthur.

"Você é insistente, hein."

"Uma das minhas qualidades."

"Achei que era um defeito. Ou ao menos foi o que todas as minhas ex-namoradas disseram em algum momento."

Arthur ri. Está vendo a própria imagem nos óculos espelhados de Noah.

"Perguntei pro Dave sobre você outro dia", diz Noah.

"Ah, é? E o que ele te disse?"

"Ah, você não quer saber."

Noah olha na direção do oceano.

"Posso sentar um pouco?", pergunta depois.

"Claro."

Senta e estica as pernas. Só as rodinhas de trás continuam tocando o chão.

"Ele disse que você era um cara cheio de si. Você não usou uma palavra complicada naquela noite? Meu deus, ele repetiu essa história umas três vezes. Eu disse 'Dave, você acabou de me falar isso'."

"Jeffersoniano?"

"Ah, vai se foder. Jeffersoniano. O que você faz, meu?"

"Sou professor de história."

"Uma explicação razoável pra sua chatice."

Noah solta o cabelo e coloca o elástico no pulso. Quando Arthur olha para ele, tem a impressão de que o mundo retrocedeu duas décadas. Sorri.

"Ele é seu chefe?", pergunta a Noah.

"Dave? Não, caralho, não. Olha, eu esperava mais de você."

"O que você tá dizendo?"

"Por que você não me conta sobre esse negócio de jeffersoniano? Tô curioso agora."

"Ah, não é nada de mais, é só uma coisa que eu li. Quer saber mesmo?"

"Claro."

"Tá bem. Esse cara, Ray Raphael, um historiador, acredita que os cultivadores de maconha do norte da Califórnia seguem o estilo de vida pregado por Thomas Jefferson. Eles cultivam em pequenas propriedades. As propriedades *precisam* ser pequenas porque, quanto maiores elas forem, mais elas chamam atenção e isso não é interessante pra quem tá, enfim, agindo em uma zona nebulosa da lei. O que é completamente diferente da lógica da agricultura capitalista de hoje, na qual você tem propriedades cada vez maiores, que se constituem absorvendo as pequenas, acabando sem nenhum remorso com a ideia de agricultura familiar."

"Então, nesse sentido, você diria que eles são os bonzinhos, o pessoal que planta maconha."

"Eu não diria 'os bonzinhos'. Até porque ninguém tá fazendo conscientemente isso por uma ideologia jeffersoniana, acho eu. É só uma coisa circunstancial. Mas eu simpatizo com eles. Tem algo de heroico nisso tudo."

"Tipo Robin Hood?"

Arthur dá uma gargalhada.

"Por que você pensou em Robin Hood?"

"Sei lá. Heroico, mas não totalmente."

Eles ficam um tempo sentados ali em silêncio. Noah move os patins para a frente e para trás. Lá embaixo, as ondas estão quebrando, mas não é possível vê-las. Um corvo descansa sobre um toco.

"Você é o tipo de cara que torce pro time mais fraco, né", Noah diz.

"Na verdade, eu em geral torço pro que tem o uniforme mais bonito."

"Cara, isso também é um bom critério. Tipo Romênia na Copa do Mundo."

"Não vai me dizer que você gosta de futebol."

"Aham. Eu gosto de uns esportes estranhos desde que eu era criança. Eu ficava olhando aquelas minas musculosas, tipo deformadas de tão musculosas, se engalfinhando num ringue de luta greco-romana. Pelo esporte mesmo, sem bater punheta. E nado sincronizado. E patinação artística. Eu ando de *roller*. Eu podia andar de skate, sabe? Os caras não te respeitam muito se você anda de *roller*."

"Não parece ser a coisa mais máscula mesmo."

"Eu não me importo."

"Tá certo."

No colégio, Arthur tinha sido um dos três meninos da turma que preferiam correr ao redor do campo a jogar futebol com os outros. O professor de educação física fazia essa concessão, mas havia um preço alto a ser pago, porque pouca coisa podia isolá-lo mais dos colegas do que o fato de não querer jogar futebol. Fica pensando agora no que aconteceu com os outros dois meninos. Um deles abriu uma empresa que filma e fotografa casamentos, formaturas, primeiras comunhões, bar mitzvah, enfim, todo esse tipo de evento que marca passagens socialmente esperadas. O outro virou gay, quer dizer, é gay, sempre foi gay, mas ninguém em idade escolar conseguia lidar com isso nos anos 80.

"Deixa eu te perguntar uma coisa, Arthur. Naquele dia, depois de a gente se encontrar e tal, fiquei pensando em como você fez a conexão entre mim e Dave. E parece que a única maneira que você tinha pra fazer isso seria se tivesse nos visto na praia do Navarro. Foi isso que aconteceu, você nos viu na praia?"

Arthur dá um sorriso meio orgulhoso.

"Cara, você é uma porra de um psicopata. Você sabe disso, não sabe?"

Arthur ri. Depois de um tempo, estão andando juntos na direção do estacionamento, Noah só de meias, os *rollers* encaixados nas mãos como se fossem um tipo de luva para um esporte ainda não inventado. Mesmo descalço, ele é maior do que Arthur. Uns três dedos, quatro talvez. O sol ainda está alto, sem neblina, e a diferença entre o azul do céu e o do mar é gritante. Quando chegam no estacionamento, Arthur repara que o guarda do Departamento de Pesca e Vida Selvagem está conversando com o motorista de uma picape cinza. Ele pede que o cara desça e vai inspecionar a traseira do veículo.

"Escuta, Noah, eu tô entediado, você devia me ajudar, cara. Eu fico o dia inteiro nesse lugar absurdamente bonito só com merda na minha cabeça. Pensando merda, sabe?"

Eles chegam perto do Grand Marquis.

"Esse é o seu carro?", Noah pergunta.

"Aham."

"Caralho."

"Ei, eu gosto dele. É confortável."

Noah levanta as mãos como quem se rende.

"Tudo bem. Mas eu só vou me preocupar com isso quando tiver mais de sessenta anos."

"Noah."

"Tá certo, tá certo. O que a gente vai fazer é o seguinte: eu te encontro nesse mesmo lugar amanhã às onze. Você deixa essa porra dessa banheira dourada aqui e vai comigo na van. Te prepara para cansar essas mãos macias. Chega dessa história de conforto, meu. E, por favor, não faz com que eu me arrependa de ter simpatizado com você."

Ela teve seus sonhos coletivos, suas utopias, tanto quanto qualquer um em Middle Ridge Road. Escreveu cartazes com tinta têmpera e viajou até Nevada para protestar contra os testes nucleares realizados pelo seu governo, pagos com os seus impostos. Era a década de 80. Embora o mundo estivesse numa descida escabrosa e bastasse ligar o rádio para que o espírito da época se materializasse — coisas do tipo "Bring On the Dancing Horses" a faziam chorar no carro sem razão aparente —, Sylvia não percebeu a toxicidade do ar até muito tempo depois. Isso mesmo indo para o Nevada Test Site uma vez por mês. Mesmo segurando a ponta de uma faixa que dizia "O lugar mais bombardeado do mundo". Ela erguia o punho. Gritava como se as pessoas que apertavam as porcarias dos botões estivessem ali na sua frente e precisassem ouvir umas verdades sobre este planeta, nosso único planeta. Não que ficasse desesperada toda vez que chegava perto daquele lugar; ficava apenas enérgica, motivada demais, como que amarrando uma capa de nobreza sobre sua personalidade. Estava vivendo entre as pessoas que se importavam e aquilo, no momento em que acontecia, era mais do que reconfortante para ela.

Além do mais, Sylvia nunca presenciara uma detonação. O chão sempre havia estado bem firme onde ela pisava, e as queimaduras na sua pele depois de uma tarde inteira protestando eram apenas o sol de Nevada sendo o sol de Nevada. Os mais velhos, por outro lado, estavam cheios de histórias. Um cara chamado alguma-coisa Patterson tinha colocado os manequins dentro das casas falsas de Survival Town nos anos 50. Ele havia descarregado o caminhão de bonecos no meio do deserto e os tinha posicionado em quartos, salas de jantar e cozinhas como típicas famílias americanas, fazendo coisas que típicas famílias americanas estariam fazendo no caso de a União Soviética decidir atacá-los, o que para muitos tornava aquele senhor uma pessoa interessantíssima. Era como se só passar por uma cena relevante na grande linha do tempo do mundo o respingasse com a tinta da história. Além do mais, ele tinha mudado de lado. Outros fizeram a mesma coisa. Eles podiam dizer que se lembravam da capa da revista *Life* com os neons e as luzes de Vegas em primeiro plano e aquela fumacinha atômica pairando lá no fundo. Podiam desviar os olhos da audiência e acrescentar que o pior do patriotismo era quando ele o levava quase sem perceber a uma espécie de relativismo moral, a ponto de sentá-lo no topo de um hotel-cassino para observar com orgulho uma nuvem radioativa. A jovem Sylvia concordaria em solidariedade. Aquilo tudo era horroroso demais. Mas ela se opunha a algo que não havia explodido diante dos seus olhos nem feito as cabras da sua cidade nascerem com duas cabeças. De certo modo, aquilo tudo — protestar contra os testes nucleares, ir ao deserto regularmente em nome de um ideal — colocava algo dentro da sua vida, e não tirava, como era o caso de Patterson ou de outras pessoas andando por aí cheias de traumas.

Então um dia ela estava precisamente lá, um pouco atrás daquela placa que dizia *Nevada Test Site: No Trespassing*. Achava engraçado quando palavras tentavam estabelecer uma fronteira. Um cara parou ao lado dela e disse: "Sabe, o deserto não é o contrário da vida". Ele não tinha nada de bonito, como se houvesse um erro de proporções em seu rosto, mas o que seriam "proporções corretas" senão um padrão de beleza ditado por fortes interesses comerciais? Sylvia não respondeu nada, só que um minuto depois estava olhando para o céu de outro jeito, todo jateado de branco, fofo, e em mais dois meses estava colocando para dentro da casa de Antonio as coisas que até então tinha acumulado. Quando ele falava sobre as árvores-de-josué ou pegava o violão para tocar para ela, nunca parecia o homem que podia chegar em casa com o rosto vermelho louco para brigar. No início, Sylvia o considerara o oposto do pai, com as unhas bem cuidadas, a estante de livros, o jeito didático de falar sobre as coisas que amava, então por que tudo tinha terminado mais ou menos da mesma maneira? Não fazia sentido. Era frustrante seguir outro caminho, e de repente olhar para o lado e ter que dar um alô para os seus pais.

"Olha, Danny. Eu não sei o que você pode fazer, não sei. Por que você não fala com todo mundo que você conhece aí? Eu entendo que você tá irritado agora. Só me escuta por um segundo, Danny? O que os outros locatários pretendem fazer?"

Mas seu filho ficou falando e falando sem responder à pergunta. Para ele, o mais importante naquele momento era dizer que o lugar onde morava nunca tinha prestado mesmo, que tudo ali era encardido, carcomido, empenado, humilhante, as peças divididas de um jeito improvisado como em Cuba ou sei lá onde, e as pessoas colocando qualquer lixo de gente para dentro e supondo que isso era legal e supondo que isso se chamava festa e então roubando coisas da geladeira. Coisas dele. Latas de refrigerante. Um vidro de mostarda. Pelo amor de deus, um resto de mostarda velha.

Filtrado pelas árvores, o dia em Albion amanhece devagar. Às vezes um estalo lá fora significa que alguma coisa se desprendeu de uma sequoia ou de um abeto de Douglas e foi se juntar ao tapete de agulhas alaranjadas. Só pelas dez horas é que Sylvia consegue usar a palavra "manhã" sem ter a impressão de que aquilo ainda se trata de um fenômeno em curso. O que é muito diferente do sul da Califórnia, onde o sol se grudava às paredes brancas e todo o cenário parecia estar desbotando a olhos vistos. Sylvia suspira. Na cozinha, Zanzibar caminha ao redor do prato vazio de ração, às vezes enfiando a pata para ter certeza de que não há nada lá.

"Querido, não dá pra você simplesmente achar outro lugar?"

"Não em San José, mãe", Danny responde, sem muita paciência, como se ela pudesse ter esquecido onde ele mora. "Talvez eu tenha que sair do restaurante. Quer dizer, se eu não encontrar um quarto que possa pagar, o que provavelmente vai acabar acontecendo."

"Eles gostam de você lá."

"É."

"Você foi promovido."

"Eu sou garçom, só me tiraram da frente da pia. Não é muita coisa."

"Eu sei que você tá frustrado, com toda a razão, mas—"

Ela precisa parar de dizer como ele se sente. Pensa nisso e então não consegue ir adiante. Não sabe onde começam os fracassos do seu filho e onde começam as limitações de toda uma geração azarada que está se tornando adulta em um mundo ultracompetitivo e economicamente instável. Danny não diz nada. Depois o silêncio se quebra com o ruído do que parece ser um isqueiro sendo acionado.

"Você não devia gastar seis dólares numa carteira de cigarro."

"Tô entendendo que essa é a sua preocupação máxima no momento, mãe."

"Eu me preocupo com a sua saúde também. Por que você nunca me disse que fumava?"

"Porque eu não fumo. Mãe, se isso aqui foder de vez, eu vou ter que passar um tempo com você ou com meu pai. Ela nos deu três semanas pra esvaziar o apartamento."

"Você sabe que não acontece muita coisa aqui além de curso de cerâmica pra gente aposentada, Danny."

Ela ri, como se tivesse ficado constrangida com sua vida atual.

"Aham."

"O que eu quero dizer é que você não vai achar nenhum emprego em Mendocino."

"Eu sei, eu sei. Provavelmente eu vou voltar pra LA e tudo bem se o velho Antonio tiver que lidar com isso, né? Ele merece."

Três décadas depois e Sylvia ainda não entende como aquele cara doce dos protestos se tornou a pessoa de quem ela devia proteger os filhos. Talvez o erro tenha sido achar que a verdade estava no deserto de Nevada — é bonito acreditar nisso —, não dia após dia, ano após ano de uma convivência que arrancou todos os monstros do armário. Pensando bem, quem é que podia dizer com certeza que não estava em uma versão metafórica de Survival Town?

De maneira que, quando ela desliga o telefone, está pensando mais em Antonio do que em Danny, o que no fim das contas é só um caminho para chegar em sua própria solidão. Ela gosta de tentar reorganizar o passado como se ele fosse feito de blocos desmontáveis. Às vezes vai até o sul do condado só para isso. Point Arena. Gualala. Dirigir. Remoer. E, mesmo assim, não tem certeza se consegue construir um todo coerente sem o manual de instruções. Talvez ela seja o tipo de pessoa para quem seu outro filho, Timothy, diria "Pense fora da caixa". O problema é que algumas caixas parecem mais lacradas do que outras. Ela sai do quarto e vai para a cozinha. Arthur está lá.

"Bom dia."

"Bom dia, Arthur."

"Tô fazendo ovos pra mim, você quer?"

Sylvia se senta na mesa sem nenhuma intenção de disfarçar seu estado de espírito. Arthur parece animado e sociável. O contraste não a incomoda. Ela olha para ele, de botas, pronto para o que vier, e acha que pode capturar um pouco dessa energia.

"Aham, por que não? Eu já enjoei da minha granola."

Ela dá comida para o gato enquanto Arthur prepara o café da manhã, depois eles se sentam juntos para comer ovos, cogumelos e um pouco de pão com geleia de morango. Ele podia ser o filho dela, mas há algo de absurdo nesse tipo de raciocínio.

"O Danny tá me deixando louca", ela diz então, só para falar alguma coisa.

"O que houve?"

"Ah, o de sempre. Algo que não devia acontecer começa a acontecer, ele fica agitado e, eu não sei, projetando todo esse futuro desesperançoso." Ela percebe que fez uns gestos estranhos para "futuro desesperançoso", como alguém que esmaga uma bola invisível com a ponta dos dedos. "Agora é o quarto em San José. Ele tem que sair de lá porque a proprietária pediu o imóvel de volta para vender para uma prima dela, o que tá me parecendo um jeito de burlar a lei, mas acho que o Danny não cogitou essa possibilidade, e eu achei melhor ficar quieta sobre isso. É um apartamento com aluguel controlado."

"Sei."

"Eu só espero que ele encontre alguma coisa."

"Ele vai, com certeza."

Sylvia sorri. Tem uma vontade repentina de tomar aquelas gotas. Da outra vez, seu corpo todo amoleceu, então ela desceu as escadas, se arrastou para o sofá e deitou, os pés sobre a parte que Zanzibar adorava rasgar com as unhas. Nunca se deitava desse jeito, mesmo que aquela fosse sua casa e mesmo que quase nunca houvesse alguém ali para vê-la. Parecia que estava flutuando, mas ao mesmo tempo que era feita de algo muito rígido e imutável, o que dificilmente conseguiria explicar para alguém. Uma bailarina cansada? Aí começou a rir de si mesma. Talvez houvesse algum efeito psicotrópico nas gotas afinal, embora a princípio elas parecessem causar apenas esse grande relaxamento muscular. Aquilo era *remédio*. Pessoas tinham *receitas* para fumar maconha agora, uma imagem de futuro na qual ela não teria acreditado em nenhum ponto dos anos 80. Brownie com maconha. Pirulitos. Toda aquela parafernália de vidro que as pessoas vendiam como arte. Ela se lembra de ter ficado sozinha tantas vezes nos intervalos das reuniões do movimento antinuclear. Os pacifistas iam desaparecendo da sala em pequenos grupos para depois voltarem relaxados e com aquele cheiro doce nas roupas, até que um dia ela perguntou por que nunca a convidavam e alguém disse "Porque você é uma pessoa direita, Sylvia". O que podia ser um elogio para o seu pai, mas não para eles. E, definitivamente, não para quem ela estava tentando ser naquela época.

Então pergunta para Arthur se ele conseguiu uma dessas receitas. Não vinham falando sobre isso até agora, e ela sente que podia ter dado algumas voltas antes de chegar naquele ponto. Ele toma um gole de café enquanto Zanzibar precisa ser expulso de cima da mesa. Parece que aquela pode ser uma história sincopada pelo constrangimento, mas Arthur fica muito à vontade quando começa a falar em Venice e na forma ostensiva como os *marijuana doctors* se apresentam, contratando mulheres seminuas para segurar cartazes verdes no calçadão ou vestindo um pobre coitado com uma fantasia acolchoada de folha de maconha. Ele tentou ir a um lugar discreto, mas não havia lugares assim em Venice. A coisa mais discreta que podia arrumar era um prédio branco com uma cruz verde piscante na fachada. Entrou nesse. Quase não havia móveis lá dentro, e ele ficou se perguntando se se tratava de uma adesão convicta ao minimalismo, ou se as cinco cadeiras dobráveis e a mesa de plástico eram tudo o que eles poderiam enfiar num caminhão caso tivessem que fazer isso na calada da noite. Um cara da idade de Arthur, usando uma camiseta preta sem nada escrito, disse que o doutor poderia vê-lo por cento e cinquenta dólares. Eles ficaram um tempo discutindo o preço até chegarem a oitenta. Parecia haver algo errado em barganhar por uma consulta médica. Arthur deixou que fizessem uma cópia do seu passaporte, depois preencheu uma ficha com seus dados e as razões pelas quais gostaria de usar cannabis. *Cannabis*. Esse era o novo nome da planta que estava havia milhares de anos na Terra, sendo demonizada ou santificada de acordo com os interesses econômicos das nações.

Quinze minutos depois, um senhor de jaleco abriu uma porta e o chamou. Tinha quase setenta anos e uma barba cujas fronteiras não estavam muito claras, passando em muito do seu pomo de adão. Ele estendeu a mão para cumprimentar Arthur com um olhar desinteressado, depois se sentou atrás de uma mesa idêntica à da recepção. Sobre ela, havia um livro chamado *O homem que amava a China*. Na verdade, toda a consulta pareceu para Arthur uma desagradável interrupção daquela leitura, embora sim, eles tenham conversado um pouco sobre romances, sobre sua viagem para o norte da Califórnia e sobre um vago sentimento de ansiedade que a maconha ajudava a manter sob controle.

"Qual é o lugar mais seguro para guardar cannabis no carro?", o doutor perguntou em certo momento, e essa pareceu de fato a grande orientação que ele precisava dar ao seu paciente. Arthur gostaria de poder não dizer nada. Ele sempre ficava incomodado com essa expectativa da resposta certa, embora soubesse que, como professor, também sentia um pequeno prazer em deixar as pessoas naquela posição. O médico insistia. "Embaixo do banco?", Arthur chutou. Recebeu um olhar de pena. "No porta-malas. Você está legalmente autorizado pelo estado da Califórnia a portar oito onças de maconha." Ele pareceu ter esquecido por um momento que devia usar a palavra cannabis. "Mas não a fumar e dirigir. Então certifique-se de que você a colocou no porta-malas. Esse é o lugar certo. Entregue isso aqui na recepção e boa viagem."

Sylvia está rindo no fim da história.

"Isso é tão Venice."

"Um velho viciado em romances receitando maconha em uma sala espartana?"

"Uma cena que não faz sentido à primeira vista. Um elemento dissonante. Eu não sei. Então você foi em um dispensário e comprou o que você queria depois. Não é uma loucura? Quer dizer, quem poderia ter imaginado."

"Acho que ainda é bem difícil de imaginar."

Arthur olha o relógio. Deve ser uma das últimas pessoas do mundo que usam relógio no pulso.

"Eu tô meio atrasado."

"Tudo bem, eu não quero segurar você."

"Se uma hora dessas você quiser um pouco de fumo—"

"Talvez."

"Eu tenho uma coleçãozinha lá em cima."

"Eu tô preocupada com o Danny."

"Ele vai ficar bem, Sylvia."

Noah abre a porta de correr da van.

“Pode entrar aí atrás.”

“Quê?”

A colcha lilás está embolada sobre o colchão. É um colchão de verdade.

“E seria legal desligar o GPS do telefone, tá bom? Se bem que você não vai ter sinal por muito tempo mesmo.”

“E eu tenho que acreditar que não vou ser morto?”

“Aham. Uma relação baseada em confiança.”

“De um único lado.”

Noah sorri com o canto da boca.

“Dói mais em mim do que em você, acredite.”

É um dia ensolarado na costa, com chumaços de nuvens se deslocando no céu. Alguns minutos antes, Arthur tinha atravessado a ponte sobre o Noyo vendo as ondas se quebrarem preguiçosas lá embaixo, sentindo que a vida o tratava bem depois de algumas rasteiras, então ficou meio aéreo a ponto de quase encostar no para-choque do carro da frente. Havia um remendo com fita isolante no farol esquerdo, tão intenso e caótico que parecia o trabalho de uma criança, mas isso não era nada perto da coleção de adesivos conservadores da qual fazia parte um "O que Reagan faria?". O carro dobrou à direita na Highway 20 enquanto Arthur cogitava passar no café onde Tamara trabalhava, mas a ideia não pareceu boa por tempo suficiente. Se não responder uma mensagem não queria dizer nada, não responder três devia querer dizer alguma coisa.

O que Reagan faria?

Além do mais, ele teria chegado atrasado para o encontro com Noah. E ele não gostaria, de jeito nenhum, que isso acontecesse.

Arthur acha um espaço na van para colocar o pé, impulsiona o corpo e então está lá dentro, encurvado para não bater com a cabeça no teto, tentando imaginar o próximo passo.

"Talvez esteja um pouco fedido por causa do Cosmos. Até daqui a pouco, Arthur."

Noah fecha a porta. Há mesmo um cheiro ruim de cachorro misturado com ração, o que provavelmente Arthur vai conseguir ignorar daqui a um tempo. Ele se senta na ponta da cama, mas não consegue esticar as pernas. A van começa a andar. Pela quantidade de semáforos, pode imaginar que estão indo para o sul, passando por todos os postos de gasolina, os motéis, os lugares que vendem lenha, o dispensário chamado Herban Legend, o terreno baldio onde há uma única mesa com quinquilharias expostas. Consegue imaginar isso porque acabou de fazer o caminho inverso. Sabe quando entram na rotatória. A luz é filtrada pelos panos hippies de Noah e o som acaba de ser ligado, os alto-falantes da van dando o melhor de si, mas deixando tudo achatado e estridente. Fica ouvindo Thom Yorke dar uns gritos metálicos e daí se deita no colchão. Dá uma certa vertigem, mas é mais confortável desse jeito. Não dobraram na Highway 20, então Arthur precisa descartar os arredores de Willits, sua primeira hipótese para a localização da propriedade. Qual poderia ser a segunda? Boonville? Estão atravessando pontes. O som nas pontes é diferente.

Depois de vinte e seis minutos contados no seu relógio, percebe que saem da costa. Agora precisa se sentar para não ficar nauseado porque a estrada em que entraram é cheia de curvas. Ele se lembra de como sua mãe tinha vontade de vomitar em viagens de carro, e de como ele também sentia isso nas excursões da escola quando era pequeno, o que pode ter sido apenas mais um problema que ela havia colocado na sua cabeça. Ele chegou a vomitar na sétima série, quando eles deviam estar olhando pela janela do ônibus e marcando no caderno as coisas que viam, vacas, silos, igrejas. A viagem até São Miguel das Missões durava umas sete horas, então ele deve ter vomitado pelo meio do caminho, com certeza depois da parada para o almoço em Soledade. As pessoas passaram uns dois anos falando sobre aquilo, e teriam continuado se Arthur não tivesse trocado de turma e se o pai de Bruno Adegas não tivesse sido eleito deputado federal. Bruno Adegas era o menino cujos pés receberam as golfadas de vômito. Ele acabou se formando lá em Brasília e eventualmente mandava uma foto de alguma fruta estranha do cerrado.

Arthur tinha se sentido humilhado e furioso consigo mesmo depois do vômito. Houve uma parada especial. A professora trouxe uma sacola plástica e uma pilha de toalhas de papel, e nada foi mais deprimente do que vê-la agachada ali. Ela não disse para ele limpar. Quando o ônibus arrancou de novo, Arthur tentou focar em um detalhe da poltrona da frente, ignorando as provocações que vinham do corredor. Pensando agora, parecia uma pena que seus colegas ainda se lembrassem desse episódio tanto tempo depois — e eles se lembravam —, o que só provava o quanto a maioria das pessoas tem a existência filtrada pela mediocridade. De nada adiantava colocá-las diante de uma ruína poderosa que contava a história de todos eles; sua recordação mais viva daquela viagem seria única e exclusivamente a do momento escatológico protagonizado pelo estranho Arthur Lopes.

Há menos luz entrando na van desde que a estrada ficou sinuosa. Depois de vinte e dois minutos daquilo, o terreno muda bruscamente e eles começam a balançar. Noah está cantando alguma coisa sobre um décimo segundo andar e uma fechadura trocada três vezes. Então ele enfia a cabeça pela cortina e grita: "Quase lá!". A música para. Dá pra ouvir o clique da fita cassete. Aquele é um carro ainda com fita cassete. Noah desliga o motor.

"Você tá livre."

"Brigado."

Arthur se espreme para fora. Estica o corpo, se espreguiça, olha em volta. A náusea passou. Na sua frente há um jardim protegido por um cercado de metal. Os pés de maconha estão lá dentro. Não têm o tamanho descomunal que ele já viu em vídeos na internet, mas são definitivamente maiores do que suas plantinhas brasileiras de sementes importadas da Holanda. As primeiras filas de plantas estão mais mirradas, com poucos galhos saindo do eixo principal, enquanto as de trás, robustas, precisam do apoio de dúzias de bambus para não desmoronarem. Ao redor, há campo aberto até onde o olho alcança. Embora não haja uma limitação clara entre as propriedades ali, Arthur certamente está olhando para pedaços de terra dos vizinhos. Esconder a maconha não parece mesmo ser uma questão.

"A gente já colheu mais ou menos a metade", Noah diz.

"Em setembro?"

"Depende muito do tipo. A Bubblegum você tem que colher cedo."

"Quantos mais você tem?

"Um. Girl Scout Cookies."

“Por que os nomes são sempre tão idiotas?”

“O que você queria? ‘Filé-mignon com redução de laranja’? São maconheiros batizando, pelo amor de deus.”

Arthur sorri. Há uma cabana de dois andares à sua esquerda, a uns cinquenta metros do jardim. Ele vê alguém passando pela janela.

“Você fuma?”, pergunta a Noah.

“Não.”

“Sério? Você vaporiza? Você come?”

“Não e não. Eu nunca gostei muito de maconha ou de álcool. Desculpa te decepcionar.”

“Como você lida com o mundo, Noah?”

“Espalhando amor?”

Ele ri de si mesmo, depois olha para Arthur e diz: “Você fala demais, brasileiro”. Começa a andar na direção da casa. Arthur vai atrás dele. Não estava imaginando esse tipo de lugar, de jeito nenhum, mas algum barracão tosco cuja única função seria armazenar a colheita. Primeiro, vê uma cozinha pequena. É rústica e aconchegante. Há um pedaço de baguete, uma faca de cortar pão e um pote de pesto orgânico sobre a bancada. A pia está limpa. Arthur não encontra geladeira nenhuma. Vidros de compotas e geleias que devem durar todo o inverno estão enfileirados em prateleiras altas, sem rótulo, provavelmente feitas em casa. À esquerda da porta, há uma mesa retangular coberta por uma toalha azul e um par de bancos de madeira com encosto.

Os fios no teto já estão ali, sobre a mesa. Foram fixados com pregos. A maconha seca em fileiras verde-amarronzadas. Dá para ver os pontos cintilantes nos camarões porque o sol está brilhando lá fora. Parece mágica. Então mais fios e mais maconha correm na direção da sala, onde está disposta de fato a maior parte dos galhos, e por isso é preciso circular na cabana com a cabeça baixa. Três ventiladores ajudam no processo de secagem.

Arthur se aproxima das plantas. Ele inspira, fecha os olhos, não se lembra de nada. Abre os olhos de novo e está ali, em uma casa com maconha pendurada no teto e aquele barbudo de coque, meio abaixado, sorrindo para ele. A cena é absurda.

"Tá cheirando bem."

Noah não responde. Todo o barulho que se escuta é o barulho dos ventiladores. Há fotos de família na parede. Um casal cujos cortes de cabelo só foram admissíveis nos anos 80. Uma cena de Natal recente onde todos vestem pijamas de flanela. Um cara dentro de um caiaque.

"Você não disse que tinha um cachorro? Qual é o nome dele, Cosmos?"

"Eu tenho um cachorro."

"Onde ele tá?"

"Com um amigo. Ele não pode ficar aqui."

Alguém está descendo as escadas. De repente, há um homem mulato diante de Arthur vestindo um moletom de capuz e com o cabelo começando a ficar grisalho, o que deixa sua idade imprecisa. Um cubano exilado — ele descobre depois — chamado Ernesto que trabalhava restaurando igrejas em Havana, teve uma banda, era o cantor, faziam pequenos shows na Costa Oeste, o grupo se dissolveu, ele está tentando aprender sozinho a tocar violão, dorme dentro do carro há dois meses, sente saudades de Cuba todos os dias. Eles vão lá para fora depois de alguns minutos com tesouras de poda e contêineres de plástico em que devem colocar os galhos porque ainda há um pouco de Bubblegum a ser colhida. Noah diz que sente pena de cortar suas garotas.

"Onde a gente tá? O Ernesto sabe?", Arthur pergunta depois de um tempo. Já encheu um terço do contêiner. Tem múltiplos arranhões nas mãos. Está todo grudento de resina.

O cubano ri e logo vira o rosto para o lado, como se aquilo não fosse da sua conta.

"Que diferença faz? Agora somos amigos", diz Noah.

Será que ele nunca se cansa de sorrir?

"Certo."

Arthur aperta o cabo da tesoura de poda com força. O galho se quebra em um estalo seco. Parece que ele começa a escutar o ronco de um motor lá longe.

"Mas ainda assim—", continua.

"Você é ansioso, meu."

"Eu sou."

O ruído fica mais forte. É sim um carro, uma camionete verde-escura que vai deixando uma longa nuvem de pó na estrada. A nuvem demora a se dissipar.

"Aí vem ela", Noah diz.

A camionete está perto agora. Dá uma guinada para a direita e vem vindo. De repente diminui a velocidade e estaciona de forma oblíqua, quase tocando a cerca que provavelmente foi colocada para proteger a plantação dos animais selvagens. O freio de mão é puxado. O motor silencia.

Ela. Quem desce do carro é uma senhora de cabelos pintados de ruivo. Tem o rosto redondo, a pele bem clara e olha diretamente para Arthur, mas não o cumprimenta. Usa um casaco esportivo sobre uma blusa preta larga. Moda foi uma coisa inventada pela cidade grande.

"Como tá o trabalho?", ela diz, com uma voz mais forte do que se poderia esperar.

Noah olha para as plantas a sua frente, depois se vira para a mulher.

"Só mais quatro."

"Bom. Vou levar as compras para dentro e já ajudo vocês."

Ele tinha dito: "Você divide comigo um algodão-doce?", e Tamara tinha rido, olhado em volta — todas aquelas cores brilhantes, as familiazinhas, um menino puxando duas ovelhas pretas — e finalmente respondido: "Sim, Arthur, desde que seja rosa". Aí ela ficou um pouco olhando para ele, um pouco para o algodão-doce sendo feito. Seu maxilar era quase primitivo, como os que se encontram em vitrines de museus de história natural, mas os olhos pareciam infantis, permanentemente impressionados. O algodão começou a crescer no palito e ela pensou no que eles estavam fazendo com suas vidas. Então ela disse mesmo:

"O que a gente tá fazendo com as nossas vidas, hein? É só açúcar e corante."

Ele pegou um chumaço e pôs na boca.

"E um processo químico-poético que você precisa levar em consideração."

Eles riram juntos. Se beijaram. Ele falou em seguida que eles deviam dar uma olhada no pavilhão das maçãs. Tamara disse que tudo bem. Havia fileiras de maçãs lustrosas organizadas em caixas do lado direito, e ela comentou algo sobre maçãs serem a fruta mais sem graça do mundo, o que fez com que se sentisse como uma versão mais bonita da sua tia Eleonor, e isso não era bom; a irmã mais moça da sua mãe precisava o tempo todo preencher o silêncio com observações negativas, sobretudo quando as outras pessoas estavam se divertindo. Pararam para olhar as maquetes feitas com grãos por meninos de colégio. Eram enormes, do tamanho de mesas de oito lugares. Esse ano, o tema parecia ter alguma relação com lendas gregas ou algo do tipo, mas Tamara estava concluindo isso só de olhar para os bonecos articulados vestidos com pedaços de pano branco. Aquele morro de grãos de milho podia ser o Olimpo. Um certo Dan tinha assinado seu nome com feijão-vermelho.

A última coisa que olharam dentro do pavilhão foi o estande da polícia local. Havia um duplo display sobre a mesa com o título *Consequências do uso de metanfetamina*. Os blocos de texto educativo eram acompanhados por uma versão em três dimensões das ditas consequências: um feto debilitado, uma dentadura severamente comprometida, uma mão com pequenas feridas vermelhas, um fígado marrom, um cérebro que havia sofrido um derrame. Tamara tinha certeza de que ela e Arthur iam rir juntos daquilo também. As figuras davam vontade de rir, uma reação que tia Eleonor jamais teria diante da não tão lenta degradação de um corpo, mesmo um feito de resina. Mas Arthur chegou bem perto e ficou lendo os textos enquanto Tamara o observava de longe, levemente decepcionada. Depois ele fez um sinal para que ela se aproximasse e disse: "Você sabia disso?", apontando para a mão falsa. "Alucinações. Como se houvesse insetos embaixo da sua pele. Aí você coça e se machuca."

Não, ela não sabia, mas e daí?

Agora eles estão perto das barracas de comida. O dia está ensolarado, e o microclima de Boonville garante uma temperatura muito mais elevada do que a da costa, o que fez com que ela resolvesse colocar as pernas de fora. Isso e alguma vontade de seduzir. Mas ela nunca teria pensado em ir na feira do condado se não estivesse procurando um programa cheio de estímulos externos, mesmo que esses estímulos sejam *corndogs*, sacos de lã de ovelha e aves presas em gaiolas fedorentas. Parece que ela quer olhar para tudo isso e entender que o mundo é vasto e diverso, que o mundo é essa coisa capaz de colocar pôneis de verdade em uma estrutura semelhante à de um carrossel e fazer as crianças rodarem sobre eles; que o mundo mais que perdoa a maldade, ele dá cobertura escancarada para gente como esse oriental que está esquentando refeições de doze dólares no micro-ondas e entregando carboidratos murchos em um pratinho de plástico. Não, ela não está mesmo com o melhor dos humores. Quase se arrepende de ter ligado para Arthur. A questão é que ela acredita em começos perfeitos — ainda, apesar de tudo — e aquele não parece ser um deles. Com certeza Arthur vai embora depois de uns meses, como ela mesma foi embora de Bisbee não muito tempo antes. Partir ou ver partir, duas versões de um mesmo sofrimento. E depois você precisa encarar suas reações mais desprezíveis, do tipo ela dizendo que torcia pela felicidade de Will e Sarah enquanto desejava no fundo que eles se sentissem desamparados assim que ela virasse as costas. Tamara queria ser o pedaço sem o qual nada iria funcionar. Além de servir como um afago para sua autoestima periclitante, isso acabaria provando a ela mesma que a ideia do poliamor não havia sido um equívoco completo; que ninguém tinha determinado que o mundo devia funcionar em pares, que aquela história da arca de Noé era conversa para boi dormir e que a instituição "casamento" só tinha sido criada muito tempo atrás para preservar os interesses econômicos das famílias aristocratas. Era possível sim um equilíbrio entre três pessoas que se amavam. Era possível.

"A gente acabou de perder o concurso de bolas de chiclete", Arthur diz, dobrando o papel com a programação.

"Putz. Isso parecia tão promissor."

Ela olha para os lados. Um cara sentado no estande dos republicanos de Mendocino é exatamente o que se esperaria: camisa, shorts cáqui com cinto, cabelo tingido, meias brancas esticadas até as canelas.

"Qual foi a última vez que você fez uma bola de chiclete?", ele pergunta.

"Semana passada?"

Eles riem.

"Minha contribuição ao mundo adulto é apenas nunca fazer isso na frente dos outros", Tamara diz.

Quando pensa em sugerir que eles saiam de debaixo do sol, percebe que Arthur está com toda a sua atenção em uma cena que acontece atrás dela. Um cara de uns trinta anos conduz uma cadeira de rodas como se empurrasse um carrinho de supermercado em um dia sem paciência nenhuma para compras. A mulher sentada na cadeira aparenta ser mais velha do que ele, uns dez ou quinze anos talvez, e é difícil saber por que ela não pode caminhar, embora esteja um pouco abaixo do peso e tenha uma pele ruim. O cara também não tem um ar saudável. Eles se odeiam, é certo. Ela aponta o pavilhão das maçãs. Ele tenta fazer a cadeira de rodas subir no pavimento, e então a mulher balança de um lado para o outro. Diz alguma coisa áspera. Tem os dentes podres. Todo mundo começa a observar a cena.

"A gente pode procurar um lugar com sombra?", Tamara pergunta.

Eles encontram um banco e agora estão afastados dos barulhos, dos cheiros e dos chapéus de caubói. Tamara já não tem mais certeza sobre as vantagens de tantos estímulos externos.

"Aquele era o pessoal da metanfetamina?", ele diz.

"Quem?"

"A mulher da cadeira de rodas e o cara irritado."

"Você não vê séries de TV, né?"

"Por que alguém sempre tem que me lembrar disso?" Arthur gesticula de um jeito exagerado, colocando as duas mãos na cabeça. Tamara acha bonitinho. Dá um beijo nele.

"Parece que tem muita gente com tempo sobrando."

"Opa, senhor ocupado."

Ele sorri tímido, depois joga no chão uma agulha de pinheiro seca que estava entre seu polegar e o indicador.

"O que você tá fazendo aqui, Arthur?"

Ela não sabe por que perguntou isso. Ele hesita antes de responder. Quando começou a se sentir confortável para falar sobre sua vida particular algumas semanas antes, Tamara desapareceu. Podia ter sido uma infeliz coincidência, ou não. Não era possível que, por um instinto bobo de autopreservação, ele tenha parecido só mais um cara desinteressante cruzando a vida de uma mulher que, pelo jeito, esperava sempre mais? Não, ele não ia fazer isso de novo. Queria oferecer a versão mais complexa de si mesmo.

"Eu dava aula numa escola particular, era um emprego legal. Esses meninos e meninas são mais espertos do que pensam."

"Nem me fala."

"Todo mundo gostava de mim. E eu me sentia desafiado todos os dias. Não no sentido de fazer eles calarem a boca ou pararem de mexer na porra do celular, sabe, mas de criar algum tipo de empatia entre gerações, que é uma das coisas mais difíceis de se fazer. Eu acho que essa é a parte coletiva da sua identidade que você não consegue largar nem se quiser."

"Qual?"

"A geração à qual você pertence. Você pode se desprender de todo o resto. Eu não digo que seja fácil, mas pode. Da sua identidade territorial, religiosa, sexual, da sua carreira, se houver uma. Mas você não se livra nunca da sua geração e das consequências que isso acarreta em cada minuto da sua vida."

Ela olhava para ele com toda a atenção que podia dar.

"Enfim. Eu trabalhava em um colégio, e parece que tem algo de errado nisso, ficar satisfeito em trabalhar com adolescentes. Eu supostamente devia querer mais."

"Alguém te dizia coisas assim?"

Tamara parecia chocada, como se nunca tivesse ouvido falar em status social. Não era a primeira vez. Ele adorava isso nela.

"O tempo todo. Meus amigos. Meu pai, minha mãe, não de um jeito direto, claro. Eu comecei a escrever um projeto de doutorado sem estar muito a fim de cursar um doutorado. As pessoas uma hora te convencem que você tá desperdiçando o seu tempo, seu talento, sei lá, e parecia que naqueles dias eu tinha uma urgência absurda em eleger um plano de futuro e seguir adiante com ele porque minha mãe tava morrendo de câncer. A última coisa que você quer é viver uma vida toda de inércia como a dos seus pais, e você percebe isso mais claramente quando *eles* se arrependem das escolhas que fizeram. Nesse meio-tempo, eu também tava plantando maconha pra ela, pra que os efeitos da químio não fossem tão devastadores. O que é proibido no Brasil, sob qualquer circunstância, só que, porra, eu adorava fazer isso. Sem contar que, de algum jeito, minha relação com a minha mãe tinha melhorado, por causa da maconha, da doença, dos dois. Aí ela morreu."

"Você me falou. Sinto muito."

"Eu continuei com as plantas mesmo assim. Ia ter uns camarões incríveis em maio, quer dizer, eu achava que eram camarões incríveis antes de ver o que vocês têm por aqui, mas de qualquer maneira era cem vezes melhor do que a porcaria que a gente pode comprar no Brasil. Que a gente *não* pode comprar no Brasil, que na verdade nem são camarões, é difícil até explicar. É tipo explicar a miséria no meio de uma festa de gala. Enfim. Eu ia colher, depois acho que provavelmente plantaria de novo, mas ainda não tava pensando muito nisso. Um belo dia, o vizinho viu as plantas no terraço. Eu não sei quando ele viu, talvez ele estivesse esperando minha mãe morrer pra nos denunciar. O fascista filho da puta ainda deve ter achado que tava sendo bonzinho. A polícia apareceu lá, não foi bonito. No dia seguinte, eu tava no jornal. O professor que plantava maconha."

"Você foi demitido da escola?"

"Aham."

Arthur se recosta no banco.

Ele soube que ia ser demitido assim que as três viaturas estacionaram na frente da casa dos pais, e o filminho passa mais uma vez pela sua cabeça. Havia toda aquela escada para subir — a ideia de um arquiteto sem preocupações com a vida prática —, mas ele tinha ficado parado no terraço, olhando. Denarc. Polícia Militar. Por causa de dezesseis pés de maconha. Coletes à prova de bala. Armas fora do coldre. Doze pessoas subindo a escada. Ele riria se não estivesse paralisado. Foi a empregada quem abriu a porta, Neidi, ela trabalhava havia vinte e seis anos com a família. Seu pai estava na estufa, ele sabia, cortando os galhos e pendurando-os no varal que eles haviam montado. O resto só pareceu acontecer no meio de um silêncio intenso porque Arthur estava longe demais para ouvir, nessa ordem, o chute na porta da estufa, os gritos do tenente Moreira, as piadinhas de todos com o fato de o cara pego em flagrante ser velho, rico, médico, e o incontrolável choro do pai quando agarraram seus braços para poder algemá-lo, esse último fato sendo algo que Arthur só descobriria nos autos do processo, e que tinha o poder de triplicar sua culpa. Quando ele finalmente desceu até a estufa, covarde, envergonhado, o que viu foram três soldados esmigalhando um tapete de galhos com a ponta das suas botas militares. Riam alto, todos eles.

Arthur tinha colhido pela primeira vez logo depois da terceira sessão de quimioterapia da sua mãe. Eram dez pés de mais ou menos um metro e vinte, com camarões brilhantes e gordos saindo do talo central, mas cujas ramificações lhe pareceram um pouco despovoadas em comparação às fotografias dos seus livros de autocultivo. Ele provavelmente não havia acertado os pontos de poda no momento em que as plantas passavam pela fase de crescimento. Ainda assim, se seus cálculos estivessem corretos — e podiam não estar, como os pontos de poda ou todo o resto sobre o qual ele nem sequer era capaz de emitir um diagnóstico — ele teria, ao fim do processo de secagem e manicure, algo como setenta ou noventa gramas de fumo.

As sementes haviam chegado pelo correio seis meses antes, da Holanda, enfiadas em um exemplar usado de *O jogo da amarelinha* em espanhol que custava doze euros, depois dez e finalmente seis, segundo as sucessivas marcações a lápis na folha de rosto. Arthur tinha sacudido o livro em cima da mesa da cozinha e recolhido em um pote de plástico as três dezenas de bolinhas achatadas. Dentro do romance, havia também um bilhete. Fabrício não teria conseguido não dizer alguma coisa, ainda que eles estivessem trocando e-mails havia semanas sobre o envio das sementes de Sour Tsunami, uma maconha rica em canabidiol, exatamente o que Arthur precisava — o canabidiol é uma substância química à qual se atribuem muitas propriedades medicinais. "Aqui vai tua Maga, encontrada em 88 Bloemstraat, Amsterdam, Holanda. Fica tranquilo, tudo vai ficar bem. Do teu bro, Fabrício."

Eles se conheciam desde a adolescência. Tinham em comum a introspecção, as bandas de rock alternativo e certa tendência a não cumprir com as expectativas sociais, mas Fabrício era um explorador caótico e imprevisível. No tempo da escola, gostava de apostar com os colegas não para ganhar, mas para ter que pagar a prenda que ele mesmo tinha se imposto caso perdesse. Assim, em uma madrugada fria, pulou na piscina turva da casa dos Feldens depois de não conseguir tocar uma escala completa no saxofone que pertencia ao pequeno gênio André Meneghetti (Fabrício nunca tinha encostado em um saxofone antes). No mesmo inesquecível 1995, bebeu meio litro de tequila, medido com rigor, porque tinha voltado de um canto escuro do Clube Sociedade Engenharia sem o sutiã de Lívia Barbosa. Quando aqueles anos de doces excessos e decisões estúpidas chegaram ao fim, o calendário interno de Fabrício se recusou a continuar virando as folhinhas até a zona segura da vida adulta. Era bom demais para acabar. Não precisava, afinal de contas, acabar. Era só seguir usando tênis e camisetas coloridas e jamais falar sobre trabalho. Seguir esmagando comprimidos de oxicodona e enfiando o pó pelo nariz e fazendo gestos obscenos para caras de camisa polo no centrinho de Atlântida. Fabrício tinha experimentado *Salvia divinorum* antes de a planta se tornar ilegal no Brasil, comprado LSD líquido pela internet e pequenos cactos San Pedro cujo crescimento era tão lento que era mais provável que seus filhos — se algum dia ele tivesse filhos — sentissem algum barato com eles.

Isso não era um mero detalhe; quase toda a construção do seu eu estava relacionada a experiências psicotrópicas. Havia em Fabrício uma convicção de que as respostas para a vida real podiam ser colhidas em um universo paralelo cujo acesso se dava pelos alteradores de consciência. Isso queria dizer que a sua versão sem drogas tinha dificuldade em avançar nos problemas sentimentais mais rudimentares. Ele nunca conseguia se engajar em um relacionamento sério; aquilo parecia cheio de sutilezas inalcançáveis que acabavam por deixá-lo esgotado e confuso. Restavam daí as meninas jovens, levemente aéreas e dopadas de Rivotril. Elas ficavam descalças até altas horas da madrugada no sofá da sala dele — com o papel de parede psicodélico, a guitarra, as luzes piscantes —, olhando fixamente para sua enorme coleção de discos.

O melhor amigo de Arthur estava na Europa quando a primeira ecografia transvaginal detectou um tumor em Lúcia Kazinsky Lopes. Sendo um cara que nunca se achava velho demais para qualquer coisa, Fabrício fazia naquele momento o circuito dos hostels mais barulhentos e festeiros, que frequentemente eram os mesmos onde percevejos vorazes atacavam as canelas dos hóspedes. A ideia de plantar maconha tinha sido de Arthur, mas Fabrício fora um apoiador e cúmplice entusiasmado. Ia escolher a opção "mais medicinal possível" e mandar as sementes para o Brasil, tentando não chamar a atenção da polícia federal. Dez dias depois, lá estavam elas, a salvo, sendo postas com a ponta dos dedos em pedaços de papel toalha umedecidos.

Agora é março. A maconha foi colhida e colocada para secar. Fabrício deve estar em casa, tateando sua mente com os dedos molhados de gim. Arthur está de pé em seu velho quarto. Sua mãe não conseguiu se desfazer dos móveis e objetos, mesmo depois de tantos anos. Ele achava que teria sido terapêutico para ela. Não se perguntava muito por que ele mesmo nunca tinha aberto os armários e jogado as coisas fora. Passaram a chamar aquele lugar de "quarto de hóspedes", mas a verdade é que não havia nem hóspedes nem uma grande mudança em termos de decoração, além de jogos de lençóis novos, paredes pintadas de creme — eram brancas antes — e a ausência de seu pôster do Smashing Pumpkins. Arthur pega a tesoura na gaveta do criado--mudo e sai.

O corredor está apagado, mas há um pouco de luminosidade vindo da rua, um resto de um longo dia de verão. Pela janela, Arthur agora pode ver a torre dos novos vizinhos. Por algum motivo, ela o incomoda. Dezenas de famílias do bairro estão colocando suas casas à venda, motivadas sobretudo por questões de segurança, depois de terem vivido décadas naquelas ruas curvas. Estão se mudando para condomínios fechados da Zona Sul ou para apartamentos em regiões mais centrais da cidade. As casas se tornaram difíceis de vender. Caras, grandes, vulneráveis. Não há uma família ideal procurando por elas. Quase todos os colegas de Arthur moravam nessas casas de dois andares com um pátio e uma churrasqueira no fundo durante os anos 80 e 90, mas agora ele não faz ideia de que maneira aquela região de Porto Alegre vai se reconfigurar. Sabe apenas que a mudança chega sempre balizada por dois elementos: o poder político das grandes construtoras e o medo da violência urbana.

De modo que Arthur deveria ver com bons olhos aquela família que fez o movimento contrário, construindo uma casa e se mudando para a Vila Conceição como se o tempo não tivesse redesenhado a cidade. Não consegue e deixa pra lá. Do andar de baixo, vem o barulho da TV. A mãe está vendo aquele reality show sobre caminhoneiros que cruzam regiões geladas do Canadá. Alguém com uma voz forte como um trovão está dizendo: "E você podia ouvir o gelo todo se quebrando em volta". O balde deve estar no chão, perto dela.

Quando Arthur passa na frente do quarto dos pais, percebe que há alguém lá dentro. Para no corredor e observa através da porta entreaberta. Nunca viu uma cena parecida e precisa admitir que há algo de esteticamente fascinante na espinha curvada do seu pai e no modo como seus cotovelos se apoiam nos joelhos para que daí as mãos sustentem a cabeça pendente. Está sentado na beirada da cama. Não se mexe. O pai às vezes é um sujeito que anda com a cabeça baixa. Arthur nunca o viu chorar, e não é que esteja chorando agora, ele duvida, tão imóvel, tão em silêncio, tudo provavelmente acontecendo do lado de dentro. Usa as roupas com as quais foi para o trabalho. Canelas com meias de compressão. Os sapatos, fazendo um ângulo de quarenta e cinco graus, parecem a base de uma estátua. Ao serem retirados dali, é como se fossem deixar no carpete azulado uma leve diferença de cor causada pelo tempo.

Arthur não entra no quarto. Seria constrangedor para os dois. E o constrangimento anularia qualquer ideia de comunhão provisória que o encontro pudesse criar. Desce as escadas sem fazer barulho. A mãe está no sofá, com a echarpe amarrada na cabeça. Ele nunca a viu careca. O tanto que sobra de pano depois do nó não permite que aquilo seja confundido com uma opção estética, e talvez ela prefira mesmo deixar óbvio desde o início. É por isso que sai tão pouco com a peruca. Parece inadmissível que alguém possa tomá-la por uma pessoa saudável.

"Oi, Arthur, senta comigo um pouco."

Sua mãe se endireita no sofá com a lentidão dos doentes.

"Que tesoura é essa? Não tem nenhum cabelo aqui pra cortar."

Ela deve estar seguindo o conselho do senso comum segundo o qual fazer humor com a doença é o melhor remédio. Se você deixou a graça de fora da sua vida durante tantos anos, no entanto, ninguém vai realmente acreditar que ela foi reencontrada em um momento tão improvável. O efeito acaba sendo estranho e embaraçoso.

"É uma tesoura de poda que eu comprei. Tu brigou com o pai?"

"Não que eu saiba, Arthur. Por quê?"

"Às vezes tu não sabe mesmo."

Seu rosto se contrai em mágoa e incompreensão, mas logo ela passa para um sorriso levemente fora do ar. Arthur se sente culpado. Ele se vira para a TV.

"Tu não tá meio cansada de closes de pneus?"

"É bem interessante, na verdade. Por que tu não assiste um pouco?"

Ela dá um tapinha no assento do sofá. Suas unhas estão pintadas com um vermelho brilhante. Todos os anéis continuam no lugar: o anel com a pedra de jade ovalada, o anel com espirais de ouro que ela herdou da mãe, a aliança fina de casamento.

"Eu não achei que tempo ruim pudesse gerar tanto drama", diz Arthur, ainda de pé.

"Acho que é um pouco pior que 'tempo ruim'. Tem uma mulher agora no programa."

"Ela também dirige caminhão?"

"Sim. Ó, aí tá ela."

Uma mulher atrás do volante. Amarrou o cabelo em duas tranças e parece bastante jovem. Arthur se pergunta se a mãe está precisando de heroínas.

"Eu vou ali atrás e já volto, tá?"

"Tuas plantas estão prontas? Me diz o que tem de tão especial nessa tesoura."

"Provavelmente alguma coisa com as lâminas", ele responde, olhando para a ferramenta. "O que não quer dizer que eu não poderia usar a tesoura das aulas de anatomia do pai."

"Eu já vi ele aparando a barba com aquilo."

"Eu só achei que eu podia ser mais profissional."

Ela balança a cabeça, concordando. Na TV, um caminhão derrapa no gelo e Arthur pensa em quantas vezes tiveram de gravar aquilo até que os pequenos cristais parecessem bonitos o suficiente. Lúcia voltou a se envolver com o drama remoto. Deve ter perdido cerca de dez quilos desde que começou o tratamento, o que agora dá um ar rochoso às suas bochechas antes tão arredondadas. Quando Arthur olha para ela, pode imaginar seu esqueleto. A principal função da pele e da gordura, ele tem cada vez mais certeza disso, é disfarçar a mortalidade.

Sai da sala. Atravessa o pátio e entra no quartinho dos fundos. Os galhos encheram uma linha de varal, que corre de uma ponta a outra da peça. Escolhe um dos mais carregados, deslocando uma lufada de ar cujo cheiro lembra o de um posto de gasolina no meio do nada. Nunca fez isso antes, e no entanto ganha uma confiança tremenda assim que começa a picotar as pequenas folhas secas sobre a mesa de fórmica. Aos poucos, a cor homogênea dá lugar a uma mistura colorida de tricomas, pistilos e cálices. É a primeira vez que alguma de suas realizações tem qualquer coisa a ver com o mundo natural, e isso deixa Arthur fascinado. Fica com o camarão na palma da mão por alguns instantes. Talvez seja como correr quinze quilômetros depois de ter começado com treininhos de quinhentos metros, ou perceber que é possível ficar pendurado a uma montanha com a ajuda de um gancho do tamanho de um abridor de latas. Em todo caso, ele nunca vai saber.

Tira com cuidado um pedaço do camarão e o coloca dentro do triturador de metal, um objeto elegante e minimalista que Fabrício lhe trouxe de presente para substituir o que Arthur tinha desde a adolescência, aquele com a efígie do Bob Marley. "A gente não é mais esse tipo de maconheiro", Fabrício havia dito. Não. Desde os catorze anos eles não eram. Arthur pega o enrolador e a seda em uma prateleira e começa a fechar o beque. "A gente ficou sofisticado", Fabrício tinha completado com uma risada que, sem querer, expeliu um monte de fumaça densa, e então Arthur disse que não eram eles, mas o mundo todo que estava tratando de sofisticar o que antes eram marcas de rebeldia e contracultura. A maconha era só uma dessas coisas. Ele pega a porção triturada e a coloca na máquina de enrolar. Dá para ver que aquela erva se comporta diferentemente da maconha prensada contrabandeada do Paraguai; é possível reconhecer os pequenos cálices mesmo depois de eles terem passado pelo triturador. Além disso, todos os pedacinhos de maconha tendem a ficar agrupados por causa da resina, como se estivessem sofrendo a influência de um campo magnético. Arthur fecha a máquina, faz pressão com os polegares, depois lambe a seda.

Durante todos aqueles meses, sua mãe não tinha se interessado pelo processo de cultivo como se interessava por *Estradas Mortais* ou documentários que desvendavam os "segredos do cérebro". Embora soubesse que Arthur estava fazendo aquilo para ela e se sentisse, é claro, lisonjeada por isso, às vezes parecia tratar a questão como uma excentricidade incompreensível do filho. Talvez não fizesse muita diferença para ela se o que acontecia no quartinho dos fundos era uma plantação de maconha ou uma oficina de aeromodelos. Mas ela ia mudar de ideia. Arthur ajeita as pontas do beque com uma carga de caneta, e de novo analisa o objeto na palma da mão, como se aquilo fosse mais uma etapa visível da sua conquista.

"Teu primeiro baseado", ele diz ao voltar para a sala, sem disfarçar uma alegria infantil.

Os créditos do programa estão correndo. Lúcia olha para o

filho. Ergueria as sobrancelhas se ainda houvesse sobrancelhas. Tem a sensação de que, sem elas, perdeu toda uma gama de expressões possíveis.

"Eu acho que não tô me sentindo muito bem pra isso, talvez seja melhor deixar pra amanhã?"

Ele olha para o balde sem querer. Está vazio.

"Tu não precisa tá te sentindo bem, quer dizer, é por isso mesmo que tu vai fumar, mãe. Pra se sentir melhor. Isso aqui é remédio."

Eles vão lá para fora e ele a ajuda a se sentar em uma das espreguiçadeiras. É uma noite quente, com o cheiro denso do verão. Escutam os grilos. A chama se forma no isqueiro. Ele dá a primeira tragada, depois tenta mapear o sabor que ficou na boca. Passa para ela e a ensina. Ela se sente quase ofendida. Ela menciona os cigarros que fumou na juventude "pra fazer bonito".

"O que eu devo sentir?"

"O que tu tá sentindo?"

Ela fecha os olhos.

"Não fica assustada", ele diz.

"Eu sei, não tô assustada. Tô só pensando." Vira levemente a cabeça para um lado, depois para o outro, como se estivesse reconhecendo o cenário. "Um relaxamento no corpo? Como uma taça de vinho talvez. Não, mais leve que uma taça de vinho. Mais fraco que a tontura do vinho. É bom."

Ela dá quatro tragadas no total, tosse uma única vez e, quando Arthur comenta isso, ela fica se vangloriando de duas ou três pequenas transgressões da juventude, incluindo o hábito de fumar tabaco por exatos oito dias. Parece que está se divertindo, então ele deixa que ela fale à vontade. Fica olhando para os anéis dela. Jade. Trança de ouro. Pontos brilhantes. Aliança. As coisas todas um pouquinho mais rápidas do que o normal. Em algum momento, ele olha para cima. Noite de lua crescente. A janela do quarto dos pais ainda acesa.

"Ninguém entendeu por que ela saiu correndo daquele jeito. A gente era muito amiga naquela época, melhores amigas. Foi ela que me ensinou a gostar de Zé Ramalho, ainda que pra mim aquelas letras não fizessem o menor sentido. *Eu vou te jogar num pano de guardar confetes*, o que quer dizer isso?"

Os dois riem. Era o fim de uma história que ela estava contando. Então Lúcia fica em silêncio e olha para cima também. Dura um tempo. É como se o pescoço esticado tivesse se esquecido de entrar em repouso.

"A gente brigou, sim."

"Tu e o pai? Ah, meu deus, mãe, por que tu não disse isso antes?"

"Eu só não queria que tu te preocupasse."

"Ótimo."

"É uma novidade?"

"Não é."

"Então? Tá tudo bem."

"Tudo bem ou tudo como sempre?"

Ela não responde.

"Desculpa", Arthur diz.

"Eu acho que eu tô com fome. Meu deus, eu tô com fome mesmo. Vai ser muita loucura se a gente fizer um pudim?"

Dennis Peron

Nasceu em um barracão Quonset no Bronx, Nova York, alguns meses depois do fim da Segunda Guerra. Era o neto de um imigrante italiano, seu pai se chamava Amerigo, Dennis seria um entre os cinco garotos Peron que iam ao parque de diversões, economizavam moedas, esperavam pelo futuro do país. Dennis fumou maconha pela primeira vez em Long Island, aos dezessete anos. Não sentiu nada. Fumou pela segunda vez. Agora sim parecia que tinha deixado o corpo e então podia contemplar a si mesmo com a distância necessária e isso era um milagre. O futuro da América deu casa, carro, um gramado para aparar, esposas sorridentes consultando livros de culinária (não para Dennis). O futuro da América deu o Vietnã.

Alistou-se na Força Aérea. Não queria matar ninguém. Conheceu San Francisco antes de embarcar para Saigon. Quando voltasse, se voltasse, seria para lá, ele sabia. Não queria morrer nem matar ninguém, especializou-se em rádios, aprendeu código Morse, o Vietnã recendia a maconha, Dennis tinha dezenove anos, falava sobre paz e amor em bunkers desertos com outros garotos hippies, quase esqueciam por que estavam lá em primeiro lugar. Mas tudo isso foi antes da ofensiva do Tet.

Depois diriam que aquilo tinha terminado com a guerra, e tinha, é preciso dar mais horror para acabar com o horror, corpos incontáveis e os narizes do Kansas cheirando combustível queimado e os olhos do Arizona molhados pela menininha vietnamita com a bandagem empapada no braço e as tripas do Tennessee espalhadas diante da embaixada americana. E Dennis Peron, em 31 de janeiro de 1968, recusou-se a pegar em uma arma. Colocaram-no para arrastar sacos de corpos para dentro de aviões durante um mês enquanto funerais cheios de pompa eram preparados em casa. Se soubessem o que havia do outro lado. Se soubessem que, nos momentos finais, não havia orgulho nenhum em morrer. Se soubessem que o número de suicídios de veteranos chegaria ao dobro do número de mortos em combate. Pela primeira vez, Dennis fez sexo com um homem. Se soubessem disso. Dois soldados americanos. Se soubessem. Foi no Vietnã. Na segunda noite da ofensiva do Tet.

Mas Dennis conseguiu voltar em um pedaço. Desembarcou em San Francisco como um novo homem procurando uma velha cidade, então foi devastador descobrir que o Haight-Ashbury já não era mais o mesmo. A cena toda tinha mudado. Quando ele enchia a cara, pensava no pesadelo asiático e podia ver os pequenos vazios deixados pelos que ainda estavam lá, cadeiras vazias, calçadas vazias e um cachorro ganindo para uma estrela cadente. Teve que parar com o álcool e o substituiu pela maconha. Pegou o dinheiro que tinha e abriu um restaurante chamado The Island no Castro, onde todos os clientes ganhavam um baseado ao final das refeições. Havia no The Island debates frequentes sobre maconha, ecologia e direitos civis, o que de jeito nenhum agradava às forças mais conservadoras da cidade, as quais felizmente tinham conseguido se livrar dos hippies, mas agora precisavam lidar com uma nova dor de cabeça: homossexuais. Por um tempo, o restaurante foi o quartel-general do ativista gay Harvey Milk.

Na noite de 20 de julho de 1977, a polícia invadiu a casa de Dennis com armas em punho e roupas de camuflagem. Ele foi atingido na perna pelo agente Mackavekias durante a ação. Mackavekias ia dizer depois que gostaria de ter matado Peron porque "assim haveria um veado a menos em San Francisco". Foi preso com noventa quilos de maconha. Os ratos comeram um quilo no depósito da polícia. Peron ia cumprir uma pena de seis meses em regime fechado.

Eles mataram mesmo Harvey Milk em 1978. Um homem chamado Dan White, que tinha sido vereador. Aquilo foi um duro golpe. Mas a luta continuava e, no que se referia à militância pela maconha, Dennis Peron não estava mais sozinho. Brownie Mary era uma de suas aliadas. Essa senhorinha perdera a única filha em um acidente de automóvel. Dennis e Mary dividiram um baseado certa tarde no Café Flore e, a partir disso, se tornaram amigos. Ela trabalhava na House of Pancakes como garçonete, mas também assava e vendia brownies de maconha para complementar a renda. Acabou sendo pega um dia, tendo que cumprir quinhentas horas de serviço comunitário por isso. Então gostou tanto da sensação de estar ajudando os outros que foi precisamente o que começou a fazer durante os anos 80, fornecendo de graça brownies mágicos para gente com câncer ou aids. Talvez ela estivesse pensando nisso, sobre o tipo de milagre que essa planta operava em pessoas que tinham perdido o apetite e sentiam náuseas horrendas, e também se todos aqueles sorrisos moribundos um dia substituiriam o sorriso da sua filha, do qual ao mesmo tempo ela tinha vergonha de dizer que já quase não se lembrava. Atravessou a rua distraída. Um policial chamado Bossard se aproximou dela perguntando o que havia na sacola.

Dennis sabia o que fazer quando Mary foi presa pela segunda vez. Ao longo das próximas décadas de luta, essa ia ser sua especialidade: convencer a opinião pública de que a legalização da maconha medicinal era uma causa urgente e moralmente incontestável. Naquela ocasião, descobriu que o agente Bossard fora recentemente surpreendido pela polícia na casa de sua namorada, bêbado, nu e dando tiros para o alto. Conseguiu uma fotografia do policial sem roupas e armado e produziu um material gráfico colocando-a ao lado da imagem de Brownie Mary, velhinha, sorridente, perto de um forno. *Qual dessas pessoas é a mais perigosa?*, escreveu.

Dennis tinha cabelos brancos brilhantes. Uma porção de seus amigos estava morrendo de aids. Jonathan, seu companheiro, estava morrendo de aids. Brownie Mary assava bolos mágicos em uma cabana e os levava até a ala para pacientes soropositivos do San Francisco General Hospital, enquanto Dennis e outros ativistas começaram a viajar regularmente para Sacramento, a capital da Califórnia, a fim de fazer lobby pela causa da maconha medicinal. A polícia entrou de novo na sua casa no dia 27 de janeiro de 1990. Derrubaram a porta, levaram a erva de Jonathan. Ao se depararem com um retrato de Harvey Milk na parede, disseram que detestavam aquele veado.

Dennis podia ser pior que um veado porque Dennis era um veado maconheiro, e suas ideias malucas estavam fazendo a causa avançar. Ele montou um café falso no porão de casa, um suposto café que vendia maconha para pessoas doentes, depois chamou uma emissora de televisão. Pesou os sacos de erva diante das câmeras, mostrou o rosto, outros mostraram seus rostos também. Esperaram todos que a polícia viesse nos dias seguintes para prendê-los porque isso daria visibilidade à causa. Mas a polícia não veio. Enquanto isso, o pessoal da emissora de TV estava recebendo centenas de telefonemas de espectadores com aids, câncer, glaucoma, esclerose múltipla implorando pelo endereço do café. Eles vieram até Dennis, mas a polícia não veio. Os cultivadores do norte carregaram suas camionetes, trouxeram um fumo de qualidade, venderam-no, foram embora, e a polícia não veio. O café falso deu lugar a sua versão real, o Cannabis Buyers Club. Ele ia se expandir nos próximos anos até ocupar um prédio de três andares na Market Street. Ainda assim, naqueles primeiros meses, a polícia não veio. Ao contrário, algumas pessoas chegavam contando as histórias mais engraçadas (*a polícia me pegou tentando comprar maconha no parque e, quando descobriram que eu tinha aids, não só me liberaram como me deram seu endereço dizendo que eu devia procurar seu clube*).

Para entrar no clube, era preciso provar que se estava doente. Em pouco tempo, o Cannabis Buyers Club tinha dois mil sócios. Era menos uma loja estranha especializada em uma substância proibida e mais um grande e espontâneo centro de convívio (*todo mundo adorava jogos de tabuleiro, mas a febre por um tempo foi o quebra-cabeça. As pessoas traziam aqueles quebra-cabeças complexos e supergrandes e despejavam as peças na grande mesa da sala. Os pacientes sentavam ali fumando baseados e meio que iam encaixando as peças enquanto conversavam, observando a imagem que surgia da fumaça e do caos*).

Tudo isso estava acontecendo no coração de San Francisco. Velhos em cadeiras de rodas, travestis moribundas, meninos muito novos e magros fazendo fila na porta do Cannabis Buyers Club. Durante todo o ano de 1995, a fim de que a maconha medicinal fosse legalizada na Califórnia, Dennis e seus aliados trabalharam em duas frentes: no projeto de lei AB 1529, que seria apresentado pelo senador Vasconcellos, e em um possível referendo popular, que recebeu o nome de Proposition 215. Após sucessivos vetos ao projeto de lei AB 1529, restou apostar todas as fichas no referendo. Ele não dependia de deputados, senadores ou do governador do estado, mas unicamente da vontade do povo da Califórnia. Para fazer com que a Proposition 215 estivesse na cédula da próxima eleição presidencial, era preciso coletar oitocentas mil assinaturas em cento e cinquenta dias.

O tempo corria, os problemas apareciam, mas Dennis continuava acreditando. Ele se indispôs com outros ativistas, que publicaram cartas em revistas especializadas chamando-o de ególatra. E como foi difícil apertar a mão de George Soros quando ele acenou com quinhentos e cinquenta mil dólares! Outros bilionários também acabaram oferecendo doações expressivas para a campanha, de maneira que, de repente, diante de todos os supermercados da Califórnia, havia moças com pranchetas e sorrisos ganhando um dólar e cinquenta centavos para cada assinatura que pudessem coletar a favor do referendo da maconha medicinal.

A Proposition 215, também conhecida como Compassionate Use Act, foi votada e aprovada em novembro de 1996 (*californianos gravemente doentes têm o direito de obter e usar maconha para fins medicinais quando tal uso terapêutico for considerado adequado e tiver sido recomendado por um médico que determine que a saúde do paciente seria beneficiada pelo uso de maconha no tratamento de câncer, anorexia, aids, dores crônicas, espasticidade, glaucoma, artrite, enxaquecas ou qualquer outra doença para a qual a maconha proporciona alívio*). Ganhou mais votos que Bill Clinton, reeleito para a presidência naquele ano.

A partir daí, tudo e nada mudou. Uma vez que a nova lei estadual estava em discordância com a lei federal, as apreensões e prisões continuaram acontecendo. Multiplicaram-se as batalhas judiciais. Havia uma confusão enorme no ar. Mas Dennis Peron tinha colocado seu nome na história, e a Califórnia se tornara o primeiro estado norte-americano a legalizar a maconha medicinal.

A vida seguiu como uma triste aventura risível. Agentes infiltrados do Drug Enforcement Administration forjaram atestados médicos para terem acesso ao Cannabis Buyers Club, alegando depois que pessoas perfeitamente saudáveis poderiam comprar maconha à luz do dia em um prédio da Market Street. Dennis respondia com humor e um pouco de terrorismo poético. Ele era o melhor relações-públicas de si mesmo. Foi pré-candidato ao governo do estado pelo Partido Republicano só para tentar tirar alguns votos de seu arqui-inimigo, o procurador-geral do estado, Dan Lungren. Dennis e os amigos cantaram músicas natalinas com menções à maconha diante do prédio da agência estadual de repressão às drogas, presenteando ao final os agentes com mudinhas de cannabis circundadas por laçarotes vermelhos. Dennis chamou a imprensa e entrou em um prédio abandonado diante de seu clube, de onde alguns agentes o espionavam havia semanas, mas tudo que encontrou foi uma embalagem de pizza com o número de telefone de um senador. Dennis escreveu um falso press release falando sobre um falso projeto de lei cujo objetivo era controlar analgésicos como a aspirina, que matava mil pessoas a cada ano nos Estados Unidos (enquanto isso, a maconha não matava ninguém).

Em 1997, alugou uma propriedade no condado de Lake. Queria passar um tempo no meio do mato e cultivar pela primeira vez na sua vida. Havia uma porção de gente plantando maconha no norte da Califórnia desde os anos 60, mas ninguém fazia isso às claras, como ele tentou fazer (*Caro xerife Mitchell, estou escrevendo para informá-lo que nossa organização fundou um retiro para pacientes no seu condado. Alugamos uma propriedade e a disponibilizaremos a pequenos grupos de pacientes em uma rotatividade semanal. Uma vez que esse retiro é destinado a pacientes que fazem uso de maconha medicinal e podem cultivar a planta legalmente — conforme a Proposition 215 [Health and*

Safety Code 11362.5] e como reafirmado em O povo vs. Peron —, esses pacientes plantarão seus próprios pés de maconha nessa propriedade. Por favor, fique à vontade para nos contatar em caso de dúvidas).

Quando estava a ponto de colher, o DEA aparecia e levava embora suas plantas. Mas Dennis era viciado em desobediência civil. Ele tentava de novo. Vizinhos lhe ofereciam mudas. Alguma coisa bonita havia sobrado no norte da Califórnia.

Mas, em Utah, as coisas eram um pouco diferentes. Dennis estava no meio de uma viagem de carro com dois amigos. Era 2001 e eles pararam em um motel em Cedar City. Eles adoravam acampar e às vezes até viam cavalos selvagens ao longe, isso sobretudo em Nevada, mas naquela noite pararam em um motel em Cedar City. De manhã, John Entwistle abriu o basculante do banheiro e acendeu um baseado. Uma camareira chamou a polícia (ela tinha um emprego de merda e ainda era obrigada a tolerar aqueles imbecis?). Encontraram meio quilo de maconha no carro e sete mil e quinhentos dólares em dinheiro. Foram presos como traficantes.

Seguiu-se então mais uma batalha judicial, que Peron tentou usar como uma forma de fazer avançar as discussões sobre maconha medicinal em Utah. Nada feito. Aquela era a terra dos mórmons.

Enquanto Dennis Peron virava um homem velho, ele e os dois amigos foram inocentados. Abriu um bed & breakfast em San Francisco. Viveu alguns anos na Inglaterra.

Foi contra a Proposition 19, que tentava a legalização da maconha recreativa na Califórnia em 2010, e novamente contra a Proposition 64, de 2016 (*Eu mesmo nem sei o que maconha "recreacional" significa. Não existe maconha recreacional. Eles inventaram isso. O que estão tentando fazer é nos dividir dizendo que há pessoas se divertindo e pessoas se medicando. Mas quem usa maconha não fica "chapado", fica normal. O governo está tentando dizer que as pessoas estão ficando chapadas. Eles tentam demonizá-las porque elas estão se divertindo*).

Ainda vive no Castro.

Parece a picape de Dusk. Está parada em frente à Albion Store, envolta em grumos de neblina. Aquele vermelho descolorido com paciência pelas intempéries do norte da Califórnia. Em um reflexo, Arthur sai da estrada, convertendo sem sinalizar. O carro trepida no asfalto craquelado. Estaciona também em frente à construção de madeira escura, com uma fachada falsa típica do Velho Oeste. Ao descer e se aproximar da picape, confirma que é mesmo a de Dusk por causa do adesivo grudado na lataria: *Orgulhoso de ser tudo o que a direita odeia*. Ele se lembra. Não segura uma risadinha. Fica de pé esperando que o velho hippie apareça.

Dois minutos depois, lá está ele vindo na sua direção, moletom amarelo, jeans surrado, botas pretas sem cadarço. Carrega um grande saco de salgadinho em cujo interior sua mão desaparece em intervalos pequenos, emergindo a cada vez com um montículo de batatas onduladas. Mastiga com a boca levemente aberta. Não parece nem um pouco surpreso em ver Arthur, como se os dois tivessem interrompido uma longa conversa apenas para que Dusk entrasse na loja e comprasse suas batatas. Seu cabelo cinza-escuro está oleoso. Muito oleoso.

"Deus, eu amo isso."

"São orgânicas?"

"São venenosas. Mas quem se importa?"

"Um monte de gente aqui?"

Dusk pesca uma quantidade absurda de batatas. Leva a mão em concha para perto da boca.

"Você tem que ter dinheiro para poder se importar, o que nunca foi exatamente o meu caso."

"Como vão os negócios, aliás? Como vai sua plantação de *tomatillos*?"

Arthur se encosta na picape. Surpreende-se consigo mesmo com a naturalidade com que faz isso. Dusk olha para ele. Parece estar decidindo entre sentir ódio ou simpatia.

"Eu não chamaria de negócios. É sobrevivência. Eu passei todos esses últimos anos indo ensinar filosofia em uma faculdade de Santa Rosa, e você sabe o que eu fazia quando a aula terminava e era já de noite, ou seja, quase sempre? Eu esticava um saco de dormir no banco do carro e lia três poemas de John Ashbery antes de fechar os olhos. Isso é o quão mal eles te pagam e o quão mal eu enxergo dirigindo no escuro." Ele olha por cima do ombro de Arthur. "Você se mudou para Albion agora?"

Arthur balança a cabeça confirmando. Um homem com uma barba branca comprida passa por eles. Ele pronuncia um quase inaudível "Oi, Dusk" como se alguém estivesse lhe soprando boas maneiras no ouvido, mas ele ainda relutasse em seguir o conselho.

"Boa tarde, Moonshine."

Dusk enfia a mão no saco de batatas translúcidas enquanto o tal Moonshine desaparece atrás da porta do correio. Quando volta a falar com Arthur, é perceptível que seu ritmo se tornou mais arrastado e divagatório.

"Albion Nation. Era como eles chamavam esse lugar, o melhor lugar para se estar nos anos 70. Nós éramos jovens, bonitos espiritualmente. A gente brilhava. Agora pode apostar que vão conseguir transformar isso aqui num parque temático, onde qualquer pessoa com dinheiro o suficiente vai poder passar o fim de semana brincando de comunidade hippie. Já tá acontecendo, não tá? Infelizmente, eu ainda tô aqui pra ver. Acabei de fazer uma visitinha a Hans Velachio, o artista. Você está na Middle Ridge Road? Ele é seu vizinho."

"Sim. A gente nunca se encontrou, mas eu sei quem ele é."

"Então você provavelmente sabe também sobre o artigo no *New York Times*."

"Acho que não."

Dusk dá uma risada sem som. Um sopro de indignação. Esfrega as mãos engorduradas no jeans.

"Saiu um grande artigo sobre a Fish Rock Farm na semana passada. A vida em comunidade à maneira do século XXI, com Hans vestido com um pano arco-íris em frente a uma das cabanas. Tava na seção 'Design e interiores'."

"Isso é horrível."

"É. Eu avisei. Parecia bem claro pra mim desde o início."

O garoto não é tão ruim assim, pensa Dusk mais tarde ao entrar na picape e jogar o saco vazio de batatas sobre o banco, onde o papel metalizado vai fazer companhia a uma edição de couro da *República* de Platão, um ferro de passar roupa, uma luminária estragada e dois CDs do Jimmie Rodgers cujas caixinhas têm rachaduras de uma ponta a outra. Manobra o carro e parte na direção sul. Vê Arthur dobrando para o lado oposto. Não faz ideia do que o brasileiro anda fazendo, além de estar saindo com a sua filha, a sua filhinha, a sua filhinha perdida que ele ainda mal conhece, mas esse é um assunto no qual prefere não pensar. Já está com o sono todo entrecortado sem isso. Desde que leu o artigo do *New York Times*, acorda toda noite pelas três da manhã como se tivesse uma bola de beisebol entalada no peito. Nada o assusta mais do que morrer na cama, então levanta tentando reacomodar a bola através de alguns exercícios básicos de respiração, depois vai tateando as paredes até a cozinha. Sente que se tornou um desses velhos que dão passos cada vez mais curtos e que parecem estar respondendo a um desafio que envolve vencer certa distância sem jamais tirar os pés do chão, e na verdade lhe ocorre em uma dessas noites que a velhice inteira se parece com uma interminável corrida do ovo na colher. Ele abre a porta. A escuridão não o assusta. Prefere assim, contornos indefinidos que transmitem uma ideia de unidade. Além disso, não há testemunhas ali, ou ao menos nenhuma que possa compreender o que está acontecendo com ele. Mas o mais importante talvez seja o fato de Dusk não enxergar a si mesmo quando sai da cabana e se afasta um pouco dela às três da madrugada ainda sentindo que seu corpo está contrariando a intenção muito clara da mente de seguir com a vida. Nunca poderia se ver cair no chão.

Faz dois anos que ele e mais os onze outros donos da Fish Rock Farm venderam a propriedade para Hans Velachio, mas Dusk era o único que continuava vivendo lá, na mesma pequena cabana erguida em 1972. As outras estavam ou caindo aos pedaços ou alugadas para pessoas que lutavam para fechar as contas no final do mês, mesmo pagando aluguéis defasados em relação aos valores do cada vez mais aquecido mercado imobiliário do norte do condado de Mendocino. Sim, ele era apegado ao lugar, e daí? Seus ex-companheiros — Moonshine, Patty Barnes, Tom Robbins, talvez Ted Mountain Lion — diriam que a vida dele tinha se estagnado, mas essa ideia estava tão perigosamente próxima à dicotomia dos vencedores e dos perdedores que Dusk apenas dava um grunhido de incredulidade. Como eles podiam ter mudado tanto? Tom Robbins tinha agora uma cascata artificial na sua propriedade de vinte hectares porque o barulho da água acalmava a esposa. A maneira como ele mostrava a cascata para as visitas — apertando uns botõezinhos, acendendo umas luzes, com aquele sorriso, meu deus, com aquele sorriso — denunciava um deslumbramento imperdoável. E todos os que haviam decidido continuar na região, a metade dos nomes na escritura de Fish Rock Farm, alugavam as cabanas suplementares de suas novas propriedades pelo Airbnb. Era escandaloso. Anos de contracultura jogados no lixo. Se você podia se adaptar tão rápido à nova ordem das coisas, isso significava que o passado inteiro tinha sido uma farsa muito bem montada.

Duas curvas da Highway 1 fazem o seu coração gelar agora. Nunca tinha sido assim. O medo de cair do despenhadeiro veio com a bola de beisebol. Cruza a ponte sobre o Navarro e continua dirigindo. Tudo bem viver agora em Point Arena, conseguiu uma terra com um preço razoável e dá pra dizer que gosta de ir até a cidade de quatrocentos e cinquenta habitantes para ver alguns rostos porque sem dúvida observar faces humanas traz certo conforto psicológico, mas não consegue evitar a sensação desagradável de que foi expelido da sua velha vida, e isso porque todos os outros queriam se livrar desesperadamente de Fish Rock Farm. Então o artista apareceu. O artista tinha dinheiro. Dusk desconfiava muito de artistas com dinheiro. Quando encontrou Hans Velachio pela primeira vez, teve a impressão de que ele era composto de alguma substância mole; se movimentava como se não pudesse sobreviver à primeira queda de energia elétrica que viria certamente no inverno. Isso é o que a cidade faz com as pessoas. O despreparo passando de uma geração para outra como um gene defeituoso. Então podia ver Hans paralisado de medo em um canto da cabana ouvindo o vento estalar as árvores de oitenta metros de altura enquanto tentava fazer contato telefônico com algum amigo em LA. Los Angeles: aquela serpente gorda abocanhando toda vida que encontrava pela frente.

Hans era proprietário de um domo geodésico no Topanga Canyon. Ted Mountain Lion havia mostrado as fotos disponíveis em algum lugar da internet. Essa gente da idade de Hans não tinha problema nenhum com exposição. Parecia que construíam uma casa para que pudessem mostrá-la aos outros. Tratava-se de um domo geodésico de luxo, pelo amor de deus, o que para Dusk não podia ser interpretado de jeito nenhum como uma homenagem aos anos 60, mas sim como um escárnio, uma atitude ofensiva e moralmente duvidosa. Então já está irritado de novo. Sente o pescoço se retesar. Desacelera a picape, vê o ponteiro cair uns quarenta e cinco graus. Mais uma tentativa de reencontrar seu equilíbrio pessoal. Deixa em seguida que um apressadinho o ultrapasse, encostando o carro com um tranco na lateral da estrada, onde não há propriamente um acostamento. Desliga o motor e coloca de novo as mãos sobre o volante, como se tivesse levado um susto, como se esses fossem os incrédulos segundos após um acidente do qual ele havia escapado por pouco. Exercícios de respiração. O oceano é um vasto vale alagado. Na sexta vez que solta o ar pela boca, dá play no som do carro. Foi Tamara quem lhe mostrou esse grupo chamado Fleet Foxes. Surpreendentemente, Dusk gostou deles. Não é que soassem como algo que ele nunca tivesse escutado antes, mas a esta altura ele não se interessa mesmo pelas novas tendências musicais. A faixa que toca é "Montezuma". Começa a chorar.

Não entende bem. Sente que pontos sensíveis da sua alma foram pressionados todos ao mesmo tempo. Tem vergonha, muita vergonha, mas não há testemunhas a não ser as rochas escorregadias com milhares de anos de idade e, em algum lugar embaixo d'água, a falha de San Andreas, aguardando o instante do próximo colapso.

Um domo geodésico, o filho da puta. Dusk tinha toda uma relação afetiva com aquilo. Em 1969, montara centenas de kits do tipo construa-você-mesmo-o-seu-domo, que ele então vendia pelo correio através de anúncios na revista *Whole Earth Catalog*. Aquelas estruturas de alumínio e lona vermelha devem ter estado em dezenas de acampamentos e comunidades. Quando em 1970 recebeu uma carta com a primeira reclamação, no entanto, desistiu de fabricar o produto. Nunca quis fazer dinheiro. Nunca quis. Se não podia deixar todo mundo contente com seu domo geodésico, então é porque já estava brincando de uma coisa chamada capitalismo.

Passa o dorso da mão pelo rosto, depois fecha os olhos. Tudo vermelho. Abre os olhos. O oceano lá embaixo, batendo contra as pedras. Fecha de novo. Em uma noite na casa de Ted Mountain Lion, tentou convencê-lo e a todos os outros de que era melhor manter a propriedade, mas eles o encaravam como quem observa uma situação embaraçosa no meio da rua, curiosos e constrangidos. Caralho, ele não podia fazer aquilo sozinho, dizer não e ter que conviver com o fato de ter arruinado onze planos de vida, então foi cedendo nas semanas seguintes até que, em uma manhã cinzenta, se viu de repente de pé diante da cabana principal da Fish Rock Farm, formando um círculo com seus ex-companheiros e o homem com quem acabavam de fechar negócio, e adivinha de quem era a mão gelatinosa à sua esquerda, a qual ele teve que segurar por exatos vinte segundos de uma oração pagã?

Um carro parou uns cinco metros a sua frente e Dusk nem se deu conta. É um Toyota com placa de Nova York. Há um homem agora junto à cerca de uma propriedade privada, tirando fotos da costa com o celular. Está usando camisa e calça social, como se não tivesse tido tempo de trocar de roupa antes de começar a cruzar o país. Aquele é mesmo um ponto bonito, com um conjunto de rochas cônicas de vários tamanhos emergindo da água, envoltas naquela noção fumacenta de perspectiva. Quando o turista volta para o carro e tenta seguir viagem, no entanto, as rodas do Toyota patinam no ar. O engomadinho conseguiu enfiar o carro em uma vala. Dusk balança a cabeça. Antes de descer da picape, esfrega os olhos como se estivesse com muito sono.

"Problemas aí?"

O homem desce do carro também e joga um olhar analítico para a situação, embora claramente não faça a menor ideia de como sair dela.

"Eu acho que entrei mal. A vista é tão incrível aqui."

Entrou mal mesmo. O para-choque do carro está tocando a cerca, e junto a ela o terreno tem um declive bastante óbvio. O nova-iorquino olha para o celular.

"Parece que eu não tenho nenhum sinal."

"Eu posso te puxar pra fora daí."

"Sério?"

"Deixa eu pegar as minhas correntes."

"Nossa, obrigado, você anda com correntes?"

"Tudo bem. Eu ando. Fico feliz em poder ajudar."

Ela vem do sul da Califórnia, então está acostumada com incêndios. Os morros da sua infância eram cobertos de árvores, e depois não havia mais coisa alguma, apenas a silhueta nua e envergonhada da pedra. Não foi a indústria madeireira. Foi o fogo. O fogo selvagem. Toda uma vida ouvindo sirenes e vendo a fuligem cair do céu como confete. Assistiu a mansões queimarem na televisão em 1993. Dirigiu para o oeste de Los Angeles só para ver o céu vermelho que cobria Malibu. Uma gravura bíblica do apocalipse. Era bonito como são bonitas as primeiras vezes diante de algo majestoso. Desceu do carro e sentiu que o cheiro do mar tinha sido completamente obliterado pelo forte odor da vegetação em chamas. Havia discutido com Antonio naquela noite, ela ainda se lembra, o que em 1993 não era uma novidade, embora sim, ainda fosse levar algum tempo — seis anos, dois bebês, nenhuma ocorrência policial — para Sylvia finalmente encontrar a porta de saída do seu próprio fracasso.

Zanzibar está na janela. Talvez ele saiba sobre o fogo no condado de Lake, os animais sempre sabem, mas ele é um gato malandro que adora toalhas recém-saídas da máquina de secar. Às vezes masca um camundongo e dá até pra sentir seu orgulho em estar cumprindo o papel que a natureza lhe impôs a cada estalo de osso e sobretudo depois da deglutição final, quando então abre a boca vazia repetidas vezes como se para mostrar que pode ir até o fim. Na maior parte do tempo, no entanto, age como um animal covarde e despreparado. Se esconde dos corvos. Não gosta do escuro. Parece que preferiria morar em Los Angeles, vivendo a boa vida de observar crianças na piscina o dia inteiro.

Sylvia abre a porta que dá para o jardim dos fundos e sai. O gato dispara atrás dela. Há um varal ali no qual ela deveria pôr suas roupas para secar se ela fosse uma pessoa irrepreensível do ponto de vista ecológico, o que ela adoraria ser, mas a verdade é que nunca conheceu alguém que não tivesse suas contradições nesse sentido. Uma vez leu que, se cada habitante da Terra consumisse como um londrino, seria preciso usar os recursos de mais cinco planetas iguais a este a fim de dar conta de toda a demanda. Quer dizer que Sylvia teria que nascer de novo para que sua parcela de destruição da natureza fosse menos significativa ou quase nula; teria que nascer em outro país, definitivamente, ser subnutrida talvez, não ter máquina de secar com certeza, assistir à família ser massacrada em uma pequena aldeia por motivações religiosas. O que ela estava pensando enquanto protestava contra os testes nucleares? Invadia o Nevada Test Site e logo era pega com mais centenas de jovens e enviada em ônibus luxuosos do Departamento de Energia para a cidade de Beatty com a recomendação de que nunca mais voltassem. Beatty era um lugarzinho deprimente onde então ela comia um omelete e tirava uma moeda do bolso para ouvir de novo "Bring On the Dancing Horses". Lembra disso enquanto Zanzibar se enrosca em suas pernas. Está olhando para o vale, para aquele amontoado de abetos de Douglas que ficam da cor do ouro quando o sol incide sobre eles. Agora são apenas pinheiros. O céu foi encoberto por uma camada de fumaça que veio do leste. Torce para que os bombeiros consigam controlar logo o fogo em Lake, e então se pergunta se instinto é abandonar a casa que está no caminho das chamas ou se é permanecer dentro dela até o fim.

Quando vai para a sala, está levemente ansiosa e falando sozinha. Arthur só deve voltar à noite.

"Eles meio que mereciam em Malibu daquela vez", ela diz. "Todas as vezes que o lugar pegou fogo. Construíram casas na beira da praia, não dá pra fazer isso e esperar que a natureza seja compreensiva. Podia ter mandado uma onda gigante, mas em vez disso fez Malibu queimar. Não é mesmo engraçado?"

Zanzibar olha para ela.

"Você tá me julgando, gatinho? Você não devia me julgar. Eu tô deixando sua vida muito mais fácil aqui."

Senta na poltrona e olha para dois romances que estão sobre a banqueta, *Pecados íntimos* e *Foi apenas um sonho*, com Kate Winslet em ambas as capas. Ainda acha curioso que as duas adaptações cinematográficas das obras tenham colocado a mesma atriz no papel da mulher do subúrbio inconformada com a vida comum, uma durante os anos 50, outra durante os 90. Sylvia ficou pensando naquilo por dias. O efeito da repetição. Precisa admitir que viu os filmes antes de ler os livros, de maneira que não conseguia não colocar o rosto de Kate Winslet nas personagens literárias, as quais, para Sylvia, eram a mesmíssima mulher atormentada, queimando por dentro, mas com as limitações de liberdade que a condição feminina impunha.

Adoraria discutir o assunto comendo nachos com guacamole na sala de outra pessoa. Em vez disso, teve que tomar notas em seu caderninho. Talvez elas fossem versões modernas de Madame Bovary, uma hipótese que lhe ocorreu e que ela registrou em caneta vermelha, sublinhando a frase duas vezes e terminando-a com um excesso de pontos de exclamação. Há mesmo uma piscadela de olho para Flaubert em *Pecados íntimos* — um clube de leitura, mulheres suburbanas falando sobre adultério —, mas Sylvia preferiu ignorar essa informação para sentir com mais força o prazer da descoberta. Talvez ela, Sylvia Watkins, seja também uma Madame Bovary. Exceto que não há mais um homem do qual ela deveria se livrar. Exceto que, o.k., sim, é preciso admitir, ela até gostaria de ter a companhia de um homem agora.

Estica o corpo na direção do computador e o acomoda no colo. Aperta o botão de ligar.

Três dias depois da sua conversa com Arthur sobre maconha medicinal, ela começou a ver anúncios com a pequena cruz verde na maioria dos sites em que costumava entrar. Sentiu-se vigiada, é claro. Como eles podiam saber? Quis falar sobre isso com Danny ou Timothy, eles certamente entendiam mais do que ela a respeito de tecnologia, mas então Sylvia teria que explicar aos próprios filhos que, de repente, às vésperas da sua entrada na terceira idade, ela tinha começado a se interessar pelo que a maconha poderia fazer com sua mente e seu corpo, o que de jeito nenhum parecia um assunto a ser discutido em família. Acabou se forçando a deixar de lado a paranoia; aquilo lembrava o frágil estado mental da sua mãe. Além de procurar evitar essa repetição óbvia, também não queria repetir Madame Bovary ou Sarah em *Pecados íntimos* ou April em *Foi apenas um sonho*, aquelas mulheres fortes que flutuavam acima da camada da mediocridade, mas cuja coragem e autoconfiança, no desenlace final, não tinham sido suficientes para sua libertação.

Tudo bem, ela estava exagerando. Ela estava fazendo um drama de algo que muito provavelmente não renderia nem um conto ou uma peça de teatro; Sylvia ia apenas se juntar a outras centenas de milhares de californianos com uma carteirinha que os autorizava a comprar maconha devido a alguma condição médica, algo que estava tão dentro da lei quanto pagar impostos.

Não vai direto ao ponto, no entanto. Entra primeiro no site do *Mendocino Beacon*, um dos jornais locais. Lê sobre o incêndio em Lake. Alguém filmou o incêndio enquanto passava na estrada e isso é assustador, dirigir no meio daquelas árvores em chamas e soltando um milhão de estalos. Assiste ao vídeo até o final. O fogo se espalha por toda a vegetação seca com a avidez e o entusiasmo de um conquistador do século XVI. Sylvia conhece o roteiro: a galeria de fotos cobertas por um laranja intenso e enfumaçado, cujo primeiro plano às vezes mostra a silhueta de um bombeiro ou de um morador em choque, será substituída, em alguns dias ou até semanas, pela galeria dos restos. Os restos são marrons, cinza, brancos. Pilhas de pó. Por um milagre, alguns objetos vão sobreviver. Em uma casa, um fogão. Em outra, um triciclo derretido. Um resort de águas termais terá que ser reconstruído do zero. Um ano depois, a perícia vai descobrir que os trezentos e oito quilômetros quadrados de fogo e caos foram o resultado de uma má instalação elétrica em uma banheira de hidromassagem.

Abre outra aba e lê a notícia de um desaparecimento. Marina Nunes, brasileira, foi vista pela última vez no Rollerville Café, em Point Arena. É por acaso aquele lugar perto do farol que exagera na manteiga? Seria horrível ter ovos gordurentos e bacon rançoso como última refeição, Sylvia pensa, mas a ideia é tão rápida e tão mórbida que nem sequer dá tempo de ser convertida em um sorriso. A garota estava morando em Albion. Olha bem para a imagem do rosto de Marina Nunes, mas ele não lhe diz nada. Albion não é um lugar para conhecer vizinhos. Quando Arthur voltar, talvez pergunte se ele conhece a menina.

Agora sim, não podendo adiar mais aquilo, digita www.mycannabisdoctor.com. É um site de consultas on-line que Sylvia descobriu no meio daquela avalanche de cruzes verdes. Por quarenta e nove dólares, o usuário cadastrado recebe a recomendação de um médico, podendo a partir daí comprar seu remédio em qualquer dispensário do estado. Remédio. Ela ainda está se acostumando com aquilo. Digita seu nome, endereço e cria uma senha que é a mistura do aniversário dos filhos com o do ex-marido, a senha de sempre, mentalizando o que vai dizer quando tiver que ligar a câmera e subitamente se encontrar diante de um desconhecido de jaleco sabe-se lá em que cidade e vestindo sabe-se lá o que da cintura para baixo.

Antes de chegar nessa etapa, no entanto, há um segundo formulário a ser preenchido. Descreve de maneira sucinta seu histórico médico — apendicite na juventude, duas úlceras há mais de vinte anos, dores de cabeça eventuais —, omitindo a crise nervosa que levou à sua aposentadoria precoce. Responde com sinceridade à pergunta: "Você já usa cannabis para tratar alguma condição médica?". Não, não usa. No último campo, é preciso escrever que doença, ou doenças, o paciente gostaria de tratar com a erva, e então ela cogita inventar alguma coisa séria a partir daquela lista que viu no site na semana passada, qualquer tipo de câncer, glaucoma, hepatite C, epilepsia, artrite, doença de Crohn, aids, mas talvez não valha a pena mentir; parece improvável que eles descontem quarenta e nove dólares do seu cartão de crédito sem lhe dar em troca a tal da recomendação médica. Acaba escrevendo "enxaqueca" e "dor crônica no joelho esquerdo", tendo o cuidado de trocar as dores de cabeça eventuais do seu compacto histórico por "enxaquecas frequentes".

É uma garota quem aparece diante da câmera depois.

"Isso é só um teste, você já vai poder ver o doutor. Tá me vendo e me ouvindo bem? Sim? Ótimo."

Sylvia arruma o cabelo, quase sem querer. O tempo passa, a tecnologia evolui, mas parece que a humanidade nunca sairá do "Tá me ouvindo?", como se fosse impossível prescindir de algum tipo de falha na comunicação. Fica olhando para a sala vazia. Não há mesa ou cadeiras ou algum móvel bonito com livros de couro em segundo plano. Aquilo lhe lembra mais um estúdio de TV depenado do que um consultório.

Então se vê diante de um médico muito jovem, na faixa dos trinta, com feições indianas.

"Bom dia, Sylvia Watkins, como você tá se sentindo hoje?"

Lindo sorriso branco. Pronunciou o nome dela como se alguém o tivesse soprado no ouvido uns segundos antes. Antes de entrar na consulta propriamente dita, Sylvia gostaria de passar pela conversinha de sempre, algum comentário sobre o tempo ou sei lá, mas ele tanto pode estar em Wyoming quanto na Flórida, e de qualquer maneira ela nem entendeu bem como ele se chamava, Sankar, Dankar, e depois algum sobrenome que soava como um prato carregado de cominho e cúrcuma.

Ele começa a fazer perguntas a partir das respostas que Sylvia escreveu no formulário eletrônico, de maneira que ela tem que ser mais específica sobre as crises de enxaqueca e sua frequência. Não chega a ser um problema. Ambos parecem estar desempenhando o seu papel em uma encenação muito bem montada. Ele balança a cabeça e recomenda que ela vaporize em vez de fumar. É melhor para a saúde. Ao final da consulta, diz que a recomendação médica será enviada em PDF para o seu e-mail assim que eles desligarem, e que esse papel deve ser o suficiente para que ela possa comprar na maioria dos dispensários. Em três ou quatro dias, a carteirinha médica chegará em sua casa pelo correio.

Ela agradece. Demora mais do que deveria para desligar, e então o médico faz isso primeiro. Checa o e-mail, lá está seu PDF. Não entrou em um beco de Oakland para comprar heroína, mas sente-se como quem sucumbiu a um prazer proibido. Em três horas, o encontro semanal dos Filhos Adultos de Alcoólatras começará no centro comunitário de Mendocino, e Sylvia Watkins estará lá, sentada em uma das cadeiras do círculo, segurando com ambas as mãos um copo descartável de chá de camomila, levemente culpada. Vai passar a mão no cabelo depois. Vai ouvir a mulher que sempre chora e o silêncio que precisa existir para que ela se recupere e continue falando. Alguém contará o sonho da noite anterior em detalhes. Sylvia nunca se lembra de sonho nenhum. Naquela noite, não vai falar sobre o pai ou sobre Antonio. Vai se levantar para servir mais chá no meio do depoimento de um novo integrante. Vai se sentar de novo. Vai sorrir intensamente para os cartazes colados na parede.

Se Jimmy Pitelkow perguntar o que diabos ela fez na sala dele, vai dizer que são apenas pregos, dois que ela teve que adicionar e todos os outros que já estavam lá quando chegou no ano passado, Tamara só trocou os quadros para se sentir um pouco mais em casa, tendo o cuidado de enrolar os de Jimmy em cobertores cinza do tipo que protegem cargas frágeis. Não é tão grave assim. E, além do mais, Jimmy lhe deve uma: o aplicativo do poliamor, seu primeiro milhão de dólares usando chinelos de dedo, tinha sido uma ideia de Tamara em uma noite devagar do San Ramón. Ela havia falado aquilo rindo segundos antes de ser tomada pela sempre reconfortante bomba de calor de uma dose de tequila. Jimmy levara a ideia a sério. Ela tinha voltado depois para trás do caixa sem saber que ele ia ficar pensando naquilo durante toda a noite e todos os dias dali para a frente. O PolyNation — Tamara achava o trocadilho um pouco ridículo, mas tudo bem — encontrou dois investidores e foi lançado. Além de uma adesão maciça em poucas semanas, e um sem-número de relatos em que as pessoas diziam estar experimentando o poliamor pela primeira vez "porque agora é muito mais simples", a criação de Jimmy Pitelkow entrara em pelo menos três listas importantes de melhores aplicativos de 2014.

Então tudo bem fazer alguns furos. Sobe no sofá, visualiza na parede o que parece ser o ponto central em relação àquele estofado engolidor de pessoas, e daí tira o prego do meio dos dentes. Sabe que dá o melhor de si nas cinco marteladas que vêm em seguida, mas a quinta, um pouco mais forte e menos calculada, acaba causando um pequeno afundamento no gesso acartonado.

Puta que pariu. Eu sinto muito, Jimmy, é o que Tamara vai dizer caso um dia ele descubra que ela estragou sua parede, eu não tinha um martelo especial para gesso acartonado, também não achei nenhum desses nas suas coisas, só um martelo comum na caixa de ferramentas, e aquele era um dia em que eu estava louca para poder ver alguns pedaços de *mim mesma* quando eu olhasse ao redor. Não é que eu não goste dos seus quadros, ela acrescentaria como derradeiro comentário, certamente muito mais agradável do que verdadeiro porque sim, ela detestava a maioria daquelas pinturas com seres antropomórficos e eventualmente sangrando, como se tudo que alguns jovens artistas tivessem na cabeça agora fosse uma versão macabra de *Alice no País das Maravilhas*. E o mesmo para os pôsteres de filmes que ela sabia que eram ruins, que o mundo tinha consagrado como péssimos, a que o próprio Pitelkow assistiria dando risadas de vergonha alheia. Não, ironia não era uma coisa que interessava a Tamara. Mas ela entendia aquela gente. Eles podiam consumir porcaria e ainda parecer legais. Não era genial mesmo?

Quando Tamara desce do sofá e recua uns passos para ver o estrago, concluindo que não parece tão ruim se você não estiver mentalizando a fissura — ou pensando que poderia tê-la evitado com o martelo adequado —, o celular apita. Alcança o aparelho quase certa de que se trata de Arthur. A previsão a faz sorrir. "Oi, quer jantar essa semana?" Errado. Dusk. Ainda acha estranho ter um pai. Deixa para responder mais tarde. Caminha até o vestíbulo e pega o quadro que comprou em uma galeria de Fort Bragg, o tipo de coisa que ela jamais se imaginara fazendo, entrar em uma galeria de arte, parar na frente de uma das obras e de repente estar sentindo uma profunda conexão com aquele objeto como se já o houvesse encontrado em algum lugar. Não sabe se coisas têm vidas passadas, gostaria de acreditar que sim, e nesse caso a tela quase vazia com três meninas sem rosto usando toucas de natação poderia ter sido cem anos antes uma lata de farinha ou um dez de copas, enquanto a alma de Tamara, sei lá, tinha chances de estar ocupando o corpo de uma prostituta chinesa em Nevada, numa dessas pequenas cidades de mineração da Grande Bacia que foram engolidas pela poeira depois.

Rasga o papel pardo. É uma tela quadrada relativamente grande. As três meninas, uma ao lado da outra, duas delas com os braços cruzados como se estivessem passando frio, ocupam a metade superior direita. No resto, há apenas um pouco do azul da piscina ausente e um fundo composto de pigmentos creme.

Sobe no sofá de novo e pendura a tela, depois volta para o meio da sala. Incrível. Parece até projetar uma nova luminosidade no ambiente. Há ainda alguns pregos vagos, mas ela prefere isso à sensação opressora-irônica de antes. Pelo menos tinha conseguido ocupar cinco deles com uns desenhos de inspiração mexicana, os quais costumavam ficar à esquerda da porta principal do San Ramón. Dava para chamar de roubo. Foi o que Will disse no telefone depois, levemente exaltado. Tudo bem, roubo então. Ela tinha entrado no restaurante pela última vez na véspera da partida, acendendo apenas as luzinhas amarelas que faziam o contorno do balcão, mas naquela altura já era difícil para Tamara imaginar o salão cheio de gente, com cheiro de *tortillas* de milho e a playlist de *rancheras* tocando ao fundo. Parecia que a gente ia embora de um lugar antes de o nosso corpo ir embora de fato. De toda maneira, ela havia passado o dedo pelos objetos que estavam mergulhados na semiescuridão, já vira isso em dezenas de filmes, e o que de longe podia ser confundido com o gesto de verificar se havia pó na superfície dos móveis era na verdade uma espécie de registro tátil e demonstração de afeto a coisas inanimadas. Como um abraço. Um abraço de despedida. E, no entanto, não tinha parecido suficiente. Quando se deu conta então, estava tirando o primeiro quadrinho da parede, o segundo, o terceiro, depois tentava equilibrar nos braços a coleção completa de paisagens-áridas-e-representantes-do-povo-ao-estilo-dos-muralistas-mexicanos. Empurrou a porta com o corpo e deu uma última olhada para trás, percorrendo em seguida as ruelas silenciosas da Bisbee antiga com a sensação de que havia algo de artificial naquele seu saudosismo precoce.

Agora espia pela janela daquela casa no norte da Califórnia, infelizmente mais de Jimmy Pitelkow do que sua, e percebe que o céu está com uma cor incomum. É o início de uma tarde de setembro. Um leve tom alaranjado grudou-se ao conjunto homogêneo das nuvens. Por alguns segundos, acha que o mundo está acabando, ou pelo menos a Califórnia, mas então balança a cabeça e ri de si mesma. Quando o planeta estiver nas últimas, Tamara provavelmente vai ficar sabendo disso pela internet, não por sutis sinais da natureza do tipo uma família de cervos assustados atravessando seu jardim ou alguns círculos concêntricos surgindo em um curso d'água perto dali. De jeito nenhum. Não vai dar tempo. Não vai dar tempo de ver as ovelhas morrerem com a radiação. Tamara já vai saber de todas as consequências da bomba atômica uma hora depois de ela ter explodido em Los Angeles. Vai estar preparada para a morte lenta. Vai ter visto um infográfico sobre isso. Vai ter lido opiniões discordantes nos editoriais do *San Francisco Chronicle* e do *Los Angeles Times* e assistido a quatro vídeos sobre como minimizar os efeitos nucleares se você está no norte da Califórnia. Da mesma forma, vai ficar sabendo sobre um tsunami no Pacífico não pelos sinais emitidos no raio de alcance da sua vidinha comum, mas pela página oficial da Caltrans no Facebook. "Highway 1 está fechada por tempo indeterminado devido a tsunami. Fiquem em segurança e longe da linha costeira." Pedaços arrancados da estrada pelas ondas gigantes surgirão na tela do seu celular depois de uma busca rápida no Instagram.

Parece que não há mais como se envolver lentamente com uma tragédia, tampouco ignorar o que diabos está acontecendo, ela pensa ainda olhando para cima, e então se lembra: há um incêndio monstruoso acontecendo no condado de Lake, a leste de Mendocino. Adivinha só? Viu a notícia ontem. Cento e sessenta quilômetros quadrados queimados e a perspectiva de que vai ficar bem pior antes de poder melhorar. Assistiu a um vídeo perturbador de uma pessoa dirigindo pelo meio da floresta em chamas. O vídeo é muito mais impressionante do que aquele seu céu que timidamente reflete a catástrofe do vizinho.

O telefone começa a tocar. Vê o nome da sua ex-namorada brilhando na tela e não sabe exatamente o que fazer.

"Oi, Sarah."

"Oi, Tam. Achei que você não ia atender."

"Eu também."

Tamara se deita no sofá. O estofado fofo toma a forma do seu corpo e ela se sente mais presa do que relaxada. Fecha os olhos por coisa de dois segundos.

"Como você tá?", Sarah pergunta.

"Bem. E você?"

"Ótima."

Diz isso de um jeito seco e cansado, mas Tamara não quer criar caso. Não agora. Não mais.

"Tem um incêndio aqui perto. Eu tava olhando pro céu. Um pouco de fumaça e uma cor estranha."

"Perto quanto?"

"Não tão perto, no condado de Lake, mas ainda vai demorar pra ser controlado. É bem sério, você não viu nada sobre isso? Qualquer coisa, eu posso pular na água."

Sarah dá uma de suas risadas infantis.

"Parece uma ótima ideia."

"Achei que você tivesse me ligado por causa do fogo", Tamara diz.

"Não."

Ela não tem certeza se o problema de Sarah é a imaturidade ou a covardia. No início, achava que o entusiasmo daquela garota ia jogá-la sempre para a frente, mas aí acabou percebendo que às vezes Sarah travava.

"Tô com saudade de você. Não é a mesma coisa."

"Não é a mesma coisa o quê?", pergunta Tamara.

"Só eu e Will."

"Você tá caminhando?"

"Sim."

"Por que você quer falar comigo enquanto anda?"

"Por que não, Tam? Eu tô tentando te entender, e pra mim é mais fácil fazer isso caminhando. Tô subindo a Brewery Gulch agora."

"Você vai ficar sem fôlego."

"Eu acho que você queria que eu fosse embora com você, sabe?"

"O quê? Eu nunca disse isso."

"Claro que não disse, isso se chama 'estar em negação'." Sarah cumprimenta alguém, talvez Janet Sproul, a senhora das iguanas. Ela tem um pátio bagunçado e os animaizinhos brincam nos pneus velhos de vez em quando. "Você é uma boa pessoa, e sempre foi muito grata ao Will, porque antes dele—"

"Sarah, você não sabe nada sobre antes do Will."

"—antes dele você teve umas relações bem turbulentas, não teve? Abusivas até. A estabilidade veio com o Will, e você precisava dela, tinha o San Ramón, tudo tava mais ou menos no lugar certo. Só que depois ficou entediante, e aí entra o fato de que você é boa, Tam, uma alma extraordinária, é sério." Ela fala isso em um fôlego só, como se tivesse ensaiado o texto muitas vezes. "Você não queria deixá-lo sozinho, você ama ele apesar de tudo. Você ama o Will."

"O que você tá tentando dizer, Sarah?" Tamara impulsiona o tronco e fica sentada no sofá com as pernas esticadas. Olha para o quadro. "É tão pretensioso você achar que pode entender o que se passa na cabeça dos outros."

"Eu sou pretensiosa."

"E confusa. Como eu poderia querer ir embora com você e *ao mesmo tempo* não querer deixar Will sozinho?"

"Você queria que Will conhecesse alguém."

"O quê?"

"Mas aí você acabou se apaixonando por essa pessoa."

"Meu deus."

"E não vou nem começar a falar do fato de você não lidar exatamente bem com o seu lado lésbico."

"Eu nunca tive um lado lésbico."

"Justamente."

Ela olha pela janela, então abre a porta dos fundos e sai. O céu está um pouco mais escuro com a fumaça que vem do leste. Lugares com nomes do tipo Grizzly Canyon, Walker Ridge, Cougar Road e No Guns Road tiveram que ser evacuados. Imagina que Sarah está satisfeita consigo mesma. O silêncio dá um pouco de razão a ela, não dá? Mas tudo bem, isso não é uma coisa que preocupe Tamara como preocupava quando *ela* tinha a idade de Sarah e cada conversa parecia um duelo a ser vencido a qualquer custo.

"Eu gostei de você no exato momento em que você entrou no restaurante", Tamara diz.

"Mesmo?"

"Você sabe que sim."

"Por que você não vem pra cá?"

"Não dá, Sarah. Eu tomei uma decisão."

"Você não pode ter tomado a decisão errada?"

"Como você imagina que ia ser isso? Eu, você e Will de novo?"

"Não sei. A gente pode conversar melhor quando você estiver aqui. A gente tem que se olhar nos olhos, entende? E aí tudo vai ficar muito claro."

Tamara ri.

"A gente se olhou nos olhos bastante. E nunca ficou claro coisa nenhuma. Isso é balela. Eu não quero ter que ficar o tempo todo negociando com os meus desejos. Não era melhor não saber nada?"

"Nada de quê?"

"Nada de nada! É tudo cada vez mais complicado! Não saber que houve um tremor de magnitude dois ponto seis em Lebec, Califórnia, a quatro quilômetros de profundidade, duas horas atrás. Não saber que é bom pra você dormir sete ou oito horas ininterruptas e é uma má ideia olhar pro seu telefone no escuro por causa da maldita luz azul, que é uma boa ideia monitorar o sono com um aplicativo porque um sono de qualidade garante um dia mais produtivo, não saber de nenhuma ciência por trás do amor, de nenhum feromônio que até as formigas têm, de nenhum leão homossexual encontrado na África! Não saber sobre todas as pessoas que estão procurando amor ou sexo num raio tal e não ver as fotos que elas tiram e como se mostram e o quanto gostam de acampar. E por favor não deixar que um algoritmo monte a porra da sua relação poliamorosa."

“Não foi assim com a gente.”
“Eu sei. Desculpa. Desculpa.”
“Tudo bem.”
“Eu não posso ir, Sarah. Seria como andar pra trás.”
“Isso é uma coisa horrível de se dizer.”
“Não é sua culpa.”
“Outra coisa horrível de se dizer, Tam.”

A fumaça se dissipou, o fogo foi controlado, mas ele não sabe reconhecer constelações, muito menos as do hemisfério Norte. Sentou em uma pilha firme de lenha e está parcialmente iluminado pela luz que vem da cabana. Só por isso é capaz de ver os próprios pés em suas botas de segunda mão.

"Pera, deixa eu te explicar primeiro, dá aqui."

Consegue ouvir as conversas do segundo andar. Deixaram a janela telada aberta.

"Calma, meu, eu só queria ver como soava."

"É, mas você não tava segurando o negócio direito."

Escuta o ruído de madeira batendo em madeira, seco e ritmado.

"Essa é a clave da rumba."

Ernesto começa a cantar alguma coisa em espanhol, dando uma ênfase didática nos tempos fortes, como se Noah estivesse realmente interessado em aprender os padrões rítmicos da música caribenha. Parece que fala de um amor que ficou em Santiago de Cuba. Canta e toca a clave e cada palavra chorosa termina depois que a outra já começou.

Porra de pontos brilhantes sensacionais. Arthur vasculha os bolsos atrás do isqueiro. Acende o beque. Não é como se não pudesse fumar lá em cima, sentado na cadeira dobrável de acampamento e com a bandeja ainda no colo — camarões bem aparados de um lado, trabalho ainda a ser feito no outro —, mas a questão é que ele estava precisando de um tempo longe de Noah e Ernesto. Expele a fumaça e cria sua própria Via Láctea. Agora entende que o céu nunca fica tão escuro quanto as coisas da terra ficam escuras. Cresceu na cidade. Cresceu mais para dentro do que para fora. Cresceu no eixo América do Sul-África-Europa. Desenhou no quadro-negro das escolas particulares de Porto Alegre incontáveis setas cruzando o Atlântico; Pedro Álvares Cabral, navios negreiros, invasões holandesas, a transferência da Corte portuguesa para o Brasil em 1808 e, treze anos depois, o caminho contrário. Gostavam dele, sempre gostaram. Todos os anos era convidado para ser paraninfo de uma das turmas. Eles se saíam bem na prova de história do vestibular e do Enem. E então foi demitido por causa daquelas plantas cuja resina está grudada nos seus dedos agora. Está ganhando uns duzentos dólares por dia com elas, que é muito mais do que poderia ganhar como professor do ensino médio em uma escola particular.

Havia repórteres diante da casa do seu pai duas horas depois do flagrante, e os moradores da Vila Conceição pareciam surpresos que aquilo estivesse acontecendo na rua Professor Emílio Meier, não nas casinhas da rua Professora Santa Bárbara ou da alameda Quinze de Novembro. Estavam reunidos em pequenos grupos na calçada, alguns usando roupas de corrida e frequencímetros complexos, cochichando enquanto um ou outro carro passava lentamente sobre os paralelepípedos. Arthur sabia o que ia acontecer em seguida; ele ia ser um desses caras de classe média que cultivam uns pezinhos de maconha no armário e que de repente aparecem nas manchetes dos jornais, enquadrados pela polícia como traficantes e crucificados nas caixas de comentários da internet. Ligou para Elisa antes de ligar para Fabrício.

"Dá pra gente se encontrar em algum lugar?"

"Eu tô tipo indo dar uma passada na casa de uma amiga, pode ser mais tarde?"

"Não. Tem que ser agora."

Quando ele chegou, ela já estava diante da mesa de sinuca com feltro vermelho, no bar de sempre da Zona Norte, onde havia uma chance próxima de zero de eles cruzarem com algum conhecido.

"Vão me demitir amanhã de manhã."

Elisa riu porque não podia acreditar. Os dedos da mão esquerda tinham se fechado sobre a manga da blusa, um tique que aparecia sempre que ela ficava ansiosa. Ela era uma pessoa ansiosa.

"Achei que era melhor tu saber por mim. Vai aparecer no jornal e tudo. Entra aí no site da *Zero Hora* e vê se eu já não tô na capa."

"Como assim, no jornal?" Ela sorriu como se estivesse tirando sua selfie do dia. Dava a impressão de estar aliviada. "Eu pensei que... Tu matou alguém?"

"Não, eu não matei ninguém. Pera, tu achou que era por tua causa? Elisa. A gente não faz nada de errado, calma."

"Se não tivesse alguma coisa *um pouco* errada, a gente não ia vir nesse lugar, né, Arthur? Não é exatamente um bar incrível. Olha ali."

Elisa aponta com o queixo para três caras mais novos que Arthur, mas certamente mais velhos que ela. Um deles aproximou os dedos da boca e está fazendo uma simulação de sexo oral. Os outros riem adoidado.

"Por que os homens são tão idiotas?", ela perguntou, tentando fazer com que eles ouvissem.

Se Arthur havia sido incluído na lista, não importava. Um dia Elisa ia se dar conta do que ele vinha fazendo por ela. Ninguém o obrigava a atender os telefonemas frequentes no meio da noite só porque ela "tinha que conversar um pouco", o que muitas vezes queria dizer que ela estava entediada e sem sono, folheando um exemplar do *DSM* em busca de nomes de doenças mentais com as quais pudesse se etiquetar. Era do pai dela, o livro, seu instrumento de trabalho, a nova edição em cima da mesa do consultório e a velha edição no quarto da filha mais nova, como um brinquedo que ia passando de uma geração para outra. Ficava sentada na cama com as pernas cruzadas e aquele troço pesado aberto no colo. Parecia um jeito fácil de se conceder alguma singularidade. Em todo caso, era difícil saber se o comportamento de Elisa sofria a influência das rigorosas classificações de distúrbios. Arthur apostaria que sim.

Talvez fosse também uma maneira de dar um pouco de coerência a si mesma. Havia uma patrulha por coerência. Mas agora, porra, era ele quem tinha um problema. Não estava listado nas páginas do *DSM* e ao menos não envolvia nenhuma cicatriz em formato de L ("homenagem" a um cara de quem Elisa levara um fora), nenhum comportamento sexual de risco, nenhuma explosão de humor, não envolvia catá-lo do piso carcomido de cupim de um sobrado sem alvará na aveninda Independência às quatro da manhã. Pela primeira vez desde que aquela estranha relação tinha se constituído, Elisa ia ter que vestir a roupa de super-herói, não ele. Ou nem isso. Ele só estava pedindo o mínimo.

"Tu não vai perguntar o que aconteceu?"

"Desculpa, Arthur. O que aconteceu? É que eu ainda tô achando que tu tá de sacanagem, por que eles te demitiriam? Tá certo que, fora tu e a Marlene de geografia, todo mundo é imbecil naquele colégio, mas até o diretor sabe que—"

"Eu disse. Capa."

A matéria já está on-line, o que não chega a surpreendê-lo. Ele clica no título e passa o celular para ela.

Médico e professor são detidos por cultivo de maconha.

"O quê?"

"Pode ler."

Ela lê rápido, correndo continuamente o texto com o polegar.

"Meu deus."

Os três idiotas apontados por Elisa levantaram e foram jogar sinuca. O que está de fora da partida acompanha a trajetória das bolas com um envolvimento intenso. Os outros dois parecem sonolentos e decepcionados.

"Tu nunca me disse isso", ela diz.

"Eu te falei sobre a minha mãe."

"Mas não sobre as plantas, Arthur. Puta merda. Caralho. Que sensacional. Quer dizer. O que tu vai fazer agora?"

Naquela altura, ele não fazia ideia. A única certeza é de que iria perder o emprego, e também que uma parte considerável dos pacientes do seu pai procuraria outro oftalmologista. Tinham passado a tarde inteira na sala do delegado Elias Souto da 6ª Delegacia de Polícia, um sujeito ligeiramente compreensível, mas cujas forças para ir além da burocracia da profissão pareciam ter se esgotado havia décadas. O advogado — um paciente antigo do seu pai — chegara quase ao mesmo tempo que o carro com cheiro de suor da Polícia Civil que os transportava no banco de trás. Depois de algumas horas, ficou claro que os dois não iriam passar a noite nos escombros vivos do Presídio Central. Eles eram privilegiados demais para isso. O processo ia levar anos para ser julgado. Os réus, enquanto isso, ficariam em liberdade.

Elisa começa a ler em voz alta.

"'A lei precisa mudar. — declara Arthur Lopes — É de uma

crueldade absurda que as pessoas não tenham o direito de decidir de que modo passar por uma doença tão delicada e debilitante quanto o câncer. As pessoas—"

"Não sei se eu quero ouvir isso, Elisa."

"Pera. 'As pessoas esquecem que a maconha é só uma planta. O que gera a violência não é essa planta propriamente dita, mas a proibição, a guerra às drogas'."

Devolve o celular para Arthur. Está com uma cara surpresa e admirada.

"A tua mãe morreu faz uns meses."

"Sim."

"E vocês continuaram com as plantas."

"Eu sei."

"Por que tu fez isso?"

"Porque eu quis?"

Ela olha para o lado. Seus olhos estão vermelhos.

"Meu deus, eu vou sentir tanta falta das tuas aulas."

"Como tá teu braço?"

Ela levanta a manga com um meio sorriso enquanto uma lágrima negra de rímel desliza pela bochecha.

"Cicatrizando, eu acho. Sor, tu é o melhor."

Agora, na borda do mundo, sente uma vontade repentina de falar com Elisa, e então é uma sorte ou um azar que nenhum telefone pegue naquelas montanhas de Comptche. Sim, ele sabe onde está. Comptche. Não precisam mais colocar uma venda nos seus olhos, passaram a confiar nele. A igreja batista, a agência dos correios, o armazém. Dobrar à direita na Flynn Creek Road. Chega todos os dias pelas oito da manhã dirigindo o Grand Marquis dourado.

Olha mais uma vez para o céu daquela noite clara, depois do incêndio no condado de Lake. Pelo menos sabe qual é a Estrela do Norte. Dá uma última tragada no beque — sentindo que passou do ponto há muito tempo, porque aquela maconha é dez vezes mais potente do que a que ele conseguiu cultivar —, então o apaga com um pouco de cuspe e entra na cabana.

"Você fez um intervalo bem longo, hein."

Libby está na poltrona lendo um livro chamado *O homem que confundiu sua mulher com um chapéu*. Tira os óculos e olha para Arthur. Eles ficam pendurados no seu pescoço por um fio de contas de madeira.

"Um pouco. Poxa, fazer manicure deixa as costas moídas, talvez eu deva tentar umas aulas de ioga. Não me surpreende que você prefira não se envolver com essa parte do trabalho."

"Acho que você deve voltar lá pra cima, Arthur."

"Ahn, claro. Até mais."

Ele sobe as escadas pensando que às vezes não entende os americanos. Está chapado e sente como se seu campo de visão sofresse leves alterações de eixo, um fenômeno sempre anunciado por ele a Fabrício, ou vice-versa, com a frase: "Estou me sentindo cubista". Noah e Ernesto já voltaram a trabalhar. Cada um tem sua bandeja no colo e ambos parecem mais concentrados do que antes, picotando em silêncio os camarões com suas tesouras especiais. A clave cubana está em cima da mesa, entre os sacos transparentes com a maconha já pronta e os copos com álcool em que outras tesouras grudentas repousam.

"Aconteceu alguma coisa?", ele fala em voz baixa.

Noah levanta a cabeça.

"O que você quer dizer?"

"Ela tá estranha", Arthur sussurra, enquanto aponta com o dedo para o andar de baixo.

Noah larga a tesoura sobre a bandeja.

"Não faz com que eu me arrependa, o.k.? A gente não tem notícias do Dave há um tempo. Ele não atende o telefone e não responde os e-mails. Se ele não comprar tudo isso, sei lá. A Libby não tá muito contente, meu, você pode imaginar."

“Há quantos dias vocês tão tentando falar com ele?”

“Uns cinco. E nada.”

“E o que a gente deve fazer?”

“O que a gente *tem* pra fazer por enquanto? A gente continua enchendo esses sacos até o fim torcendo para que ele apareça.”

Noite de karaokê. Uma pessoa chamada Arlene levava seus catálogos espiralados à prova de manchas de bacon crocante e de cerveja e então se instalava lá na frente, onde às vezes havia música ao vivo, com um computador, duas televisões e três microfones sem pedestal. Dava para se perguntar o que Arlene fazia em todas as outras noites do mês.

Quando as letras começavam a correr nas telas e a voz amadora de alguém enchia o salão, Arlene ensaiava pequenas balançadas de quadril com o corpo um pouco acima do peso, como se estivesse na frente de um espelho na privacidade da sua casa procurando por beleza e autoconfiança, mas aquilo ali era o 215 Main, um bar na cidade de uma-piscadela-e-acabou que era Point Arena, onde ela conhecia muita gente pelo nome e também, inevitavelmente, pelo gosto musical. Havia por exemplo Jeff, que andava ao redor das mesas cantando Frank Sinatra enquanto flertava de brincadeira com as mulheres dos outros. "You Make Me Feel So Young" parecia uma desculpa para que ele pudesse agarrar os mais diferentes tipos de mãos, mãos com uma camada brilhante de esmalte vermelho e só de passagem pela Costa Oeste, mãos locais nem um pouco preocupadas em esconder a terra e as veias e os arranhões, mãos úmidas de jovens garotas já na segunda dose de gim-tônica, mãos macias e fofas como as almofadinhas rosadas de um gato. Além disso, Jeff tinha cantado tantas vezes "My Way" que provavelmente já nem refletia sobre as escolhas que fizera ao longo da vida. E havia Ashley, a atendente do restaurante do outro lado da rua cuja voz era impressionante mesmo, e Brian, que, apesar de ser um garoto do interior, tinha a idade certa para enxergar karaokê como algo irônico. E havia quem tentasse os duetos. Stephen e Mindy. Casados havia quarenta anos e ainda olhando um para o outro daquele jeito. E Emily, que não podia ser esquecida de maneira nenhuma. Óculos equilibrados em um nariz bem estreito. Um rosto bonito. Mas por que sempre a pessoa com a pior voz precisava cantar "Total Eclipse of the Heart"?

Tamara também estava pensando algo parecido quando eles entraram no 215 Main. Acharam uma boa mesa e aparentemente a mulher que coordenava aquela coisa toda tinha se animado com a chegada deles, três desconhecidos, pela primeira vez dispostos a soltar a voz em um lugar onde todo mundo aplaudia e gritava palavras de incentivo mesmo depois de performances vexatórias. E no entanto dava para ter escolhido uma música mais fácil do que algo originalmente cantado por Bonnie Tyler, cuja voz esganiçada e rouca talvez levasse as pessoas a pensarem que qualquer um podia fazer aquilo, mas não, a questão era que ela se mantinha afinada mesmo quando o refrão virava aquela choradeira, o que não se podia dizer daquela garota que agora recolhia sorrisos comunitários. De qualquer forma, e pensando pelo lado positivo, a tal da Emily — "obrigada, Emily, você foi maravilhosa!" — era o sonho de qualquer pessoa que tivesse escrito seu nome e o número de uma canção em um papelzinho:

você apenas torcia para que um ser desprovido da capacidade de acertar o tom cantasse logo antes, e então qualquer coisinha meio sussurrada com timidez no microfone iria se transformar em uma ótima performance.

"Tô tão feliz que a gente tá aqui!", diz Sylvia enquanto ela, Arthur e Tamara dão uma olhada no cardápio. Um cara com um bigode engraçado está se saindo mais ou menos em uma música country. "Finalmente. Eles têm karaokê uma vez por mês."

Tamara sorri.

"O que você vai cantar?", pergunta.

"Talvez eu tente Nancy Sinatra."

Mas a verdade é que Sylvia ainda não faz ideia. Por que a pressa? Olha para os lados, tentando rastrear os homens desacompanhados que tenham a sua idade ou no máximo dez anos a mais, embora sempre lhe pareça um pouco ingrato excluir os mais novos e ter que cogitar os mais velhos, com todo aquele excesso de pelos, os gorrinhos de lã, as camionetes enferrujadas que eles mesmos gostam de arrumar. Consegue encontrar um homem interessante, grandão, mas não gordo, cabelo grisalho, nada de barba, uma camiseta preta e um jeans, como tem que ser, e o melhor de tudo: está bebendo água. Apenas água. Vai manter um olho nele. Por que teria pressa afinal? Anda se sentindo melhor consigo mesma, ainda que alguém pudesse dizer que ela está tapando o sol com a peneira ou enfiando a cabeça na terra como um avestruz, o que significa basicamente a recusa em encarar um problema de um jeito efetivo, e ela tem esse problema, que, como todo grande problema, é um problema de dinheiro.

Tudo bem que Danny, no início daquela semana, colocou todas as suas coisas em um caminhãozinho da U-Haul e pegou a I-5 na direção de Los Angeles, deixando San José e o emprego para trás e provavelmente se amaldiçoando por ter falhado mais uma vez. Ela pode ver as mãos dele batendo no volante. Pode ver que ele não consegue se acertar com o som e acaba passando do silêncio completo para uma rádio latina incompreensível, cuja música açucarada o deixa triste e puto da cara ao mesmo tempo. Pode ver que ele para em uma dessas áreas de descanso e chora entre famílias que só estão preocupadas em esticar as pernas. "Eu tenho um colchão de ar aqui", Antonio tinha dito, um pai oferecendo uma droga de colchão de ar, "você pode ficar pelo tempo que for preciso." Não seria exatamente fácil para ninguém, mas ela podia esperar que Danny fosse depender menos dela pelos próximos meses, o que já era um alívio. Tinha chegado a hora de Antonio fazer sua parte. Está certo que nenhum milagre financeiro viria daí, mas pelo menos, sem as demandas constantes do filho mais novo, a situação ruim de Sylvia pararia de piorar.

"Blue Eyes Crying in the Rain." É isso que estão cantando enquanto eles comem sanduíches um tempo depois. Ela não estava prestando atenção no início, mas agora vê que o cara no "palco" é seu vizinho Todd Solano. Nunca imaginou que Todd poderia cantar. Mora sozinho em uma cabana escura na Middle Ridge Road e ao redor — aquilo não deve ter mais de um acre — dá para ver um labirinto de eletrodomésticos estragados, o território de três cachorros musculosos que aprenderam a odiar gente. Certa noite, um deles quase matou uma lhama. Isso foi antes de Sylvia chegar, e ela não saberia dizer se antes ou depois da placa que está lá hoje, na frente da criação de lhamas, dizendo *Cachorros que importunarem ou matarem os animais serão abatidos!* O cachorro está vivo. Mas o pior foi a história das árvores. As árvores que Todd vendeu. É sério que Todd Solano está cantando "Blue Eyes Crying in the Rain"? Desse jeito até que bem decente?

Sylvia se inclina na direção de Arthur e Tamara.

"Esse cara vendeu todas as suas sequoias vermelhas. Ele é meu vizinho."

"Eu gosto dessa música", diz Tamara.

Arthur parece chocado.

"O que ele fez, vendeu as árvores dele?"

"Pelo dinheiro. Ele tinha tantas quanto eu e agora não sobrou nenhuma."

"Caralho."

"Capitalismo", diz Tamara. Devolve o sanduíche para o prato e dá uma boa olhada no cara. O filho da puta sabe cantar.

"O que me impressiona é que você possa cortá-las se quiser. Já foi uma matança no século XIX. O que sobrou, seis por cento?"

"Algo assim."

"Não é a hora de parar?"

"Tem os parques estaduais."

"Certo, e o resto que se cuide então. É um país livre. Claro que você tem o direito de fazer o que quiser no seu pedaço de terra."

Sylvia gostaria de concordar com aquilo, mas Arthur estava sendo irônico, não estava? Irônico e movido por uma força que ela não entendia muito bem. Não podia haver nada de errado com a ideia de liberdade. O problema não era a liberdade que lhe concediam, o problema eram caras como Todd Solano, que não se sentiam constrangidos o suficiente pelos ideais dos seus vizinhos e achavam normal o fato de destruírem o próprio lar. E ela nem estava falando do planeta ou coisa assim, mas apenas daquele acre de terra com velhas máquinas de lavar e fogões e agora os cepos avermelhados, onde pequenos galhos iam começar a brotar e de repente daqui a cento e cinquenta anos, meu deus, daqui a cento e cinquenta anos elas iam ser majestosas de novo. Sylvia jamais cortaria suas sequoias. Ela simplesmente adora aquelas árvores! Sai para o pátio, entra no mato e fica de pé bem no meio do círculo que elas pacientemente desenharam. Algo como deus construindo sua própria catedral.

Todd recebe aplausos, passa por eles e cumprimenta Sylvia com um meio sorriso. Volta para o seu lugar no balcão. Algumas pessoas ainda parecem sensibilizadas pela sua performance.

"Ele planta?", pergunta Arthur.

Quando alguém fala daquele jeito em Mendocino, todo mundo sabe qual é a palavra suprimida.

"Não que eu saiba", responde Sylvia.

"Não ia precisar vender as árvores se plantasse."

"Tenho certeza de que ele pensou nisso, Arthur."

Ela não quis ser rude, mas às vezes fica cansada. Muitas respostas e muitas opiniões. Quando foi mesmo que ele aprendeu tanta coisa sobre um lugar que não é o dele? Está usando aquela camiseta da galáxia. Deixou crescer o cabelo e a barba. Parece tão satisfeito agora consigo mesmo, tem o trabalho que queria, uma mulher bonita e inteligente, está em um bar agradável bebendo o seu pinot noir orgânico enquanto sabe-se lá quantos brasileiros presos no seu abismo tropical simplesmente tentam sobreviver.

Então Tamara diz: "Sou eu!". Ela se levanta. Dá um beijo em Arthur. Pega o microfone e fica balançando um pouco os ombros enquanto a introdução da sua música, longa demais, soa do jeito que todas as músicas de karaokê soam. Ele gostou daquele beijo. Está pensando que conhece a música quando Tamara canta os primeiros versos e sim, The Cranberries? Tocava o tempo todo na Rádio Atlântida. Ele estava na escola, mas ela já tinha uns vinte anos, ele não sabe o que se faz com vinte anos em Bisbee, Arizona, o que ele fazia aos catorze era ficar dentro do quarto com Fabrício ouvindo algum disco que um deles tinha comprado na Banana Records, janela aberta, às vezes *air guitar*, às vezes olhos fechados, a fumaça densa sendo expelida na noite da Vila Conceição.

Arthur se sente tão atraído por ela, o tempo todo. Quer morder o seu pescoço, os ombros salpicados de sardas, quer passar a língua na penugem clara que se forma acima da bunda. Ela tem a bunda mais maravilhosa do mundo, ou em todo caso a bunda mais maravilhosa que ele tinha visto, apertado e comido, esculpida sobre colchões de ioga, arredondada por séries de agachamentos, mantida por uma dieta de baixo consumo de carboidratos, mas nascida do acaso e de certa combinação genética, do jeito que nascem as bundas e todo o resto. Ele bate palmas e assobia quando Tamara termina de cantar.

"Parabéns, foi demais. Quantos corações você arrasou em 1993?"

Ela se senta de novo, com a adrenalina a mil.

"Em 1993 *eu* era a pessoa com o coração destruído, se você quer saber."

Ele dá uma risada.

"Quem foi o imbecil, me diz."

"Ah, eu tinha uma lista de imbecis. O mais imbecil de todos foi um imbecil em 93, 94 e 95. Ele não conseguia parar de ser imbecil. Sylvia, você vai cantar alguma coisa pra gente?"

"Acabei de entregar meu papelzinho para a Arlene."

"Maravilha!"

"Essa já é minha versão favorita de 'Linger'", Arthur diz. Sente que está um pouco alto do vinho. "É esse o nome da música?"

Ela ri, meio constrangida.

"Como você é bobo."

Há um dueto depois. As mulheres da mesa ficam sensíveis. Um hip-hop é cantado por uma menina de boné que veio com os pais. Há um homem tentando ser engraçado com "I Touch Myself", mas o público acaba oferecendo para ele um entusiasmo protocolar e nada além disso. A maioria do pessoal leva karaokê a sério. Aí Arlene chama um certo Jeff. Ele toma um gole d'água e se levanta. Começa a cantar "You Make Me Feel So Young" enquanto circula pelo bar, segurando o microfone junto ao peito como se usasse aquela traquitana ultrapassada do Sílvio Santos. Jeff tem uma expressão de cachorro faminto e bonzinho, um contraste ostensivo com seu porte de jogador de futebol americano aposentado. Ele se aproxima de Sylvia. Canta enquanto olha direto para ela por alguns segundos, depois alcança a mão que estava descansando sobre a mesa. Então ele a cobre com sua própria mãozona áspera como se fosse uma concha cintilante cobrindo o corpo mole e vulnerável de um molusco. Dá pra ver que ela desaba por dentro.

O que acontece em seguida é que, na parte final da música, Jeff faz a mesma coisa com uma mulher de tranças grisalhas. Duas canções mais tarde, é a vez de Sylvia cantar sua "These Boots Are Made for Walkin'", o que ela faz com um certo nervosismo que não vai embora, como se alguém a estivesse segurando no meio da piscina e repetindo "Vou te soltar e você vai aprender a nadar dessa vez". De nada adiantam as palavras encorajadoras de Nancy Sinatra.

Há uma névoa cobrindo Point Arena. As lampadinhas do cinema colorem a névoa com amarelo e nenhum carro está passando pela rua principal, dez horas sendo tarde demais para uma cidade desse tipo. Uma meia dúzia de voluntários do Corpo de Bombeiros ainda está jogando sinuca e bebendo cerveja no Sign of the Whale, mas o restaurante metido ali do lado já fechou as cortinas e apagou o letreiro. No vão de entrada de uma imobiliária escura, cujos anúncios da vitrine são raramente vistos, uma índia velha está sentada. Tem uma espécie de cesto de palha nas costas e seu vestido cinza-chumbo vai ficar balançando no vento de trinta e cinco quilômetros por hora quando ela caminhar cinquenta minutos colina acima até a reserva indígena às margens do Garcia River, onde um cassino operado por brancos tenta fazer algum dinheiro com caça-níqueis e uma mesa de blackjack eletrônico. É permitido fumar lá dentro.

Um pouco de música escapa do 215 Main quando Arthur empurra a porta.

"Eles deviam ter isso uma vez por semana, não só uma no mês", diz Tamara ao sair.

Nem Sylvia nem Arthur respondem. O carro está do outro lado da rua, bem na frente do cinema restaurado, a bilheteria no meio já sem bilheteiro, mas as letras encaixáveis da programação iluminadas se tornam mais nítidas conforme eles se aproximam. Há uma sessão de *Paris, Texas* que ainda não terminou.

"Ei, Sylvia?"

Eles se viram. É Todd Solano. Fala como se não tivesse certeza do nome dela. Não sabem muito bem de onde ele saiu. Dá a impressão de que já estava na rua, talvez no outro bar ou simplesmente andando, embora não faça sentido caminhar por ali no meio da noite. Eles tinham se esquecido dele.

"Você precisa de uma carona? Quer dizer, você ainda mora na Middle Ridge, né?"

Ela hesita, mais por educação do que por dúvida.

"Não, brigada, Todd. Eu tô com meus amigos. E esse aqui é meu carro."

Todd encara o Toyota como se estivesse interessado em comprá-lo. É estranho e gera um certo constrangimento, os olhos de Todd parados sobre o carro enquanto uma condensação alcoólica se forma toda vez que o ar deixa sua boca. Então ele parece sair do transe.

"De repente da próxima vez? Bom, boa noite, pessoal."

"O que foi isso?", Tamara diz ao entrar no banco de trás do carro.

Sylvia ri.

"Ele tava cheirando bem mal, não tava?"

Andam depois pela estrada em silêncio. É só perto de Elk que Sylvia começa a falar.

"Eu não sei por que as pessoas da minha idade têm que ficar satisfeitas com a ideia de companhia. 'Ah, o fulano pelo menos é uma companhia'", ela imita. "Bem, acontece que eu não quero nada disso, nunca quis. Eu quero me sentir apaixonada, como

Amélie Poulain pelo cara da lambreta, adoro aquele filme, ou me sentir fisicamente atraída por alguém a ponto de perder o sono, e perder o sono de um jeito bom e não como é agora. Eu não sei mesmo. Sentir, enfim, qualquer coisa que pareça mais vida do que morte. Fico me perguntando se esse 'pelo menos' é uma opção que a gente tem, ou se todo mundo vai ter que passar por isso. Como a menopausa, a decadência do corpo. Meu deus, o que eu tô falando? Vocês não precisam ouvir as bobagens que eu às vezes penso."

"Não é bobagem", diz Arthur.

"De jeito nenhum", concorda Tamara. "Você não tá sozinha nisso, Sylvia."

Arthur está olhando para os olhos de gato da estrada. Parecem a indicação para uma saída de emergência que não chega nunca.

"Eu entendo a sua implicância com o 'pelo menos', mas você não acha que ele pode ter algo de positivo, de saudável?", ele diz.

"É tão pouco ambicioso, Arthur", responde Sylvia.

"Pode ser. Quando as pessoas são crianças, elas querem ser astronautas, detetives, cientistas. E depois elas olham para si mesmas e estão trabalhando em setores de contabilidade e recursos humanos e querendo se matar toda segunda-feira de manhã. O que aconteceu aí?"

Tamara enfia o rosto entre os bancos.

"Vida real."

"Exato!"

"Eu entendo o que você quer dizer." Ela dirige com uma única mão no volante. "A gente vai acumulando histórias amorosas que deram errado, olha para trás, acha que desperdiçou energia com isso e de repente não quer mais que seja assim, mas nós estamos guardando energia para quê? Para usar onde, com o quê, em que ponto da vida? É como guardar dinheiro."

“As pessoas vão adequando suas expectativas, só isso”, Arthur continua. “Porque percebem que nunca chegam no ponto que gostariam. O amor como o da Amélie Poulain e coisa do tipo. Será que existe? Será que todo mundo vai ter direito a esse amor, mesmo que uma única vez na vida? Eu sinceramente não sei. Talvez o amor não seja para todo mundo.”

“Talvez o amor não seja para todo mundo?”, repete Tamara.

Sylvia olha para Arthur.

“Isso não é triste?”, ela diz.

“Eu nunca disse que não era.”

No início da semana seguinte, Tamara avisou que estava indo para o Arizona. Tinha pedido uma folga no café, o gerente era um homem compreensivo que tocava contrabaixo em uma banda de jazz cigano, e Jimmy Pitelkow mandara uma mensagem dizendo que tudo bem, a casa poderia sobreviver sem ela, mas que tal se ela deixasse a chave com alguém de confiança para o caso de uma emergência? Seriam dois dias dirigindo só para chegar até Bisbee. San Francisco, Los Angeles, Phoenix, Tucson e então as montanhas de sua pequena cidade vermelha apareceriam no para-brisa cheio de poeira. Arthur tinha o trabalho com Noah, ainda um monte de galhos secos para serem cortados e podados, mas nem pensou nisso quando disse que poderia ir com ela. Queria ir com ela. De qualquer maneira, Tamara havia balançado a cabeça e dito que precisava lidar com alguns assuntos pessoais, e daí pode ter virado o rosto de um jeito repentino, como se algo imperdível estivesse passando pela janela. Mas ele viu apenas corvos lá fora e as duas gaivotas de papel machê do centro de visitantes de Mendocino, presas por fios de náilon, voando sem sair do lugar. Tudo bem. Não queria achar que Tamara estava estranha desde aquela conversa no carro de Sylvia, embora ela estivesse estranha desde então, claro que sim, sendo que ele era o único responsável por isso, por causa daquele seu cinismo inconsequente que transformava tudo que ele podia pescar no ar em uma ridícula discussão intelectual. Poxa, e ele era sensível. Acreditava quando Neil Young dizia "*yes only love can break your heart*". Ele se debatia com toda essa irracionalidade e esse calor e essas sobras de ilusão adolescente que, sim, faziam parte do que ele era também, e inclusive não seria exagero dizer que aquela angústia estava corroendo-o agora, desde que Tamara tinha avisado que ia a Bisbee resolver assuntos pessoais, desde que ela tinha dito: "Tchau, te vejo na semana que vem", e então Arthur havia sentido vontade de gritar que achava que o amor era para ele sim, mas Tamara já virara as costas. Ele ficou só olhando ela ir embora.

Caminha ao longo do Pacífico, pelas trilhas estreitas desenhadas na grama. Não achava que ainda podia se sentir tão infeliz quanto se sente agora. O prédio amarelo do hotel começa a ficar pequeno atrás dele e os hóspedes que admiram a vista na varanda se transformam em pontos quietos quase imperceptíveis. Fica parado na beira do penhasco, para além do que a trilha indica e portanto do que os administradores dos parques estaduais consideram uma distância segura. Uma família dando um passeio diminui o ritmo da caminhada. A mulher olha para Arthur até se convencer de que ele não vai pular. Quer dizer, não há como ter certeza. Vai ver ela só prefere ir embora mesmo, porque se existe alguma chance de suicídio ali — o que não existe, mas a mulher pode acreditar que sim, há um homem na beirinha das falésias com um olhar distante, querido, você tem sinal no seu telefone? —, se existe uma mínima chance de suicídio ali, é claro que ela não quer estar perto para ver e sobretudo uma boa mãe sabe que não deve expor as crianças àquilo de jeito nenhum; ainda que elas fossem poupadas de toda a trajetória da queda por uma questão de ângulo e distância, bem como do consequente esfacelamento do corpo lá embaixo, Kristina e Aiden (sete e cinco anos) se lembrariam para sempre de ter visto um homem que estava lá, e que depois parecia ter tropeçado e não estava mais lá, mas aí não deu para ver nadica mais do que isso porque seus pais ficaram segurando firme os dois enquanto repetiam "Não olhe, não olhe, eu te amo, a gente ama tanto vocês dois".

A família vai embora. Arthur continua de pé ali. Além do som das ondas, está ouvindo o barulho grave e constante do que acredita ser um *foghorn*, um tipo de alerta para quando há neblina, mas que ele também escuta em muitos dias claros, como é o caso daquele, o que, pensando bem, mais ou menos põe fim à sua teoria. Tamara não tinha terminado com ele. Não era isso. Ela disse: te vejo na semana que vem. Eles iam se ver portanto na semana que vem. E, enquanto isso, ele podia quem sabe parar de pensar que ela necessariamente encontraria Will ou Sarah ou os dois. Por acaso ela não tinha uma mãe para visitar? Um irmão mais novo? Alguma propriedade? Papéis do divórcio? Uma montanha para subir? A fronteira com o México para espiar lá de cima?

Tudo bem, podiam ser um consolo para Arthur, ou ao menos algo para distraí-lo, todas essas pequenas possibilidades de acertos de conta em Bisbee que pairavam na sua cabeça, mas ela tinha dado a chave do lugar onde morava para Dusk, não para Arthur, e isso era grave. Isso era bem grave.

Finalmente se afasta dali. Há as tarefas do dia a serem cumpridas. Comida. Luvas descartáveis. Dirigir até Comptche. Então caminha de volta para a cidade, vendo o hotel crescer de novo, o prédio de 1878 com aquele homem lá na frente se oferecendo para ler a palma da mão das pessoas que passam, pega o carro, vai até o mercado. Na porta de entrada, vê o cartaz de uma menina desaparecida.

Ela tem vinte e um anos e se chama Marina Nunes. É brasileira. Cabelo castanho comprido, olhos castanhos, cinquenta e oito quilos, um metro e sessenta e quatro centímetros de altura. Na fotografia, sorri com um beagle no colo. O fundo é indefinido. Estava morando em Albion, mas foi vista pela última vez dia 29 de setembro às duas da tarde no Rollerville Café, perto do farol de Point Arena. Usava uma blusa roxa, um casaco de moletom com capuz, uma saia comprida e sandálias de couro. Sua família e seus amigos estão preocupados com ela. Qualquer informação deve ser comunicada às autoridades.

O cartaz foi colado em todo comércio local, inclusive na floricultura, onde Arthur vai comprar a caixa de luvas descartáveis.

Às três da tarde, está fazendo a manicure das plantas de Libby.

"Você tá quieto hoje", diz Noah.

"Tô aprendendo essa merda, não tô? Acho que vou ser mais rápido se eu não ficar conversando."

Ernesto ri.

"Rapidez não é tudo, meu amigo."

"A Libby gosta de você, Arthur."

"Agora me fala alguma coisa sem ironia."

"Quê? Cara, você é engraçado. Ela realmente gosta de você. Seus camarões tão perfeitos. Dá pra ver a diferença entre os seus e os do Ernesto."

"Eu trago a música", diz Ernesto.

Noah limpa as lâminas da sua tesoura com papel toalha.

"Aham, a música e um pouco mais do que isso."

Arthur levanta a cabeça e encara os companheiros.

" Você tá pegando a Libby, Ernesto?"

"Desculpa dizer que você não tem o charme latino que o

cubano aqui tem", responde Noah, tocando no ombro ossudo de Ernesto. "O que pode ter dado errado com você, Arthur? Eu duvido que você consiga conduzir uma mulher na pista." Ele faz uma imitação horrível de dança, sentado na cadeira de acampamento e com a bandeja no colo. "Sabe dançar salsa?"

"Não tem salsa no Brasil, idiota."

"Ah, então é por isso."

"Só me deixa trabalhar, o.k.?"

Ele perde a noção do tempo. Os camarões são às vezes bolinhas simpáticas, às vezes pequenas nuvens mais alongadas que enchem a palma da mão. Dá vontade de mascar. O que acontece ali, em seus cálices, pistilos e tricomas, ainda é em boa parte um mistério. Tricomas produzem canabinoides e terpenoides, um escudo malcheiroso e de sabor ruim que evita que os animais comam as flores. Em outras palavras, trata-se de uma estratégia elementar de sobrevivência: não se apresentar diante das outras espécies como um alimento saboroso. Canabinoides e terpenoides são a razão pela qual Arthur, quando está na estrada e sobretudo à noite, é capaz de confundir cheiro de maconha com cheiro de gambá atropelado. Natureza bruta. A nada sutil luta entre espécies. Mas o que acontece quando canabinoides e terpenoides entram no seu organismo? O que acontecia quando entravam no organismo doente da sua mãe? Em meados dos anos 90, o químico israelense Raphael Mechoulam descobriu que os seres humanos possuem receptores internos para o que ele batizou como canabinoide 1 (CB1) e canabinoide 2 (CB2). Arthur imagina o encontro de uma chave com uma fechadura e isso já parece impressionante, mas é difícil ir além dessa imagem um tanto primária. Receptores de CB1 estão no cérebro e no sistema reprodutor. Receptores de CB2 estão no sistema imunológico, sobretudo no fígado. Dá pra ficar horas pensando nisso sem sair do lugar.

"A gente pode conversar um pouco?"

Levanta a cabeça e sente uma certa vertigem por causa da cervical. Noah e ele estão sozinhos na peça.

"Cadê o Ernesto?"

"Foi embora, você não viu? Vem cá, eu quero que você me ajude com uma coisa lá embaixo."

Libby não está em casa. Na mesa da cozinha, há uns trinta ou quarenta sacos transparentes cheios de maconha. O pessoal chama aquilo de *turkey bag* porque essa é sua função primária mesmo — embrulhar assados a fim de mantê-los suculentos enquanto cozinham —, embora Arthur desconfie que o uso culinário já tenha recuado para um louvável segundo lugar.

"Tô pesando isso daqui", diz Noah. "Você pode ir me passando os camarões do contêiner que tá ali no chão? O cinza."

"Beleza."

Noah vai colocando os sacos na balança e fechando-os quando completam exatamente um pound.

"Você precisa mesmo que eu faça isso?", pergunta Arthur.

"Na verdade não."

Noah dá um sorriso gentil, do tipo que mães dão para os filhos quando estão escondendo alguma coisa deles.

"Eu consegui falar ontem com o Dave."

"Uou, que ótimo. Quando é que ele vem?"

"Aí é que tá. Ele não vem", Noah para de pesar e fica olhando para os sacos já fechados.

Estão no crepúsculo. Há um abajur aceso na sala e um pouco de luz indireta também na cozinha. Libby e o falecido marido, que teve uma embolia pulmonar justamente um dia depois do seu aniversário, em 2004, assistem a tudo com sorrisos a partir do seu lugarzinho na parede. Eles têm uma igreja gótica atrás deles, e o percevejo que os mantém ali está pregado em uma das torres. Pela cabana inteira, há outras Libbies e outros maridos e outras pessoas que Arthur não sabe quem são, todas capturadas em momentos especiais e eufóricos. Dá vontade de avisar que aquilo é a exceção de suas vidas.

"Você alguma vez já teve a boa ideia de ir numa cartomante?", pergunta Noah, agora olhando para ele.

"Não, eu não tive."

"Bom, o Dave teve. Não é qualquer cartomante, parece que ela tem uma lista de espera de meses. Ele me disse que ela previu a crise de 2008. Cara, eu não consigo nem imaginar ele nesse lugar. É o Dave, sabe?"

"Qual a relevância disso, Noah?"

"Toda. Ele ficou maluco. Ele *percebeu* coisas. Chegou a *conclusões*."

"Sei."

"Mas foda-se o Dave. Quando ele voltar, eu não vou tá mais aqui. A coisa toda é a seguinte: tem um cara em Petaluma, ele quer setenta pounds, Libby tá feliz, todo mundo tá feliz, blá-blá-blá. Só que alguém precisa ir até lá. É bem simples. Entregar a mercadoria, pegar o dinheiro. E a gente acha que você podia fazer isso."

"O quê? Você tá louco."

Arthur se levanta. Ficou nervoso só de ouvir aquilo. Noah vai atrás dele.

"Você volta com oitenta e quatro mil, sete são seus. É um dinheirinho fácil. Petaluma fica a menos de três horas daqui, Arthur. Eu não tô pedindo que você cruze nenhuma fronteira estadual. Essa é a porra da Califórnia, *dude*."

"Ótimo. Por que você não vai então?"

Noah fica sério, como se alguém estivesse fazendo um molde da sua cara em gesso. Ele nunca deve ter feito nenhum esforço para não parecer alguém que planta maconha. Arthur fica imaginando-o sendo parado por um carro da polícia rodoviária em algum ponto da 101. Seria um desastre completo.

"Eu não lido bem com essas situações", finalmente responde.

"Ah, o.k. Você não lida bem com essas situações. E o outro ouve a porra dos conselhos de uma cartomante e decide mudar de vida. Que palhaçada é essa, Noah? Enquanto isso, a senhorinha aqui não faz nada e embolsa quase todo o dinheiro."

Ele fala a última parte apontando para uma foto de Libby sozinha em uma paisagem nevada. Começa a se sentir sufocado com tantas fotos, e então senta na poltrona dela.

"Eu não sei por que você tá tão nervoso, sério. Era pra ser uma coisa boa. Eu disse que você vai ganhar sete mil dólares para dirigir umas horas, caralho. A gente confia em você."

"Você vai me mandar pra Highway 101? Essa merda vem lá do condado de Humboldt."

"Vem. O que é ótimo. É a época da colheita, milhares de carros cheios de maconha tão descendo do Humboldt, Siskiyou, Trinity, Mendocino. Você só tem que ir com a corrente.

"*Go with the flow*", Arthur diz, irônico.

Noah sorri.

"Esse é o espírito."

"Eu devia ligar pro meu pai." A voz de Arthur baixou de volume consideravelmente. "Ele nem sabe onde eu tô. Ele acha que eu tô fazendo um doutorado em Berkeley, isso foi o que eu contei pra ele. Eu mandei fotos de uma casa aonde eu nunca fui. Eu inventei amigos, porra."

"Tudo bem, cara. A gente faz o melhor que pode."

"Eu tenho um visto de turista."

"Ninguém vai te parar. É só não ir com o seu carro de vovozinho. Você quer ser só mais um, não o diferentão dirigindo um Grand Marquis dourado. Sem contar que, se o carro te deixasse na mão, aí sim você estaria ferrado."

"Você sugere o quê? A sua van maravilhosa com um adesivo que diz 'plantando maconha desde 1971'?

"Esse adesivo não existe", responde Noah, rindo.

"Pode apostar que ele tá lá, sim, nas entrelinhas."

"Eu nasci em 1985. Mas eu sei, eu sei. A minha van não é boa pra isso também. Nem a picape da Libby. Velha demais."

"Eu não disse que eu vou, Noah."

"Você não disse. Vou te dar uns dias pra pensar."

Noah fica distraído olhando as lombadas dos livros na estante, como se aquela fosse uma boa hora para escolher uma próxima leitura. Há um monte de maconha na mesa da cozinha e mais uns dez pounds para serem podados lá em cima.

"Qual é mesmo o nome da mulher que aluga o quarto pra você?"

"Sylvia."

"E que carro a Sylvia tem?"

"Um Toyota."

"Que tipo de Toyota?"

"Prios?"

"Prius. Perfeito, meu garoto. Esse é o carro que a gente precisa."

Robert Randall

No consultório do dr. Ben Fine, Washington DC, em 1972, ouviu que ia ficar cego em no máximo cinco anos. Sua visão embaçava, ele via halos coloridos ao redor das luzes e às vezes tudo se tornava simplesmente branco. Robert havia se mudado para Washington no ano anterior porque queria escrever discursos políticos. Acabou atrás do volante de um táxi por um tempo. Sentado naquela tarde no consultório do dr. Fine, um dos mais respeitados oftalmologistas da cidade, foi informado de que ia perder a visão progressivamente por causa de um glaucoma de ângulo aberto. Robert Randall tinha apenas vinte e quatro anos.

Sua pressão intraocular atingia níveis perigosos. O dr. Fine tentou controlá-la com remédios por mais de um ano, mas o resultado era decepcionante. Um dia, um amigo deu a Robert um baseado, só para que ele esquecesse um pouco do seu cruel destino. Depois de fumar, Robert foi até a janela. Os halos tricolores — ele sempre os via ao redor de todas as luzes de todos os postes de rua — tinham milagrosamente desaparecido.

A maconha reduzia sua pressão intraocular, foi o que ele

concluiu com um certo espanto, medicando-se, a partir daí, sem o conhecimento do dr. Fine. No consultório do oftalmologista, as medições pós-inalação da erva provavam isso. Dr. Fine estava contente, portanto; a medicação que ele receitara — isso era o que o doutor acreditava — havia finalmente começado a funcionar.

Mas não ia ser simples assim. Em 1975, Robert Randall e Alice O' Leary, sua esposa, estavam fora de casa e da cidade quando a polícia viu quatro pés de maconha na escada de incêndio de um edifício. Voltaram com um mandado. Susan, amiga do casal e encarregada de regar as plantas ilegais, os cóleus, as glórias-da-manhã e o tomateiro, tinha saído para comprar um sutiã. Oito policiais revistaram então o apartamento de Robert e Alice, deixando sobre a mesa da cozinha o mandado de busca e uma lista de itens apreendidos: 1) quatro supostos pés de maconha; 2) cinco cachimbos; 3) quatro supostos tabletes de LSD; 4) quatro supostas onças de maconha; 5) uma peneira; 6) uma balança.

Foi só no momento de preparar sua defesa para o caso que Robert Randall descobriu que ele não era o único a se beneficiar dos efeitos da maconha no tratamento de glaucoma; em uma visita à National Organization for the Reform of Marijuana Laws, uma ONG cuja sede ocupava três andares inteiros de um prédio em Washington, foi informado de que um estudo conduzido em 1971 havia demonstrado que fumar maconha causava alterações na pressão intraocular. O estudo fora conduzido em Los Angeles, nos laboratórios da Universidade da Califórnia. Havia outros artigos científicos que versavam sobre o mesmo tema e chegavam à mesmíssima conclusão. O mais impressionante, no entanto, era que o próprio governo estava ciente dessas descobertas. Ou mais do que ciente. O National Institute on Drug Abuse (Nida), sob o controle do Departamento de Saúde e Serviços Humanos dos Estados Unidos, havia distribuído um material informativo para ninguém menos que todos os deputados e senadores norte-americanos (*Em 1971, Hepler [et al.] relatou que indivíduos normais mantinham uma queda na pressão intraocular após fumarem maconha [...]. Esse resultado foi confirmado por outros investigadores. Hepler iniciou um programa de tratamento de pacientes com hipertensão ocular ou glaucoma, especialmente aqueles cuja pressão intraocular não era reduzida com medicamentos convencionais para esse fim*). Para Robert e Alice, tal fato serviria como uma pequena amostra do quanto as agências e os departamentos governamentais travavam uma guerra interna, longe — por enquanto — dos olhos do grande público.

A guerra de Robert Randall começara com a apreensão das quatro plantas. E ele não queria apenas ser inocentado no tribunal. Queria ir mais longe. Ia processar o governo. Provaria que a maconha mantinha sua pressão intraocular controlada, e que só isso poderia evitar que ele perdesse completamente a visão antes dos trinta anos de idade.

Então teve seus olhos testados na Universidade da Califórnia. Teve seu olhos testados na Carolina do Norte. Fumou centenas de baseados em nome da ciência. Descobriu que em Athens, Geórgia, estavam pingando um colírio de maconha em coelhos, com excelentes resultados. Os coelhos, no entanto, ainda ficavam eufóricos. E tudo bem que os medicamentos comercializados pela indústria farmacêutica tivessem seus efeitos colaterais, como cefaleia, hipotensão, náusea, diminuição do estado de alerta, trombose, incontinência urinária, tremores, depressão, parada cardíaca, elevação das transaminases e da fosfatase alcalina; euforia era mesmo inadmissível.

Um dia, em uma reunião com o advogado Paul Smollar, Alice teve uma ideia. Ela disse: "Por que não pedir a maconha do governo?". Pareceu ruim e logo depois perfeita. O governo norte-americano plantava maconha para pesquisa em uma fazenda muito bem vigiada no Mississippi. Se quisesse que, além de autorizá-lo a fumar, o governo fosse o fornecedor de seus baseados, Robert Randall ia gastar uma nota preta no processo, o que era especialmente delicado para um professor que ganhava sessenta e oito dólares por semana. Precisava de dinheiro, portanto. Bateu na porta da Playboy Foundation. Recebeu um cheque de cem dólares de Joan Baez. Foi fazendo o possível com o que tinha. Seu julgamento era sistematicamente adiado.

Naquela altura, Robert Randall já estava entendendo melhor como funcionavam as entranhas de Washington DC. O pedido pela maconha oficial do Tio Sam — para salvar os olhos, o aconselhado era que Randall fumasse dez baseados por dia — envolveria pelo menos três braços do governo, que não trabalhavam exatamente em harmonia: em primeiro lugar, o Nida; em segundo, a FDA (Food and Drug Administration); por último, o DEA, com o qual Randall teria sempre uma relação distante, mas turbulenta.

Em 1976, Robert Randall se tornou a primeira pessoa legalmente autorizada a fumar maconha nos Estados Unidos (*o tribunal conclui que o réu, Robert C. Randall, provou o estado de necessidade. Consequentemente, esse tribunal decide que ele não é culpado pela violação do D.C. Code 33-402, e que as acusações contra ele devem ser imediatamente RETIRADAS. Penalizar alguém que agiu racionalmente a fim de evitar um dano maior não servirá para reabilitação do acusado e tampouco impedirá que outros ajam da mesma maneira em circunstâncias similares*).

Buscava em uma farmácia os baseados enrolados pelo governo. Vinham em frascos marrons, grandes o suficiente para conter vinte cigarros. Fumou maconha ao vivo na NBC. Fumou maconha na CNN. Não quis manter sua condição — o primeiro maconheiro dentro da lei — como um segredo bem guardado. Sua exposição midiática ajudava na causa e, além disso, a batalha judicial de Robert Randall tinha aberto um precedente.

Em 1978, Craig Reichert, um californiano de vinte e um anos que lutava contra um câncer, tornou-se a segunda pessoa do país autorizada a fumar maconha devido a sua condição médica. Outros doentes de outros estados ganharam a solidariedade de suas comunidades quando foram a público contar suas histórias, de forma que, em 1978, Alice O'Leary, a esposa de Robert, tinha um mapa do país com dezesseis alfinetes e sete folhinhas de maconha: os alfinetes indicavam que alguma lei a favor da maconha medicinal estava sendo discutida, enquanto as folhas apontavam para os estados que já haviam aprovado suas propostas: Novo México, Flórida, Louisiana, Illinois, West Virginia, Washington, Virginia. Parte desses avanços, no entanto, eram ilusórios, pois eventualmente iriam esbarrar no conservadorismo do governo federal (*se esse projeto de lei for aprovado, os hippies vão sair por aí pegando câncer só para poderem fumar maconha!*).

Enquanto mais e mais pessoas entravam na Justiça para solicitar a maconha do Tio Sam, e enquanto crescia a pressão da opinião pública para que o governo estendesse a mão a essas pessoas doentes, as agências governamentais se viam enroladas em um problema insolúvel. Aceitar os pedidos significava aumentar a produção na fazenda muito bem guardada do Mississippi, o que era insustentável. Além do mais, permitir que pacientes de câncer, glaucoma, esclerose múltipla e outras doenças fumassem poderia passar a "mensagem errada" de que a maconha não era tão ruim assim. O DEA não estava nada satisfeito com isso. Alguns estados queriam repassar a maconha apreendida para pacientes de câncer! Do jeito que a coisa ia, Robert Randall e outros ativistas achavam que a proibição, em pouco tempo, se esfacelaria no ar.

Coisa nenhuma. O governo estava trabalhando para evitar isso a todo custo, e a solução encontrada era menor que uma moeda de um centavo: uma pílula de THC. Estavam apressando a aprovação do remédio. O plano era produzir quinhentas mil unidades até julho de 1980, depois mais quinhentas mil até janeiro de 1981. Mandariam para os estados, para os oncologistas, para as pessoas que estavam morrendo.

O problema era que o THC era apenas *um* dos componentes da maconha. Em testes conduzidos na Universidade da Califórnia com THC sintético, não tinha sido possível reduzir a níveis seguros a pressão intraocular de Robert Randall, sugerindo que as propriedades medicinais da planta não estavam somente nessa substância. Os pacientes de câncer também reclamavam das pílulas de THC: eram menos eficazes do que a planta "completa", e ainda havia o problema da ingestão (*quem além de um burocrata teria a estúpida ideia de dar uma pílula para um paciente que está vomitando?*).

No início dos anos 90, quando a epidemia de aids devastou a comunidade gay americana e contaminou noventa por cento dos hemofílicos do país, a pílula de THC já estava sendo comercialmente produzida havia alguns anos por um pequeno laboratório da Geórgia. Ganhara o nome de Marinol. Em 1986, o Marinol havia sido imediatamente colocado na categoria II da lista de substâncias controladas, uma classificação criada no governo de Richard Nixon em 1970. Isso queria dizer que era considerado menos nocivo e com mais propriedades medicinais que a maconha (incluída desde o início na categoria I, a pior de todas). Em 1999, o Marinol passou para a confortável categoria III, enquanto a maconha continuou na I. Era um pouco engraçado. Se justamente o THC está associado ao "barato" da maconha, por que uma pílula com essa substância estaria mais bem classificada do que a planta como um todo?

Em 1991, treze pessoas em todo o país recebiam maconha do governo. Kenny e Barbra Jenks eram duas delas. Viviam em um trailer em Panama City Beach, Flórida, e tinham sido presos por causa de duas plantas de maconha. Kenny era hemofílico e recebera sangue contaminado com o vírus da aids. Agora ambos eram HIV positivos. Tinham menos de vinte e cinco anos. Barbra usava a maconha para ter apetite e ganhar peso. Tratava-se de uma gente simples e pobre, que Robert Randall teve o prazer de ajudar tanto no processo jurídico quanto em uma maciça exposição midiática. Ao longo dos meses, até ganhar livre acesso à maconha, o casal aparecera no *60 Minutes*, em dezenas de jornais e em outros programas televisivos de alcance regional e nacional. Em um programa local chamado Florida Spotlight, o médico que havia tratado de Barbra foi chamado ao palco (*todos os pacientes de aids que eu estava tratando quando Barbra ficou doente estão mortos agora. Barbra parece fantástica*).

Em novembro de 1994, Robert Randall descobriu que tinha aids. Havia sido um bissexual ativo nos anos 70 e 80, mas nunca fizera um teste porque sua saúde parecia perfeita perto da de tantos amigos contaminados que ele viu morrer. Morreu em 2001 com 53 anos, ao lado de Alice. Nunca ficou cego.

Arthur procura todos os dias notícias sobre Marina Nunes. Foi vista pela última vez acompanhada de dois homens no Rollerville Café, americanos jovens cujos nomes a polícia ainda ignora. O café é um anexo de um hotel de poucos quartos, e na área do estacionamento há uma pintura enorme representando uma garçonete sobre patins. Algo deu errado com os patins, que mais se parecem com próteses azuis disfuncionais. Marina e os americanos comeram ovos e pagaram a conta com uma nota de cem dólares. Devem ter visto, através da proteção de acrílico transparente, a piscina e a banheira de hidromassagem. A fumaça que subia da banheira redonda.

A cerca de uma milha dali, a polícia encontrou o casaco de Marina Nunes, na estrada que leva para o farol, mais especificamente no trecho onde os ciprestes são cobertos por algum tipo de fungo laranja. Lembra um pó colorido, o fungo, algo que fez Arthur pensar em curry ou açafrão sendo jogado contra os troncos e os galhos e também sobre a cerca baixa de madeira. As falésias do parque estadual de Stornetta não ficam longe, plataformas cortadas por uma natureza obsessiva que se projetam na direção do Pacífico, salpicadas pelo mesmo pó brilhante em sua face sul. Procuraram Marina no mar, nas pedras, no campo seco, entre as árvores mortas, por todo o caminho na direção do píer e na direção do farol.

Sua família veio do Rio de Janeiro. Um site criado pelos amigos está arrecadando dinheiro para contratar um detetive particular. Arthur contribuiu com vinte dólares, mas ainda faltava oitenta e sete por cento do valor para que a meta fosse atingida. Em 13 de maio de 2015, Marina Nunes trocou sua antiga foto de perfil no Facebook — uma selfie com a língua para fora, o rosto levemente inclinado — pela imagem agora afixada em quase todas as vitrines da região: Marina sorridente com um beagle no colo. Em um fórum de discussão sobre crimes não resolvidos, o usuário Burbleguerrilla escreveu que a polícia já tinha os nomes dos dois rapazes que acompanharam Marina ao Rollerville Café; ambos eram de fora do estado e não haviam sido localizados para prestar depoimento, motivo pelo qual o FBI estava agora envolvido nas investigações. Três usuários do fórum perguntaram como ele podia ter acesso a uma informação confidencial desse calibre. Passadas mais de vinte e quatro horas de sua postagem, Burbleguerrilla ainda não havia respondido.

Arthur desliga o computador. Por algum tempo, fica ainda sentado na escrivaninha, encarando a caneca da El Monte Union High School. Então engole os últimos dois dedos de chá, horrível de morno. Pega o telefone e disca.

"Finalmente. Eu já tava quase aparecendo aí na sua casa, meu velho."

"Como você tá, Noah?"

"Legal. Dando uma patinada aqui em Fort Bragg. Aí essas duas crianças passam por mim correndo com as mãos cheias de pedrinhas de Glass Beach. Se as crianças não sabem ler uma placa dizendo não faça isso, não faça aquilo, os pais sabem, certo? Mas adivinha onde tão a porra dos pais? Tirando foto dos ladrõezinhos sem limites. Nenhum senso de moral sobrou nesse mundo."

"Você realmente se importa bastante com cacos de garrafa dos anos 40."

"Quanta frieza nesse coração. Enfim, o que você me conta, Arthur?"

Pela janela, vê Sylvia com seu roupão atoalhado cruzando o gramado seco na direção das sequoias.

"Minha resposta praquele negócio é sim, eu vou fazer."

"Opa. Isso é uma ótima notícia! Libby vai ficar feliz. E o Toyota?

"Tudo certo com o Toyota. É só me dizer quando."

"Uau, você tá me deixando surpreso."

"Escuta, tá a fim de voltar pra sua patinação artística aí?"

Noah ri.

"Já notei que pessoas ruins em esportes tendem a fazer esse tipo de piada depreciativa. Patinação artística é um troço sensacional, que infelizmente eu não pratico."

Arthur não responde.

"Deixa eu dar uns telefonemas antes de combinar o resto com você."

"Tudo bem."

"Acho que te ligo em no máximo uma hora."

"Sem problemas. Noah? Eu queria te perguntar uma coisa."

"Vai lá."

"Sabe aquela garota que desapareceu? A brasileira?"

Arthur tem a impressão de que ele leva um tempo desnecessário para responder.

"Sim."

"O que você acha que aconteceu?"

"Como é que eu vou saber, Arthur?"

"Você pode ser amigo de alguém que era amigo dela, sei lá. Todo mundo se conhece, né?"

"Claro. Tá baixando uma porra de uma neblina aqui. Opa, olha aquele pessoal indo embora."

"Que pessoal?"

"Os demônios e os pais dos demônios. Eu quero fazer eles devolverem cada caquinho de vidro."

"Noah."

Ele ouve o barulho do vento sendo captado pelo microfone do telefone celular de Noah, e não tem certeza se isso já estava acontecendo antes. Provavelmente sim.

"O.k., não é verdade que todo mundo se conhece. E, mesmo se fosse o caso, que diferença ia fazer? Ela parecia meio pirada, a garota, ou, tá bom, pra dizer o mínimo, uma pessoa *pouco cuidadosa*. Porque tem gente no meio do mato com quem eu prefiro não ter nenhuma relação, entende o que eu quero dizer? E se eu fosse mulher, puta que pariu, eu ia andar com um *taser* no bolso e minha mão não sairia lá de dentro por nada."

"Do que você tá falando? Então você conhecia ela."

"A gente se viu uma vez, no Dick's Place. Sabe a área ali atrás, dos fumantes? É como as conversas começam. Era uma festa de reggae, aquele cara do chapéu colocando uns vinis, bastante gente. E a brasileira tava procurando um trabalho, você sabe de que tipo."

"Sei."

"Não fazia nenhuma questão de ser discreta. Meio que começava as conversas com todo mundo assim, você planta, me dá um emprego, blá-blá-blá. E eu fico apreensivo sempre que vejo isso acontecer. Eles acham que tão vivendo a aventura das suas vidas. Não posso dizer agora que eu tive um pressentimento ruim porque sei que você vai ficar rindo da minha cara, seu cético de merda. Mas eu tive."

"Provavelmente. Quem acha que tá vivendo a aventura das suas vidas?"

"O pessoal de fora, sobretudo. *Millennials*."

Todos os anos, durante os meses de outono, milhares de jovens desembarcam no norte da Califórnia em busca de algum lugar em que possam trabalhar como *trimmers*. Por oito ou dez horas por dia, ficam sentados em uma cabana, em um barracão ou embaixo de uma tenda plástica podando flores de maconha com uma tesoura especial cuja embalagem pode estar mostrando coisas inofensivas como uvas ou bonsais. Ganham entre cento e setenta e duzentos dólares a cada pound podado, o que significa cerca de um dia de trabalho, às vezes menos, se você for rápido o suficiente. É uma atividade ilegal, como todo o resto; a maioria dessas fazendas não está habilitada pela lei a cultivar a erva, de modo que sua colheita não vai parar em pratinhos de cerâmica na vitrine de um dispensário, mas muito provavelmente nas mochilas, cuecas e outros bons esconderijos dos traficantes dos grandes centros urbanos.

Ser indicado por alguém que já trabalha no ramo continua sendo a melhor maneira de entrar nele. No entanto, é possível ver bandos de novos hippies com mochilas de acampamento e pequenas bolas de malabarismo pelas ruas de cidades rodeadas de plantações, como Willits, em Mendocino, e Garberville, no condado de Humboldt. Alguns desses jovens deslocados e com pouco dinheiro escrevem cartazes, outros ficam na beira da estrada imitando o movimento de uma tesoura com o dedo médio e o indicador. No Craigslist local, garotas se oferecem como *trimmers* em anúncios acompanhados de fotos, como se estivessem vendendo alguma outra coisa além das mãos ágeis e precisas. Não é impossível encontrar anúncios em que garotas estão usando apenas biquínis.

"Esse é meu último ano nesse negócio, pode me cobrar depois", diz Noah.

"É ótimo ouvir isso quando eu acabo de dizer sim praquela sua proposta ousada", responde Arthur. Ele voltou a olhar pela janela. Nem sinal de Sylvia.

"Vou te ligar mais tarde."

"Espera. Você sabe com quem mais Marina Nunes falou na noite em que você a encontrou? Tinha mais gente do ramo lá?"

"No Dick's Place? Pfff. Não, Arthur, a gente tá falando de um bar frequentado sobretudo pelos corretores de imóveis."

"Sério, Noah. Talvez você devesse ir na polícia."

Ele dá uma risada que parece envolver todos os músculos do seu corpo.

"Na polícia? Ficar na cadeirinha de frente pro xerife Keene? Nem fodendo. Ele já vai fazer disso uma caçada pelos cultivadores, você vai ver. Vai ser a desculpa dele pra batidas e apreensões."

"Sei."

"Eu te ligo logo mais. Só deixa eu falar com a Libby e com o cara de Petaluma."

"Tá bom."

"Talvez a garota esteja bem."

"Espero que sim, Noah."

Tamara não imaginava que, com quarenta e dois anos, ia continuar sendo levada pelos caprichos da juventude. Não se trata de um conceito claro, os tais caprichos, mas mais de um fluxo de energia imprevisível que a impulsiona para os lados, para trás, e às vezes, com sorte, também para a frente. Quando morou em um apartamento no oeste de Phoenix, sozinha até encontrar Esteban, depois sozinha de novo, a vida parecia não aquilo que ela pisava e tocava; a vida era o futuro, um lugar onde a energia seria usada com delicadeza e onde seu desassossego não passaria de uma velha anotação em um diário. Tentou gostar de Phoenix, realmente tentou, embora desconfiasse que isso não fosse algo que as outras pessoas estavam fazendo. Era só um lugar para só uma vida decente. Gostar não tinha nada a ver com isso.

Às vezes ela andava um ou dois quarteirões no meio de agosto apenas para sentir que o deserto resistia, que ele queria tirar aquela coisa ali de cima, a cidade inteira, as construções de adobe e as construções de gesso imitando adobe, os milhares de quilômetros de asfalto remendado, os carros cujos pneus às vezes explodiam, os campos de golfe em constante negação da natureza. E havia uma coisa séria com as cores: elas desbotavam.

Por um longo tempo, Esteban foi a razão de Tamara para ficar. Secretamente, com as luzes certas e a temperatura constante do ar-condicionado, ela imaginava filhos em pequenas cenas do cotidiano. Era o tipo de expectativa que não queria dividir com ele. Esteban com uma menininha no colo lendo para ela sobre um coiote com superpoderes, ou talvez Esteban ali entre os blocos achatados de apartamentos — tudo era achatado em Phoenix —, arremessando uma bola de futebol para um menino tão inseguro e tímido quanto o pai. Pode não ter percebido no início — sim, foi isso mesmo —, mas raras eram as vezes em que Tamara se enxergava nessas cenas, de maneira que um dia se deu conta de que ela não era a mãe daquela fantasia elaborada em diálogos, gestos, roupas, cheiros, e sim a filhinha atenta escutando a história no colo do pai. A partir dali, desmanchou completamente a ideia da família perfeita e, com ela, o tal do futuro delicado que achava que um dia estaria ao seu alcance. O que estava mesmo ao seu alcance? Uma caixinha pintada em tom de areia com um cara legal dentro. E depois claro que ela se culpou por querer mais do que isso, porque já aos trinta e dois estava esperando ficar mais calma, satisfeita, conformada talvez, e no entanto seu fluxo de energia imprevisível a levou a brigas semanais com Esteban, depois brigas diárias e violentas, como se sair dali fosse não uma questão de ter uma única conversa séria, mas de ir apagando as cores progressivamente.

Passando agora por Phoenix a caminho de Bisbee, o segundo dia dirigindo, Tamara não encontra motivo para ir atrás de seu velho apartamento na 43rd Avenue que não seja para comprovar que, em alguma fase da sua vida, ela se agarrou com vontade às coisas erradas. Em uma conversão imprudente, pega uma rampa qualquer da Highway 10 e de repente está dando mais atenção do que gostaria àquele lugar do mundo, reconhecendo cruzamentos e lamentando a quantidade absurda de fast-foods. Depois de alguns minutos de ruas largas e despovoadas, encontra o lugar onde morou. Não mudou muita coisa, mas com certeza a realidade é mais compacta do que suas lembranças. As palmeiras cresceram, deixando os prédios menores, pode ser isso. Parecem canos que vão jogar alguma coisa para o céu. Além disso, alguém decidiu fazer uma poda estranha na única árvore do quarteirão que não é uma dessas palmeiras mirradas.

Olhando para cada construção cor de areia com o carro em ponto morto, todas rigorosamente iguais, Tamara percebe qual foi a intenção primordial daquele projeto arquitetônico: a de erguer pequenas fortalezas à prova de sol. Uma parede recuada e um muro do tamanho de uma pessoa alta criavam um efeito caverna na sala, verdade. Mas em todos aqueles anos, com ou sem Esteban, Tamara nunca reparou que as janelas do quarto eram tão minúsculas, também um pouco recuadas, como aberturas para jogar óleo quente no inimigo que se aproxima. Aquilo a deixa deprimida, tanto o fato em si quanto sua descoberta tardia. Então começa a dirigir de novo na direção da autoestrada e, no caminho, para em um restaurante chinês, uma lojinha em uma dessas plazas, que não estava lá — o restaurante, não a plaza — dez anos atrás. No estacionamento, parece que ela está procurando Esteban no rosto dos outros homens, como se ele estivesse incluído no pacote um-rápido-passeio-pela-sua-vida-em-Phoenix. Nunca mais ouviu falar dele. Não são nem amigos de Facebook. E daí? Devia tentar parar de se explicar através das pessoas do seu passado. Elas não têm a chave, *ela* tem a chave. Com Esteban, fez a burrada de achar que não era mais jovem. Com Sarah e Will, quis ser jovem de novo até não conseguir mais.

Quando vê o primeiro cacto saguaro na estrada, sente que

está em casa, o sudoeste do Arizona, a tão familiar aridez que Tamara nunca acha monótona. Não disse para Sarah que vinha. Não disse para Will tampouco, mas isso já era esperado, eles não se falam há meses, Will é uma pessoa rancorosa de quem ela nunca poderia esperar uma amizade. Algumas horas depois, está em Bisbee. Basta entrar na cidade para ter a impressão de que não passou tanto tempo fora dela. Estaciona o carro e caminha até o prédio de tijolos da esquina. O móbile de penas balança quando ela abre a porta do San Ramón.

"Opa, olha quem tá aqui."

"Oi, Will."

Está bronzeado, daquele jeito não intencional que ela acha atraente; alguém que apenas saiu caminhando e mudou de cor. O cabelo é o mesmo, os óculos são os mesmos, até a camiseta é a mesma, vermelha, com aquele peixe grande retorcido tentando se safar.

"E aí, veio buscar alguma coisa que não podia ser mandada pelo correio?"

"Acho que dá pra dizer assim."

Há uma única mesa ocupada. Claramente um casal de turistas.

"Você roubou uns quadros quando tava indo embora, aliás", ele diz, sem se importar com os clientes, apontando a cabeça para um pedaço de parede vazia.

"Você tem mesmo que chamar desse jeito, Will?"

"Eu não sei, como você quer chamar? Eu chamo as coisas pelo nome que elas têm."

Ela senta em um dos bancos. Ele está atrás do balcão, tentando não olhar para ela.

"Quer me servir uma Avión Añejo?"

Will pega a garrafa sem responder, depois coloca o copo de tequila na frente de Tamara. Beber talvez ajude.

"Brigada."

"Como tá Mendocino?", ele pergunta, ainda como se houvesse nós entre as palavras.

"Ótimo." Ela tenta responder com naturalidade. "Eu amo aquele lugar, é tão bonito e intenso. Eu amo até quando a neblina começa a se aproximar como se fosse uma onda de fumaça, sabe? Acho que dá pra dizer que eu fiz uma boa escolha."

Termina de falar e tem medo de que Will possa ter se ofendido com essa última parte, mas aparentemente mencionar escolhas que não o envolveram não causou nenhum dano maior. Parece até que ele relaxou um pouquinho. Os olhos dele param em Tamara pela primeira vez.

"Você tá plantando maconha?", pergunta sorrindo, e agora sim falando baixo.

"Acho que faço parte dos vinte por cento de pessoas que não estão envolvidas com maconha, se você quer saber."

Ele ri, mas não muito.

"Isso é uma estatística real?"

"Nah. Conhecimento empírico."

Will vai até a mesa dos turistas. Enquanto isso, ela vira a metade da tequila. Percebe que sua garganta se desacostumou.

"Parece até que podia ter sido diferente, sabe?" Ele voltou a ficar parado na frente dela, o balcão entre eles. "Eu e você. Exatamente *eu* e *você* por muito mais tempo, e eu nem tô falando de pra sempre, só por mais tempo mesmo, porra. Você acha que era ruim?"

Livra-se dessas palavras e Tamara tem certeza de que ele está querendo usá-las há meses, sem saber se ia ter uma oportunidade para isso.

"Você sabe que não. Mas de repente eu queria ver o que estava acontecendo fora da gente e tal. O que eu estava perdendo."

"Aham."

"Como é que você pode falar agora como se eu tivesse imposto alguma coisa, Will? Não foi assim que aconteceu."

"Talvez você sempre tenha gostado de mulher, e isso ficou lá no fundo por esse tempo todo até Sarah aparecer aqui."

"Eu nunca gostei de mulher."

"Eu disse *no fundo*. A gente não sabe quando tá *no fundo*. É isso que *no fundo* significa."

"Tá bem, eu entendi, Will."

Mas ele não terminou. Aproxima o rosto de um jeito ostensivo.

"Você não disse que beijou uma vez uma garota no colégio? Sua melhor amiga, Alice qualquer coisa?"

"O.k., agora é a parte então em que você começa a explicar todo o meu comportamento por causa de algo que aconteceu quando eu tinha *doze anos de idade*? Pelo amor de deus, você tá sendo ridículo."

O turista tosse, e Tamara quer se enfiar debaixo da terra.

"É, faz tempo mesmo que eu tô sendo ridículo", responde Will, saindo de detrás do balcão.

Então ela leva alguns segundos para terminar a tequila, levantar do banco e perguntar bem alto: "Onde tá a Sarah?". Ele se vira impressionado, como se não achasse que ela pudesse ir tão longe.

"Em casa. Ela vai ficar feliz em ver você."

Quando se sentiu realmente furiosa, quis dizer que conheceu um brasileiro; que ela adora fazer sexo com ele; que ele é engraçado, perspicaz e, embora não se ache nem um pouco espontâneo, bem, o cara é brasileiro, então parece que dá pra esperar um outro tipo de escala em termos de espontaneidade. Subindo a Brewery Avenue, ela abre a bolsa atrás do celular. Hesita. Acaba discando mesmo sem ter ideia do que vai dizer caso ele atenda. Algo do tipo "Desculpa por ter ido embora desse jeito"? Mas o telefone toca, ninguém responde e, de qualquer maneira, agora ela já está esbaforida, bem na frente da casa, olhando para aquela mão de ferro engraçada que bate na porta com um estrondo.

Não gostou do que Noah disse no telefone sobre o xerife Keene, do qual Arthur nunca tinha ouvido falar. Foi atrás de uma referência visual. Era um cara grisalho com o cabelo arrumado para trás, meio gordo. Dava para imaginar o pente no bolso do uniforme, logo abaixo da estrela dourada. Um bigode robusto, como uma escova de lustrar sapatos, se acomodava sobre seus lábios finos. Levou essa imagem até Comptche e ainda estava com ela na cabeça enquanto Noah enchia de maconha três bolsas de náilon do tipo que se usa para ir à academia. Cada conjunto de sacos plásticos menores, as *turkey bags*, era posto dentro de um grande saco de lixo preto. "Você precisa de camadas, senão o cheiro chega em Petaluma antes de você." Noah espalhou uma dúzia de lenços umedecidos pelo interior das bolsas de náilon. Tudo ficou cheirando a bunda de nenê limpinha.

Keene não era completamente permissivo como o xerife do condado de Humboldt. Nos últimos tempos, o pessoal de Mendocino andava morrendo de inveja dos vizinhos do norte. Eles podiam deitar a cabeça nos seus travesseiros sabendo o que esperar do dia seguinte. Keene, por outro lado, não dava moleza. Invadia propriedades sem mandado. Levava embora as plantas. Pedia dinheiro em troca. Era um tipo de suborno oficializado, que enchia os bolsos da corporação. As pessoas que plantavam em Mendocino sentiam mais medo hoje do que alguns anos atrás, o que parecia uma coisa maluca, levando em conta que o país todo evoluía no sentido de não ver mais a maconha como algo tão ruim. E aquele lugar ali, poxa vida, aquele lugar tinha toda uma história da qual se orgulhar.

Noah ia contando isso para Arthur, que já não sabia se queria ouvir tantos detalhes sobre o modus operandi das autoridades locais. Não naquele momento, pelo menos. Encarou Noah, tentando mostrar algum tipo de contrariedade. Noah estava pendurando um odorizante no espelho retrovisor. A pequena árvore de Natal ficou balançando.

"Porta-malas. Eles só podem revistar o seu carro se trouxerem um K9."

"K9?"

"Um cão farejador. Roupa bonita, hein."

Arthur havia colocado uma de suas roupas antigas e comportadas: camisa azul-clara, suéter creme, jeans e aquela coisa com o nome constrangedor de sapatênis. Não sabia bem o que estava parecendo, mas tinha a sensação de que, combinado com umas folhas secas em um campus universitário com tijolinhos vermelhos, ele tinha tudo para aparecer em um catálogo da Tommy Hilfiger.

Andaram até o porta-malas do Prius e colocaram as bolsas lá dentro. Na verdade, ainda dava para sentir um pouco das partículas açucaradas no ar. Talvez fosse impossível perceber o cheiro com o porta-malas fechado, quer dizer, sem ter que chamar o tal K9, e o fato era que eles não podiam segurá-lo sem motivo enquanto esperavam pelo cão. Precisavam de uma justificativa

— infração de trânsito, baseado aparente, qualquer coisa — e precisavam de um cão. Tudo bem, não ia acontecer. Noah deu dois tapas no ombro de Arthur e disse "te vejo de noite".

Ele pegou a Flynn Creek Road depois. Na estrada vazia, a situação começou a parecer patética e desnecessária. Tanto risco por um pouco de aventura? Tinha um passaporte brasileiro. O carro não estava no nome dele. O xerife local era um proibicionista no maior centro de produção de maconha do país. Não havia nada que ele pudesse aprender, no sentido mais restrito do termo, em uma viagem como mula. Melhor seria ter aberto mais um livro de botânica. Melhor seria ter visto Noah trabalhar por mais uma tarde. Além do mais, Arthur não precisava desesperadamente do dinheiro. E por que Sylvia tinha emprestado o carro? Por *setecentos* dólares? Aquilo parecia absurdo.

Meia hora depois, chega na intersecção e dobra na Highway 128 rumo ao leste. Está se sentindo um pouco mais calmo agora, como alguém que se perdoou. É um pedaço bonito de estrada, com zonas de floresta densa onde o sol cria feixes luminosos dramáticos. Às vezes, um carro passa na direção oposta. Pensa em Sylvia de novo. Um pequeno enigma como todos nós. Pareceu tão fácil convencê-la sobre o empréstimo do Toyota. Tem a impressão de que não foi o dinheiro, mas alguma coisa que ela precisava ver palpitar dentro de si mesma. Ele ri. Está se sentindo um hippie, e o reconhecimento disso ainda o deixa atordoado, de uma maneira boa. Quer ligar o som, cantar algum rock clássico e fingir que não tem três sacolas cheias de maconha no porta-malas, mas o aparelho não está conseguindo ler o seu pen-drive. Pelo espelho retrovisor, vê uma picape se aproximando. Não se trata exatamente de um imprevisto, carros vão aparecer atrás dele e ele vai precisar lidar com o fato de que aquela é uma estrada curva de uma única pista em que pouquíssimas vezes, talvez nunca, a linha amarela se torna descontínua; a maioria das ultrapassagens portanto acontece porque as pessoas são simpáticas, dão sinal e saem da pista. Não há acostamento.

Por alguns instantes, Arthur apenas mantém a velocidade, sendo acompanhado de perto pelo motorista impaciente. O único talento que uma mula precisa ter é o de não chamar atenção, e parece que ele está falhando nisso. Quando decide parar, ainda leva um tempo para achar um lugar adequado. Não ali. Não ali. Não ali. Ali sim. Dá o sinal. O carro de Sylvia trepida ao sair do asfalto. De frente para uma dupla de sequoias centenárias agora, o tronco com aquela textura muscular, Arthur sorri como se tivesse resolvido um problema, mas então olha para trás e percebe que a picape desapareceu.

Tem um breve momento de pânico. A quietude da floresta é só a deixa para alguma coisa que vai começar a se mexer, no chão de camadas e camadas de agulhas secas, por entre as árvores, atrás do grande cepo queimado. Olha para trás mais uma vez. A picape sumiu em uma área em que não há estradas secundárias levando a propriedades, o que significa que deve ter parado na beira da estrada um pouco antes de ele fazer o mesmo. Mas por quê? Às vezes vê carros assim, encaixados entre as árvores. Às vezes olha para dentro e não há motorista.

Pega o celular. Sem sinal. Ele se dá conta de que vai chamar atenção ali parado como esses carros inexplicáveis chamam atenção quando Arthur os vê, cogitando transações escusas, desova de corpos ou qualquer outra coisa envolvendo malas, pistolas e pás. Sai dali e logo está em uma velocidade constante e aceitável. Antes de passar pela pequena cidade de Boonville, cruza com um caminhão transportando troncos e mais uns doze ou quinze carros, que felizmente não o deixam tenso como o primeiro mesmo quando é preciso parar para lhes dar passagem.

Boonville lembra a feira do condado, e a feira do condado lembra Tamara. Tamara lembra da vontade dele de contar sobre as bolsas de náilon. Ninguém no mundo, além de Sylvia e Noah, duas pessoas diretamente implicadas no negócio, sabe onde ele está agora e o que está prestes a fazer. Vai acabar como Marina Nunes, ele pensa. Então disca para Fabrício e aciona o viva-voz.

"Arthur?"

"E aí, meu?"

"Não tem internet nesse buraco aí? Porra, a gente fica com saudade."

Diminui a velocidade porque sabe que logo vai perder o sinal da AT&T.

"Eu sei. Também fico."

"O que é que tu me conta, hein?"

A voz de Fabrício enche o carro com o sobe e desce do sotaque porto-alegrense. Nunca tentou aplicar no melhor amigo a lorota a respeito de Berkeley, mas foi bastante vago sobre o que estava indo fazer no norte da Califórnia. A empolgação de Fabrício teria sido incontrolável.

"Eu preciso de um favor, tu pode anotar uma coisa aí? Eu tô indo pra uma cidade chamada Petaluma e eu vou passar no Motel 6. Motel 6 de Pe-ta-lu-ma. Vou chegar lá pelas quatro, horário local."

"Pera aí, por que tu tá me dizendo isso? O que tá acontecendo, Arthur?"

"Não tá acontecendo nada. Eu só queria que tu anotasse essas coisas caso algo comece a acontecer, tá pegando caneta?"

"Tô pegando, tô pegando. Tô apavorado agora, meu. Em que merda tu te meteu de novo? Por que tu não me manda isso por mensagem?"

"Mensagem não dá, Fabrício. Motel 6 de Petaluma. Anotou?"

"Sim. Mas tu tem que me explicar o que—"

"Se eu não falar contigo até amanhã de manhã, umas dez,

onze, hora do Brasil, conversa com um cara chamado Noah que tá no meu Facebook. N-O-A-H."

"Arthur, puta que pariu."

"A placa do carro que eu tô dirigindo é 5GKZ280."

"G de gato?"

"G de gato, K de Kátia, Z de zebra."

A conversa é interrompida pela queda do sinal. Tudo bem, não tinha mesmo mais nada para falar. Está agora no vale. Casinhas e rebanhos e celeiros vermelhos que lembram paisagens de quebra-cabeça. Passa pelo dinossauro de ferro, erguido a alguns metros do chão para fazer companhia ao letreiro de uma loja de pedras. Gosta daquele dinossauro, com os braços curtos e a mandíbula aberta.

O homem que ele vai encontrar se chama Larry. Viu uma foto de Larry. Seu rosto é perfurado pelas cicatrizes de velhas espinhas e, infelizmente, o cara não tem muita barba. A boca aberta deixa à mostra dentes acavalados que lutam por espaço, o nariz é fino e as orelhas, pequenas. Mostraram a foto de Larry para que outra pessoa não pudesse se passar por ele. Libby parecia, pela primeira vez, frágil e insegura. Se o sujeito dentro do quarto do Motel 6 estivesse armado, Arthur estava pensando dentro da cabana em Comptche, tanto fazia ele ser Larry ou qualquer outra pessoa: ele só ia entregar as malas e cair fora de lá o mais rápido possível e com as mãos abanando.

Mas não adianta nada, neste momento, remoer as coisas negativas que pensou no dia anterior. Quando entra finalmente na 101, é como se alguma válvula do seu organismo tivesse se consertado sozinha. Está no condado de Sonoma, embora não saiba exatamente o que isso quer dizer — além de que está fora da jurisdição do xerife Keene —, mas o importante é que, quanto mais gente, mais anonimato, apenas mais um carro em todo aquele fluxo de mulas escoando a maconha do norte, de turistas degustando pinot noir, de pessoas indo visitar parentes, de famílias cuidadosas com motor homes metálicos que refletem as nuvens e o céu. O telefone começa a tocar. Uma, duas vezes.

Tamara. Mas não é hora, de jeito nenhum, de atender a garota por quem ele está apaixonado.

Dusk teria, nos velhos tempos, ficado nervoso com a viatura do xerife. Está parada no encontro da Highway 1 com a Albion Ridge Road, como se eles estivessem mantendo um olho bem aberto em todos que passam por ali. Não parece uma ideia ruim, uma vez que aquela é a única maneira de entrar ou sair do novelo de estradas que é Albion.

O carro brilha sob o sol intenso, com suas letras verdes e pretas nas laterais. Deve estar lá por causa da garota desaparecida, que morava em uma cabana na estrada J ou K, pelo que Dusk leu outro dia no jornal. Triste, com certeza, mas ao menos ele não tem nada com isso, ainda que não consiga até hoje evitar certos cuidados mínimos, como se fosse ser para sempre algum tipo de pessoa indesejável. Diminui a velocidade e faz a curva do jeito que alguém faria se estivesse sendo avaliado em um teste de direção, passando bem devagar pela viatura a ponto de reconhecer vagamente o garoto loiro lá de dentro e de acenar com a cabeça como quem diz "Que bom que você está zelando por nossa comunidade". Acha que dá para chamar isso de cinismo.

Já tinha sido diferente, bem diferente. Nos velhos tempos. A vontade que ele sentia, em 1971, era a de cuspir na cara de cada homem que estava dentro de um uniforme. Chegou naquele lugar com um entusiasmo virgem, quase sagrado, ele e um monte de outros hippies que começaram a construir barracos bambos no meio da floresta, a floresta que era de todos e que não era de ninguém. Achou um cepo de sequoia vermelha tão grande quanto um pequeno quarto, fez daquilo a base para uma cabana e até que ficou bem confortável, para ele e para a garota que, naquele verão fundador do resto da sua vida, se chamava Joan. "Se todas as mulheres fossem como Joan!", ele pensava na época, embora não tivesse certeza de qual seria sua vantagem nisso; se todas as mulheres fossem como Joan, então todos os homens haveriam de ser exatamente como Tom Robbins.

Na manhã de domingo em que tudo aconteceu, ele e Joan estavam dormindo em sua casa-cepo de alguns milhares de anos. Aquelas árvores, como espécie, tinham quase conhecido os dinossauros, apareceram no mundo antes das flores, dos pássaros e das aranhas, foi o que Joan disse uma noite para ele, passando a informação contada por um biólogo que tocava violão com a mão esquerda e que tinha largado um bom emprego em Palo Alto. Dusk ouviu um barulho lá fora e de repente alguém gritou "saiam com as mãos para cima!". Quando ele saiu de fato, viu que aquilo não era a piada que tinha parecido no início: ao seu redor, havia uma força tarefa de centenas de homens enfiando as botas na maciez da matéria orgânica, tanto agentes locais quanto federais, seguindo a ordem estrita de retirar todos os indivíduos daquela área. Disseram que o lugar pertencia "ao povo da Califórnia", mas ele não ia, com aquelas armas apontadas na sua direção, entrar em uma discussão interpretativa sobre essa frase. Joan estava colocando alguma coisa sobre aquele seu corpo nu absurdo, e então saiu da barraca em silêncio. Um pouco mais distante, enfileirado e obediente, estava um bando de gente pobre que tinha sido posta em um ônibus no pátio de alguma prisão estadual. Seguravam martelos e pés de cabra. Adeus, casa-cepo. Adeus, Joan, a bela.

Poucos meses depois dessa confusão toda, já em 1972, Dusk estava morando no galinheiro de um austríaco comunista que usava um tapa-olho e tinha um problema sério na coluna. Uma boa pessoa. Ele tinha ensinado aos garotos um monte de coisas sobre a vida no meio do mato, talvez porque achasse que aquele movimento, que depois ficou conhecido como *back-to-the-land* — não o único do século XX —, podia ter, no fundo, uma base socialista. Chamavam aquilo de Comunidade da Merda de Galinha. Um dia, algum dos garotos decidiu preparar uns coquetéis molotov cujo alvo seria a subestação do escritório do xerife, em Willits. Não era para ninguém se machucar, era só um ato de resistência em homenagem a todos aqueles que tinham sido expulsos da Jackson Forest no ano anterior e da praia do Big River naquele mesmo ano. Duas da manhã. Dirigiam pela Highway 20 com um farol queimado quando a polícia rodoviária fez com que parassem o carro. Os coquetéis molotov estavam rolando no banco traseiro. Não precisaram dizer mais nada.

Depois vieram as apreensões. 1985. 1987. 1998. Maconha, maconha, maconha. Quinze plantas em um lugar nas montanhas, que pertencia à Georgia-Pacific Corporation. Um jardinzinho em terras públicas. Toda a colheita na propriedade de Ten Mile Road, onde ele ainda vive e onde provavelmente vai morrer.

Afasta essa ideia acelerando o carro. A velha picape balança na frente da caixa-d'água de madeira dos bombeiros, um monstro de prontidão para conter desastres, mas Dusk continua naquele ritmo enquanto tenta adivinhar em que estradinha de terra os caras do FBI podem ter entrado, J, K ou L? Ouviu boatos ontem à noite. Dois homens de terno estariam tomando café da manhã no Mendocino Hotel e, pelo que se sabia, não havia nenhum casamento na cidade. Parecia bem consistente. Mas, de novo: aquilo não é problema dele, por mais que ele torça, claro, para que a garota esteja bem. Seu problema é outro, talvez medo, nostalgia? Por que mesmo ele acredita agora que o melhor emprego que teve em toda a vida foi como zelador de um restaurante na costa? Era a cabeça dele que estava fazendo aquilo, esses pequenos truques escandalosos? Dobra à direita, dirige mais uns cinco minutos, e então toma o caminho estreito à esquerda. Estaciona quando chega ao fim. Sem o barulho do motor, o mundo volta a um estado primitivo que deixa Dusk um pouco mais confortável. Desce do carro, caminha alguns passos e para. Dali, consegue ver um pedaço da Fish Rock Farm, a parte oeste da propriedade, o lugar perfeito para enxergar sua cabana tinindo de nova em 1973, sua cabana com uma peça a mais em 1984, sua cabana toda deitada para um lado e com a chaminé caída em 2005. Não há mais cabana coisa nenhuma. Do alto do seu conhecimento em engenharia e ciências da terra, Hans Velachio havia concluído que aquela construção não podia ser salva.

No entanto, a antiga torre de Ted Mountain Lion e Richard Manzanita fora restaurada com uma fidelidade surpreendente. Dusk consegue ver apenas sua parte mais alta agora, pois as árvores da propriedade cresceram bastante nos últimos vinte anos. Se Hans não for capaz de domar aquilo, ele pensa, passando por um tronco queimado que é uma verdadeira escultura, em pouco tempo a natureza vai tomar tudo de volta, o que, sendo bem sincero, lhe parece muito mais aceitável do que a nova comunidade de artistas.

Continua caminhando e logo não tem mais certeza se invadiu a propriedade de Hans ou não, embora esteja sem dúvida invadindo *alguma* propriedade, por uma razão pura e simples que pode ser a de conseguir ver melhor, ou por duas razões que podem ser a já citada acrescida do desejo — o qual ele jamais confessaria — de intimidar Velachio. Para isso, mais do que ver, Dusk precisa ser visto. Começa então a subir um pedaço íngreme do terreno e só olha para trás quando chega lá em cima. Lá está a cabana principal em um dia excepcional de sol, onde por tantos anos eles fizeram as refeições coletivas e as confusas reuniões de domingo, agora com porta e janelas novas. Lá está o barracão para estocar lenha, ainda de pé por milagre. O quanto podia doer no fiasquento do Hans a visita de um velho morador? Parece que o moço estava *ocupado demais* na semana passada para recebê-lo. Lá está uma espécie de jardim cujo limite é um círculo de concreto. Lá está Hans agachado, mexendo no jardim.

Quando fica de pé, parece olhar na direção de Dusk. Limpa as mãos e tira alguma coisa do bolso da camisa. Os óculos. Aquele velho hippie está completamente imóvel e sério, com um moletom liso cor de gema de ovo, como sempre, uma interferência no meio das linhas verticais da floresta. É bem patético e desnecessário. Não entende o que ele está fazendo ali. Depois de alguns instantes daquilo, Hans vai embora empurrando um carrinho de mão.

"Dusk, é você? Eu não acredito, o que você tá fazendo aqui, rapaz?"

A voz veio de detrás dele. Ele se vira. Tom Robbins. Devia ter desconfiado. Está na propriedade de Tom, claro, mais precisamente ao lado do reservatório d'água que se conecta à Fish Rock Farm — Hans precisava de um terreno alto —, um acordo de cavalheiros que mostra o quanto os dois vizinhos estão se dando bem.

"Oi, Tom."

Pintou o cabelo. Ele sempre havia sido vaidoso, mesmo quando tudo que tinha eram quatro peças de roupa guardadas em uma mochila furada. Indo contra a corrente dos tristes destinos capilares da maioria dos homens, toda aquela sua cabeleira dos vinte anos, com o velho topete e tudo, ainda está lá, intacta. No entanto, sua falta de sintonia com o corpo envelhecido parece criar o ridículo efeito de uma peruca. Melhor seria ter achado outra solução.

"Poxa, já faz um tempo, né? Eu só não imaginava que ia ser assim." Ele ri, meio desconfiado. "Você podia chegar pela porta da frente, amigo. Isso é invasão, eu quase morri de susto. Meu deus, qual foi a última vez que a gente se viu?"

"Na assinatura do contrato."

"Isso mesmo."

Tom sorri. Ainda é um sorriso bonito.

"Então, Dusk, quer um chá gelado? Vem, você deve ter tempo, eu tenho tempo. A Carolyn tá na cidade."

Carolyn é a esposa dele, que apareceu algum tempo depois de ele ter deixado a Fish Rock Farm. Difícil dizer que influência ela teve na transformação de Tom, mas de uma hora para outra eles estavam vestidos com camisas havaianas no cartão de Natal, segurando nos braços um bebê que mal abria os olhos. Foi um choque e tanto. Como ele ganhou dinheiro? Talvez já fosse da família dela, ninguém sabia direito. Dusk e o ex-companheiro de comunidade caminham lado a lado agora sem dizer nada. Parece enorme, a propriedade. Tom deixou vários hectares de mato fechado, mas limpou todo o terreno em frente à grande casa. Há ali um desses bancos-balanço, com uma trepadeira escalando a estrutura. Perto de duas cerejeiras, Tom também colocou uma rede verde e branca, do tipo que vem com um suporte de chão. Ninguém tem aquelas coisas. É muita vontade de ficar se balançando. Dusk se sente na porra do jardim do Monet. Espera em uma mesa redonda de vidro no deque da casa enquanto Tom entra para preparar os chás. Uns quinze bonsais estão dispostos em uma estrutura de madeira escalonada, e ele se lembra vagamente de ter ouvido Tom falar, um dia, sobre os encontros de cultivadores de bonsais. Na cozinha, Tom Robbins abre a geladeira, depois um armário. Então Dusk ouve a cascata antes de vê-la. Está ali do seu lado. É uma coisa inútil com uma bola de cristal rosada no centro. A água desce, a bola gira.

"Eu trouxe isso de longe", Tom diz, olhando para a cascata. Larga os copos altos na mesa. "Bali. Uma viagem que a gente fez."

"Imagino."

"Quer fumar?"

"Ué, por que não?"

Tira de algum lugar uma caixinha com beques já enrolados. Há nomes escritos neles com caneta azul.

"O que é isso, você escreve as *strains* aí?"

"Claro, de que outro jeito eu vou saber o que é o quê?"

Eles riem.

"Blue Dream, talvez?", Tom pergunta.

"Eu gosto dessa."

Ele acende o beque com um fósforo.

"Então, vai me contar o que tava fazendo ali perto do reservatório? Tem lugares mais bonitos em Albion, você sabe."

"Tom, eu não tinha nenhuma intenção de invadir sua propriedade", Dusk fala, depois dá uma tragada. O outro se mexe na cadeira, como se algum ossinho precisasse de uma trégua. Depois passa a mão no cabelo. Uma ostentação desnecessária.

"Eu sei que você não gosta do Hans, como você não gosta da minha cascata, Dusk, tudo bem. Mas o garoto tá se esforçando, e ele aprende rápido, mais rápido do que a gente aprendeu naquele tempo com o austríaco caolho."

"Eu não disse que não gostava da sua cascata."

"Eu não disse que você disse, eu disse que eu *sei*. Eu sempre fui muito intuitivo."

Tom Robbins. Ele tinha começado a transar com Joan depois da operação da polícia na Jackson Forest naquele domingo de manhã. Dusk não ficou para ver a casa-cepo ser demolida, mas voltou para ver o cepo, apenas o cepo, duas vezes naquele ano.

"Sim, talvez eu não vá muito com a cara do garoto, e daí?" Ele se dá conta de que está chamando um homem de quarenta e tantos anos de garoto. "O cara. Eu não gosto dele, pronto. Eu fiz tudo o que eu podia, eu assinei o contrato porque todos vocês esperavam que eu fizesse isso, eu não queria prejudicar ninguém, mas não sou obrigado a gostar dele, sou? Você sabia que ele tá alugando as cabanas pra turistas num troço chamado Airbnb? Eu li sobre esse tal de Airbnb na internet. Te garanto que não é coisa boa."

"Eu sei o que é Airbnb", Tom diz, sério.

"Então você sabe que não é coisa boa. Eles estão fazendo os preços dos aluguéis subir nas cidades, San Francisco não sabe o que fazer, Nova York, alguns lugares na Europa também."

Tom bebe um longo gole de chá gelado, depois aponta para algo atrás de Dusk.

"Eu coloquei aquela cabana pra alugar no Airbnb."

Mas Dusk nem se vira.

"Devia ter uma legislação. Não tem nada. Eu pensei em ir conversar sobre isso com o conselho da cidade."

"Você tá falando como um dono de hotel. Um empresário. Você é dono de algum hotel por aqui?"

"Ah, qual é, Tom."

"Sério. É tão engraçado ouvir você defender a lei."

Eles ficam em silêncio. Dusk se obriga a tocar no chá. Talvez ele tenha razão. De algum ponto de vista, pode parecer engraçado.

"Você sabe alguma coisa da Joan?", finalmente pergunta.

"Que Joan?"

"Comunidade da Merda de Galinha."

"Ah! Joan, que cantava quase tão bem quanto Joni Mitchell? Olhos verdes? Sim, eu lembro dela."

"Essa Joan."

"Eu não sei, você sabe?"

"Nah."

"Eu acho que ela foi pra Crescent City."

"Talvez."

"Com um cara. Mas isso faz tanto tempo."

"Faz mesmo."

Mais um silêncio. Não chega a ser incômodo. Dusk fica ouvindo o barulho da água correndo, mas não quer olhar para a cascata da bola giratória.

"O que você diria se eu te dissesse que o melhor emprego que eu tive na vida inteira foi naquele restaurante, o Seagull?", Dusk pergunta. "Eu limpava o lugar no fim do expediente três vezes por semana. Às vezes tinha uma lâmpada para trocar ou algo assim. A comida era boa e eles me davam as sobras, que eu levava pra casa e comia às vezes lendo uns poemas do Cummings. Outras vezes Joan jantava comigo. Nunca vi alguém gostar tanto de massa."

"Eu diria que você é louco. O restaurante pegou fogo depois."

"É, isso foi bem triste."

Tom tenta tragar mais uma vez, mas o baseado apagou. Procura os fósforos.

"Eu tenho um isqueiro aqui", diz Dusk, e então tira do bolso seu isqueiro vermelho, que está junto com as chaves da casa de Tamara, na verdade as chaves da casa de um cara chamado Jimmy Pitelkow, o qual ele nunca teve o prazer de conhecer. Ainda. Não sabe por que, mas, em vez de colocar o chaveiro de volta no bolso, fica com as duas coisas na mão, até finalmente alcançar o isqueiro para Tom.

"O que é isso que você tem aí?", ele pergunta, acendendo o beque e puxando a fumaça duas vezes.

Será que ele colocou aquela isca de propósito? O chaveiro é um unicórnio com um chifre arco-íris.

"Ah, só as chaves da casa da minha filha."

"Você nunca me disse que tinha uma filha."

"É porque é uma coisa nova. Quer dizer, não a filha. A relação com ela. Você lembra aquela vez que eu passei um tempo no sul do Arizona? Bisbee?"

"Uau, isso faz muito tempo, Dusk."

"Ela tem 42 anos."

"Puxa vida."

"Eu não queria filhos naquela época."

"Eu sei, eu lembro disso."

"E depois a mãe dela passou a me odiar, quer dizer, foi sempre difícil. Ela era uma mulher difícil. Eu podia ter insistido mais. Mas o que eu ia fazer, ficar recebendo cartas da minha filha por trinta anos? A cada carta, minha filha seria uma pessoa completamente diferente, e todas elas estranhas pra mim. Além do mais, eu nem saberia o que escrever de volta."

"Eu te amo?"

"Você sempre foi tão sentimental, Tom."

O beque virou uma coisinha difícil de segurar. Dusk o abandona sobre a mesa de vidro.

"Eu só não posso acreditar que você ainda tem tanto cabelo. Que tipo de acordo você fez com a Mãe Natureza?"

"É só genética", responde Tom, com falsa modéstia.

"A genética dos outros sempre diz 'você será careca no futuro'."

Tom ri.

"Você ainda tem cabelo, Dusk."

"Algum cabelo, não mais do que isso. Podia ser pior, eu sei."

É no quarto 119 que Arthur precisa fazer a troca. Dá sinal e entra no estacionamento do motel, um prédio alongado com aquele típico corredor sujeito às intempéries no segundo andar. Parece que as portas azuis foram recém-pintadas. Estão brilhando no sol espaçoso e narcisista do Oeste. Não há muitos carros parados ali, menos que dez, dos quais a metade é de algum tipo de camionete. Uma camareira arrasta o carrinho da limpeza pela sombra. Ele vai ser uma dessas pessoas fazendo o que não devia em quartos de motel, o que ainda é difícil de acreditar. Um professor, caralho, de uma familiazinha latino-americana privilegiada. Para em uma vaga na extremidade, próxima à rodovia, resíduo pré-histórico de um comportamento de caçador: ver sem ser visto, sair correndo se for preciso. Quando abre o porta-malas do Toyota emprestado, ainda não faz a menor ideia de onde fica o quarto 119 e portanto o quanto vai ter que caminhar naquela pradaria morta com as três sacolas recheadas de maconha. Pode ter avaliado mal a situação.

Acontece que, infelizmente, fica mesmo na outra ponta.

Anda e tudo bem até ali, ele parece apenas um viajante solitário chegando para descansar um pouco, tanto faz se com mala de rodinha ou sacolas de náilon, uma questão de personalidade mais do que de qualquer outra coisa, o viajante que precisa levar, de algum jeito, a banalidade de sempre, roupas, um chinelo, miniaturas de produtos de higiene, algum objeto afetivo sem qualquer valor monetário. Vê um casal entrando na recepção, mas isso não chega a ser um problema. Depois, não cruza com mais ninguém. Se pudesse ao menos olhar o que há por trás de todas as portas! Mais tristeza do que a gente pode imaginar. Quarto 117, quarto 118, as alças da bolsa são lixa nas mãos de um calista sádico. Quarto 119. Bate. Nem tão forte, nem tão fraco. Tudo que escuta enquanto espera é o ruído branco da autoestrada. Sua mãe não estaria orgulhosa dele, seu pai não estaria orgulhoso, e na verdade ele gosta de pensar nisso. Bate de novo, um pouco mais forte. Só aquela porta laqueada de azul, irredutível.

"Tá precisando de ajuda?"

Ele se vira, sabendo que pelo menos é uma voz feminina, mas ainda assim assustado. O carrinho da limpeza está na frente do corpo dela, então ela é uma cabeça latina de cabelos escuros e olhos que não parecem confiar muito nos outros.

"Tá tudo bem, brigado."

Sai de trás do carrinho mesmo assim e observa Arthur e a porta, como se houvesse algo para concluir a partir disso.

"Você perdeu?"

"Se eu perdi?"

"A chave, o cartão."

"Ah, não, não. Tá tudo bem. Eu só preciso dar uma ligada pro meu amigo aqui", e daí ele está no meio do falso movimento de tirar o celular do bolso quando a porta finalmente se abre.

"Oi."

"Oi."

Se segura a tempo e evita um "Oi, Larry".

"Ei, aí tá seu amigo", a camareira diz, com o sorriso meio incompleto das longas jornadas de trabalho. "Bom dia pra vocês."

"Igualmente."

Ela sai empurrando o carrinho. Alguma coisa antimofo desaba sobre os outros produtos, mas ela não dá bola e continua.

A porta se fecha e agora é o lado de dentro. Há uma mísera luminária retangular acesa acima da cama. Larry se senta em uma cadeira que é uma folha de compensado cortada no formato de gota invertida. Arthur faz o mesmo. Larga as sacolas sobre o piso laminado, bem ao alcance da mão esquerda. Se ressente de que não seja carpete.

"Você precisa mesmo falar com todas as mulheres que vê pela frente?"

Arthur olha para ele. Tem a cara que a foto previu: areia mijada mal escondida por uma barba pouco densa, olhos pequenos, nariz fino tubular, queixo projetado para a frente. Não é velho. Talvez uns quarenta anos e uma visita ao dentista a cada década.

"*Ela* veio falar comigo. Isso porque você demorou uma eternidade pra abrir a porta."

"Eu tava no banheiro, com licença."

Arthur não diz nada. Quer só sair dali o quanto antes. Sobre a mesa, há uma balança, uma caixa de som pequena e o cardápio colorido demais de algum lugar que entrega pizzas.

"Quando o seu intestino começa a gritar, você faz o quê?", Larry diz, e então aperta um botãozinho na caixa. Começam a ouvir "Brown Sugar", dos Rolling Stones, em um volume desnecessariamente alto. Para fugir dos olhos de Larry, Arthur encara o fundo do quarto. A porta do banheiro está entreaberta e há luz lá dentro, o que de repente dá um impulso para a ideia da emboscada. E se houver uma terceira pessoa ali, apenas esperando algum tipo de sinal, uma frase sem sentido no meio da conversa? Não quer pensar muito nisso.

"Tudo bem. A gente pode só resolver isso logo?", Arthur diz, encostando a ponta dos dedos na sacola com o logotipo da Adidas. "E será que dá pra baixar a música um pouco?"

"Não, não dá.", ele diz, sério.

Larry se levanta. Faz a porta do armário correr e tira de lá sua sacola de náilon. Não dá para adivinhar se ele tem alguma coisa na cintura. Quando se senta de novo, coloca a sacola sobre a mesa. Abre o zíper. Lá estão os maços de notas de cem dólares, em pacotes selados a vácuo.

"Vamos ver o que você trouxe aí pra mim", diz.

Por um momento, o ato de mostrar uma coisa e depois outra parece algo risível. Arthur viu filmes demais e leu livros demais para acreditar que aquilo acontece mesmo daquela maneira. Abre a mala, consciente de cada músculo que está envolvido nesse movimento, pega um dos sacos gordos de maconha e o estende a Larry. A sensação de déjà-vu continua irradiando pelo quarto do motel. "Sway" começa a tocar. Sim, alguém está cheirando, pesando e examinando o produto com uma lupa bem na sua frente, saco por saco, Larry que ele nem sabe se se chama mesmo Larry, e no entanto a voz de Mick Jagger moço se encaixaria melhor em uma festinha de quinze anos no salão de um desses clubes da Zona Sul de Porto Alegre, que ele frequentou porque as pessoas o convidavam sem realmente se importarem se ele iria ou não, e daí ele ia, ele ia com certeza sentar na beira da piscina mal iluminada, tirar os tênis, enrolar as calças, enfiar os pés na água congelante enquanto ao longe a música tocava e as silhuetas se mexiam sem muita coordenação.

"Vocês plantaram da semente, foi o que eu ouvi falar? Nada de clones?"

Larry está ninando quatro camarões na palma da mão direita.

"Sim, foi isso."

"*Old school*, hein?"

"Ela é hippie. A coisa original."

Verdade que ele estava sendo um pouco cínico. Nunca ia dizer isso para Larry, mas achava, hoje em dia, uma loucura começar da semente. O problema nem era o tempo que se perdia para que as plantas chegassem ao mesmo tamanho das mudinhas que você podia comprar por cinco dólares cada uma em algum lugar perto de Willits; o problema era que, tão logo fosse possível reconhecer o sexo das plantas, o cultivador tinha o trabalho de exterminar todos os machos, o que significava ficar com cerca da metade do que tinha sido plantado. Além disso, havia o risco de um macho sobrar e acabar polinizando as fêmeas. Isso arruinaria toda a plantação. Quem plantava a partir da semente o fazia porque estava acostumado — era assim nos anos 70, por que mudar agora? —, mas, mais do que isso, aqueles que abriam buracos na terra e semeavam e cobriam os buracos de novo tinham a convicção de que essa era a forma mais correta e respeitosa de tratar a natureza. Cada pé de maconha seria único. A diversidade genética era um descontrole que precisava ser aceito, e não combatido, foi o que Libby afirmou em uma noite em que estava estranhamente falante, diversidade genética, surpresa, respeito, aquele sapo que sempre coaxava lá no mato e então ela tirou um livro da estante porque queria dizer que o agronegócio estava acabando com a diversidade da flora. Arthur, ainda assim, achava loucura plantar maconha a partir de sementes. Só tinha feito isso com as bolinhas enviadas por Fabrício dentro de um exemplar de *O jogo da amarelinha* porque, no Brasil, não havia outra maneira de começar.

"Agora você me alcança o resto", Larry diz, parecendo especialmente empolgado com a tarefa.

"Tá bom."

Ele só queria que Larry tivesse se lembrado de apagar a luz do banheiro. De qualquer maneira, talvez já seja tarde demais para alguma coisa dar errado. Rasga o primeiro saco de notas e começa a contar.

"Você tem um pouco de sotaque, de onde você é?"

"Do Brasil."

"Ah, Brasil! Eu fui pro Brasil uma vez. Bahia. Me apaixonei por uma mulher."

"Posso imaginar."

Arthur se perde e recomeça a contagem.

"Isso foi no segundo dia e eu não queria saber de mais nada. Ela não falava inglês. Tinha um corpão e uma voz que, Jesus Cristo. Eu não entendia uma porra de uma palavra, mas, cara, eu pedia pra que ela ficasse falando e falando enquanto eu passava a mão nela todinha. A Bahia para mim foi só um calor dos infernos e aquela mulher. Você vai voltar pro Brasil?"

"Eu ainda tenho um tempo para pensar sobre isso."

"Sei. Na época, eu só tinha um fiozinho de autoestima, sabe como é? E um casamento de merda. Angela tava na casa dos pais em Vermont porque a velha não conseguia nem se mexer depois do derrame que teve. E eu fui embora com o pessoal da excursão quando os doze dias terminaram, sem aquela fitinha dos desejos."

"E depois?"

"A mãe da Angela morreu. Eu ainda tenho o casamento de merda. Mais merda do que a merda que era em 2007. Quantos desejos você faz com aquela fitinha, um ou três?"

"Olha só, não leva a mal, mas eu preciso mesmo terminar isso daqui, o.k.?"

Está com o segundo maço de sabe-se lá mais quantos, ele nunca foi bom em matemática. Já se desconcentrou e perdeu a conta algumas vezes. Além disso, ficou esperando que um homem armado aparecesse bem ali na frente deles depois de Larry pronunciar as palavras derrame, Vermont e berimbau. Acha que foi pela ênfase. Também um pouco porque pareciam estranhas e desnecessárias.

"Tudo bem, tudo bem, eu vou ficar quieto."

Eles ficam quietos mesmo. Ele conta exatos oitenta e quatro mil dólares em notas de cem, nenhum a mais ou a menos. Os Rolling Stones estão tocando pela terceira vez um dos álbuns mais importantes de 1971 quando ele fecha o zíper da sacola, olha uma última vez para a cara furada de Larry e bate a porta do quarto.

O lugar está tão parado quanto estava duas horas atrás. Já acenderam as luzes à espera da noite. Atravessa o estacionamento tentando comparar o peso das notas com o peso da maconha, depois os problemas que a maconha lhe causaria com os problemas que as notas lhe causariam, no infeliz caso de ele ser parado pela polícia. Naquela altura, no entanto, esses pensamentos parecem mais um exercício mental do que uma preocupação de verdade. Abre o porta-malas, coloca o dinheiro lá dentro e começa o caminho de volta. Uma hora e meia depois, quando chega na simpática Boonville, uma linha curta e colorida de comércio pouco visitado, encosta na frente da sorveteria. Escreve uma mensagem para Fabrício dizendo que tudo deu certo e volta a dirigir. Não sabe de onde veio tanta confiança. Olha para Boonville, para a maneira como a cidade desaparece quando o último lugar de degustação de vinhos fica para trás, sendo logo substituída pela escuridão da estrada. Tem a sensação de que está chegando em casa.

Nunca teve a chance de contar a história dela e de Sarah para muita gente, mas, nas poucas vezes que fez isso, Tamara admitiu, consciente de que estava usando as duas mesmas palavras em todas as ocasiões, ter sentido um *interesse incomum* ao ver a garota entrar no San Ramón. Não podia chamar de atração, ou ao menos não tão rápido. Não enquanto, de uma distância segura e discreta, ela ficou olhando, por mais tempo do que deveria, a cliente examinar os dois lados do cardápio. Era um dia movimentado. Chavela Vargas tocava nos alto-falantes. As *rancheras* de Chavela eram melhores do que quaisquer outras, mas Will as considerava melancólicas demais para um lugar onde as pessoas precisavam consumir. Por sorte, Will estava em casa.

A garota chamou Tamara com um sorriso. Parecia assustadoramente jovem, apesar das suas roupas de brechó ou talvez por causa delas, que a jogavam fresca e entusiasmada em uma década da qual ela não tinha participado. Não era sua culpa ter nascido depois. Sua convicção extrema em usar óculos grandes e blusas superdimensionadas de tecidos sintéticos, no entanto, acabava nos convencendo de que a mistura dos tempos era uma coisa legal. Tratava-se, além disso, do tipo de garota que as pessoas com cérebro e bom gosto chamariam de bonita. De bonita pra valer. De menina-bem-peculiar-com-traços-delicados. Mas ainda não, Tamara não podia chamar aquilo de atração, nada disso, ela pensava ao caminhar na direção daquele sorrisinho, e depois ainda enquanto olhava levemente para baixo e começava a recitar a lista dos três pratos especiais do dia: Diablo Shrimp, Supreme Quesadilla, Bowl of Paradise.

Sarah escolheu o último. Cama de rúcula com salada confete de quinoa, *pico de gallo*, cebolinha, coentro, abacate, semente de abóbora. Quis adicionar pedaços de frango grelhado por cinco dólares. Fez, em seguida, algum comentário sobre o calor. Quando Tamara passou o pedido para Guillermo na cozinha, sentiu que seus pensamentos estavam se chocando como bolas de bilhar no primeiro estouro. Ficou parada na frente da pequena janela, de novo por mais tempo do que era necessário, até o mexicano com o avental respingado dizer "É só isso?". E Tamara, algum tempo mais tarde, ia chamar todo esse conjunto de minutos suspensos, atordoamento e conversa banal — de onde você é, o que está fazendo aqui, já teve a chance de ver a cidade de cima? — de *interesse incomum*.

Sim, parecia preciso naquele momento. Ela tinha afinal quase trinta anos de vida amorosa e sexual intensa, que incluía cartões-postais com juras de amor, boquetes no deserto de Mojave e consultas astrológicas atrás de uma cortina de contas de quartzo em Sedona. Os últimos anos de relacionamento com Esteban não haviam sido exatamente uma montanha-russa, ela sabia; a imagem mais adequada era a de um passeio de pônei em que os pés tocariam o chão caso não se dobrassem um pouquinho os joelhos. De qualquer maneira, um período de tédio não representava nenhuma mudança em sua sexualidade. Ela gostava de homens. Isso queria dizer tanto morrer loucamente de amor por namorados quanto sentir a calcinha úmida em lugares públicos porque havia alguém interessante no seu radar. Ser hétero nem sequer passava pela sua cabeça, de tão óbvio que era. E daí que ela havia beijado uma menina da escola aos doze anos? Os meninos estavam demorando demais e as duas só queriam praticar. Antes disso, ela havia escorregado a língua e os lábios na própria mão centenas de vezes, e não estava vendo nenhuma *consequência* disso em sua vida adulta. Portanto, claro que não havia pensado em Alice Page no dia em que Sarah se sentou no San Ramón pela primeira vez. Os beijos tinham esmaecido já no dia seguinte daquela noite de outono de 1985, e depois a figura inteira de Alice ia sumir da sua vida completamente; seu pai, um piloto bonitão do DEA em Fort Huachuca, ia ser transferido para algum lugar gélido da Costa Leste ainda antes do Natal, uma notícia inesperada que Tamara poderia descrever com duas palavras: melhor assim.

Pelo constrangimento, ela queria dizer. Odiaria que a amizade das duas ficasse abalada por aquela experiência, e tampouco lhe agradava imaginar que alguém podia ter testemunhado a cena atrás de um arbusto ou do muro daquela velha senhora cheia de netos. Mas nada aconteceu, ninguém contou, o Fort Huachuca perdeu seu melhor piloto e Alice foi embora sem nem dar tchau. E daí os anos se passaram e Tamara nunca mais beijou ninguém do sexo feminino — nem se lembrou nos anos seguintes de que aquilo tinha sido mais lento e mais macio do que as experiências logo posteriores —, sendo que, ao longo da vida, garotas deram em cima dela, elogiaram-na com olhos maliciosos em festas, tocaram com as pontas dos dedos na sua mão. Teria sido fácil. Apenas um passo, fechar os olhos, abrir levemente os lábios. Não quis. Acontece que sempre havia um homem mais interessante por perto.

Mas agora, depois de o *interesse incomum* ter virado uma paixão fulminante, talvez a mais duradoura de toda a sua vida, que sentido fazia enumerar os sinais negativos, tudo o que parecia *não* tê-la levado a Sarah, se a questão era que, de algum jeito, ela tinha convidado a garota para subir a montanha no fim do seu turno, ela tinha beijado Sarah lá em cima no que não era sequer um encontro, ela tinha sentido o coração disparar, e muito, ao ouvir um banal "será que a gente pode se ver de novo"? Essa é a garota que ela está esperando, parada na frente da sua velha casa, depois de o tempo e as duas e Will terem fodido completamente o que antes era quase perfeito.

Ouve os passos. A porta abre. Então o sorriso de Sarah abre mais do que a porta.

"Tam? Eu não acredito! O que você tá fazendo aqui?"

Ela pintou os olhos com delineador. Ficou bem bonita desse jeito, mas, ao mesmo tempo, o fato de ela nunca ter feito isso antes está ali também. Como uma criança que roubou o estojo de maquiagem enquanto a mãe estava fora. Tamara dá um passo em sua direção. Sente a bochecha macia de Sarah tocando sua bochecha em um abraço de três segundos que podia ter durado mais. Depois os olhos de esquilo, as bolitas inquisidoras, estão de novo de frente para ela. Não sabe por que ainda não foi convidada a entrar.

"Hein, vai me contar?", diz Sarah, ainda sorrindo.

"O que eu tenho pra te contar?"

"Por que você veio, ué. Por que demorou tanto pra vir."

O ar de Bisbee está parado. No telhado do vizinho, um urubu-de-cabeça-vermelha parece um enfeite muito complexo.

"Dá pra gente entrar um pouco?", Tamara pergunta.

"Claro, vem, desculpa. Você deve tá supercansada da viagem."

Sarah alcança a mão dela, conduzindo-a até a sala. Não é

algo que Tamara estava esperando que acontecesse, mas também não parece excepcionalmente estranho. Seria estranho se Will fizesse um gesto desses, em vez de oferecer aquele triste espetáculo de mágoa e orgulho ferido. Ao mesmo tempo, se ele pegasse sua mão ou tentasse qualquer tipo de contato físico, Tamara saberia imediatamente o que aquilo queria dizer. Mas não com Sarah. Seria pelo fato de Sarah ser mulher? A questão é que havia sempre uma ambiguidade desconcertante envolvida. Tamara tinha uma imagem pra isso, e pensou nela de novo quando se sentou no sofá, com a ex-namorada ao lado: era como agarrar sua melhor amiga no vestiário, vinte e quatro horas por dia.

"Tá um pouco diferente aqui. Você tirou suas cerâmicas?"

"Eu encaixotei."

Tamara deve estar com aquela ruga na testa agora. A diferença de idade entre elas lhe parece subitamente esmagadora.

"Por que você fez isso?"

"Bom, é estranho dizer assim, mas eu tô indo embora, Tam."

"Você o quê?"

"É sério que você tá surpresa? Eu teria ensaiado se você me dissesse que vinha, e talvez tivesse até sido diferente disso que—"

"Você vai deixar o Will sozinho, Sarah?"

Ela não responde. Levanta do sofá.

"A coisa não funciona só com nós dois", diz, depois de um tempo. "A gente discute e vai dormir brigado, é horrível! Lembra que isso não acontecia? Talvez você fosse a grande força unificadora nesse sentido. Agora parece que não vale a pena conversar, que não vai resolver nada, e eu sinto um enorme cansaço só de pensar em remexer nos problemas. Você é nosso membro fantasma, eu acho. Você se vê mais como uma perna ou como um braço?"

"Uma perna."

Ela mal pensou antes de responder.

"Claro, você foi embora, né?"

"Sarah, eu—"

"Tá tudo bem."

Não podia ter ficado só com Sarah. Amava Will. Gostava de transar com ele, gostava de conversar sobre política institucional — para Sarah, isso era chato e inútil —, gostava de ter a *idade* dele. Antes de se relacionar com alguém muito mais jovem do que ela, Tamara não achava que as referências compartilhadas fossem uma peça tão importante no encaixe; acreditava, isso sim, na ideia romântica de que um casal construía seu mundo do zero, que tudo ia nascer de uma espécie de big bang do amor e que essa energia toda geraria coisas tão belas e complexas quanto um beija-flor-de-bico-vermelho. Ou uma cascavel. Mas ela estava errada. Porque havia o depois e havia sobretudo o antes, não apenas o eterno presente em que um mais um era igual a um. De maneira que era importante que seu namorado tivesse assistido a *Dirty Dancing* e *Harry e Sally* na adolescência, e que olhasse para esses filmes hoje com um carinho saudosista, não com aquela expressão irônica de quem está cavando muito fundo para buscar as bizarrices do passado em nome de uma pretensa autenticidade contemporânea.

Sim, quando duas pessoas reconheciam juntas uma música do Oingo Boingo no rádio, a conexão era imediata. E só Will podia lhe proporcionar essa sensação que ela agora entendia como imprescindível.

"Por que você tá aqui?"

Sarah se sentou de novo no sofá, mais próxima dela agora, com as pernas cruzadas sobre o estofado.

"Eu não sei."

"Você dirigiu o que, mil e quinhentos quilômetros?"

"Mais ou menos mil setecentos e cinquenta."

"E você não sabe?"

"Às vezes a gente precisa ver o lugar de novo. As pessoas."

"Eu? Will?"

"Todo mundo. Você não me convidou pra vir um dia desses? Eu achei que a gente tinha falado sobre isso."

"Bem, e eu achei que você tinha dito não."

"Eu disse. Mas depois eu fiquei pensando."

"O que faz de você o cérebro, não a perna."

Tamari ri.

"Que história é essa?"

"Já passou pela minha cabeça algumas vezes que você me usou pra não deixar o Will sozinho. Que você queria terminar com ele antes mesmo de eu aparecer." Ela sorri, como se não quisesse dar muito crédito para sua própria teoria. "E daí tudo se encaixou porque você conseguiu deixar o Will amarrado com alguém. Até agora, pelo menos."

"Sarah, ninguém toma essas decisões com tanta, sei lá, frieza."

"Vá saber."

"Você me ofende falando desse jeito, sabia?"

Naquela noite, Tamara vai dormir em um hotel, exatamente ao lado daquele que pertence à família de Will. Conhece o cara que está na recepção, mas ele não faz perguntas a ela. Dormir é só uma maneira de dizer. Leva uma cadeira para a frente da janela e fica sentada ali até umas três horas da manhã. Não há quase nada para ser visto, ou ao menos não por tanto tempo. É só uma paisagem estática com uma piscina. Os dois guarda-sóis estão recolhidos e as cadeiras e mesas ficaram desencontradas desde que os últimos hóspedes fizeram uso delas. O muro que marca o fim do terreno é coberto com a pintura de um deserto. Atrás dele, Tamara consegue ver pedaços da cidade, enrolados em halos de luz quente.

Nem lembra de ter ido para a cama quando escuta o telefone tocar de manhã. Abre os olhos devagar e encara o aparelho antigo que podia ter apenas um propósito cênico — aquele é o hotel mais histórico e mais mal-assombrado da cidade, afinal. Uma voz feminina dá um bom-dia constrangido e diz que a srta. Sarah está lá embaixo. Tamara grunhe alguma coisa no meio de um bocejo e desliga. Leva alguns instantes para decidir se se levanta ou não, depois o dobro do tempo para ficar minimamente apresentável. Sarah está na varanda esperando-a com dois copos de café.

"Você quer me dar uma carona até Phoenix?"

Cancelou o aluguel do U-Haul. Tamara vê uma única mala de pé ao lado dela. Diz que vai despachar todas as caixas mais tarde.

É uma viagem que ela não imaginava fazer acompanhada. Quando olha para o lado, tem sempre a impressão de que Sarah, no meio dos raios de sol em refração, está leve e satisfeita como uma criança que de repente encontra o espaço aberto. Não falam mais sobre o que deu errado, e se divertem com pequenas bobagens no caminho. Algumas vezes, Tamara fica quieta ao se lembrar de Will. Não quer pensar no que ele está fazendo. Mas aquilo, felizmente, vai embora rápido. Junto com uma música ou um pássaro suicida ou um prato de porcelana em uma vendinha da estrada. Ao deixar Sarah em uma esquina no norte de Phoenix, quatro horas depois, ela arranca o carro sem remorso, devagar e, mesmo com toda aquela distância pela frente, pensa que aquele é o fim que gostaria de ter engendrado mais cedo.

John Lowry

A primeira coisa incrível que aconteceu com John Lowry foi ter se perdido do grupo de escoteiros nas colinas de Saratoga. Ele tinha onze anos e apenas dois distintivos costurados na manga esquerda do uniforme. A mãe era uma boa mãe e o pai não era tão ruim assim, às vezes falava aos meninos sobre beisebol, marcenaria e aquele-tempo-antes-de-conhecer-a-mãe-de-vocês, mas normalmente passava muitas horas no que chamavam de seu escritório: uma pequena sala sem janelas, cadeiras com calços de papel e um enorme filtro d'água, na revenda número um de carros usados da cidade.

John olhou para as colinas de Saratoga naquela tarde e se sentiu estranhamente livre. Não como ser livre dentro do seu quarto. Não como ser livre nos raros momentos em que a casa ficava todinha para ele e então John punha a vitrola no volume que bem entendesse. Não como ser livre quando a aula acabava ou quando ele pedalava até o parque em uma tarde de sol ou quando arremessava a bola muito mais longe do que acreditava que ia conseguir e alguém por perto dizia "Uou, olha isso". Era outra coisa. Era como levar um cutucão da liberdade em pessoa. Ou então acordar em um lugar sem saber que lugar era aquele. Foi isso que John Lowry sentiu aos onze anos nas colinas de Saratoga, alguns minutos antes de todo o grupo de escoteiros surgir meio esbaforido e o chefe dos escoteiros se ajoelhar no chão, conferir se estava tudo bem e perguntar: "Por que você não gritou, John?".

Mas John nunca foi de gritar. Ele ficava vendo desenho animado na TV e às vezes o presidente Reagan aparecia em cima de um trem acenando para as pessoas paradas lá embaixo, outras vezes era só uma canção que sua mãe cantarolava junto e depois um cara da União Soviética com uma mancha na testa começava a falar que Reagan era um tipo especial de líder.

Nessa época, o pai de John instalou uma bandeira na frente de casa. John via o pano tremular. Fazia barulho. Seu irmão, Christopher, já saía com garotas. Ele deixou que John experimentasse o gel que costumava pôr no cabelo especialmente para essas ocasiões. Mas John não tinha nenhuma garota em vista nem sabia o que fazer para ter alguma, então passou o dia com o cabelo duro de gel para nada. Andar de bicicleta com gel não era grande coisa. Jogar basquete na frente da garagem de Andy com gel não melhorava seu desempenho nas cestas de três pontos. Ele lavou o cabelo assim que chegou em casa.

Foi só quase no fim do segundo mandato de Reagan que ele conseguiu beijar uma menina, em 21 de novembro de 1988. Daisy Holcomb. Pulsos finos. Olhos de gato. Filha única. Pingente dourado. Um único beijo em frente ao ginásio da escola (*eu me lembro de John Lowry como alguém que não estava nem aí para o que diziam, ele era escoteiro e os meninos achavam aquelas meias puxadas e o lenço amarrado no pescoço uma coisa pior do que se arrumar para um casamento, mas quando ele começava a falar sobre noites no meio do mato, todos eles esqueciam as meias e o lenço e ficavam pensando que o mais perto que tinham chegado da vida selvagem era quando saltavam para o terreno baldio ao lado do Burger Palace*).

John Lowry ganhou o primeiro rifle aos dezesseis anos. Atirou em aves e em garrafas vazias. Entrou para a San José State University em 1992. Queria ser engenheiro. Ouvia Van Halen, Metallica e Def Leppard no som da sua picape. Achava que Kurt Cobain "não tinha voz". Fumava cigarros mentolados, comprou uma guitarra usada, estava ficando um cara bonito. Pedia a deus antes de se deitar que cuidasse de seu pai, de sua mãe e sobretudo de Christopher. Ganhou um boquete em uma noite gélida. Nunca mais viu a garota. Conheceu Tracy, a estudante estupidamente bonita que achava que San José era o maior cu de mundo e só queria cair fora dali. Ela era instável, mas maravilhosa. Fez sexo pela primeira vez. Teve certeza de que não era a primeira vez de Tracy, mas não disse nada. No feriado de Páscoa, pegaram Christopher com maconha na mochila. Os pais ficaram arrasados. John deu um soco em Christopher por deixar os pais arrasados. Quando voltou para San José, já estava maluco por Tracy, mas ela era daquele tipo que queria conhecer a Mongólia e os mercados do Cairo, enquanto ele era daquele tipo que ia montar uma banda de rock e colocar a bandeira dos confederados no palco, e tudo bem se somente as esposas dos músicos fossem até o bar para vê-los.

Foram acampar três meses depois no Henry W. Coe State Park com mais uns caras da faculdade. Estavam esquentando feijão enlatado quando um *game warden* apareceu. John e nenhum dos outros sabia muito bem o que era um *game warden*, e daí surgiu aquele cara com um uniforme que lembrava o de um guarda-florestal, só que mais armado e com outro tipo de insígnia. O nome dele era Stephen, mas John não se lembra do sobrenome. Queria se lembrar. Stephen estava atrás de caçadores ilegais. O estado da Califórnia lhe pagava para andar por aí protegendo a fauna e a flora (Stephen disse, antes de embrenhar-se no mato: *você devia tentar, parceiro*). Ele tinha sacado John Lowry. Ele tinha talvez imaginado a cena de John indo para a universidade na semana seguinte, sentando-se num escritório diante de um estranho e dizendo que havia pensado em mudar de curso. Ia se formar em direito alguns anos depois. Stephen não viu nada disso. Stephen não viu quando John Lowry entrou para o Departamento de Caça e Pesca porque naquela altura ele já estava aposentado e tinha ido morar no Arizona, onde uma casinha simples era muito mais barata que a mesma casinha simples na Califórnia. Stephen não viu que aquela garota simpática chamada Tracy tinha ido embora mais ou menos um ano depois para fazer alguma coisa em Calcutá porque sempre havia alguma coisa a ser feita em Calcutá, e fazer alguma coisa em Calcutá provavelmente mudaria a sua vida para sempre.

Mas John Lowry se casou com uma boa garota chamada Samantha, que gostava de ouvir John tocando sua guitarra desde que tocasse no porão, e John agora pegava caras malvados nas terras selvagens do Oeste, em cantos quase tão intocados e silenciosos como quando deus fez tudo e todos, e como ele se sentia bem pegando esses caras que precisavam entender que regras existiam para serem respeitadas (*Fui caçar com meu cunhado recentemente. Ele estava caçando ursos e eu estava caçando perdizes-da-montanha e esquilos-cinzentos. Ele tinha licença para o urso e eu não. Felizmente, ele teve a sorte de acertar um bem bonito entre noventa e cento e quinze quilos. A gente não pôde na hora levar o urso todo para casa, então ele decapitou o urso, colocou a cabeça na mochila e me deu uns vinte e cinco quilos de carne para que eu colocasse na minha. Deixamos o resto do corpo lá e decidimos voltar mais tarde. Quando chegamos em casa, ele pediu pra que eu e seu irmão buscássemos o urso porque ele tinha que trabalhar. Eu me recusei a fazer isso porque não me parecia legal. Ele era o caçador. Ele disse que não tinha problema. Se eu fosse parado pelo Departamento de Caça e Pesca, era só ligar pra ele no trabalho e ele confirmaria a história. Mas eu não quis ir e a gente discutiu. Nessa situação, eu poderia ser autuado por pegar a carne do urso sem que o atirador estivesse presente? Obrigado!*).

Como *game warden*, John Lowry tinha duas pistolas calibre .40, uma espingarda calibre .12, um fuzil semiautomático .308, spray de pimenta, algemas e um cassetete. Também era perito em artes marciais (*Deixando a carcaça do urso no local como seu cunhado fez, ele corria o risco de ter a carne contaminada, o que seria uma violação da lei que proíbe o desperdício da caça. O fato de você ou outra pessoa voltar no dia seguinte para buscar os restos não seria uma violação, a não ser que você portasse armas de fogo ou outro tipo de instrumento. No momento em que o urso é morto, a etiqueta de identificação deve ser validada e imediatamente posta na orelha do animal*).

Em 2004, John entrou para uma força-tarefa de combate ao cultivo ilegal de maconha em terras públicas do condado de Santa Clara. Plantar maconha no meio da floresta era uma prática comum em todo o país, mas sobretudo na Califórnia, onde, apenas no ano de 2008, cinco milhões de pés foram removidos das áreas selvagens do estado. E o problema não era só o fato de que isso significava mais drogas na rua, e portanto mais jovens viciados. O problema é que esses cultivadores derrubavam árvores nativas para dar lugar às suas plantinhas, o problema é que deixavam lixo onde não deviam, contaminavam a água com fertilizantes e outros produtos químicos, mudavam o curso de pequenos córregos, secavam o habitat de peixes, aves, roedores, sapos, o problema é que podiam machucar alguém porque normalmente carregavam consigo pistolas e estavam prontos para defender seu jardim.

E John era tenente agora e sua primeira missão com o grupo de combate ao cultivo de maconha em terras públicas foi em Sierra Azul. Havia um cara ao seu lado segurando uma AR-15 com uma mira óptica avançada de combate Trijicon. Todos eles estavam usando roupas de camuflagem, se movendo vagarosamente, comunicando-se apenas por sinais. O tenente Lowry, como os outros, tinha o rosto pintado. O suor derretia os traços marrons. Queria ir para a guerra, a guerra era ali, nos morros que se viam todo dia pelo para-brisa do carro, no caminho do subúrbio ao trabalho, do trabalho ao subúrbio. Enquanto os homens de bem ouviam Bruce Springsteen, a previsão do tempo, a análise sobre o último jogo dos Lakers, havia alguém ali em cima, escondido, vivendo havia cinco meses em uma barraca, quase nunca saindo de lá. Talvez tivesse sido trazido por um cartel mexicano. Eram normalmente dois ou três cuidando de milhares de plantas que valiam milhões de dólares. Jogavam cartas, comiam *tortillas*, morriam de tédio no escuro porque lanternas podiam ser vistas de longe.

Mas John Lowry não conseguiu pegar os caras daquela vez em Sierra Azul. Nas missões seguintes, ia entender que capturar um cultivador era um prêmio extra. Eles conheciam o terreno melhor do que ninguém, então saíam correndo e desapareciam no meio dos cânions. As plantas e os restos de sua presença ficavam lá, naquele lugar remoto, que às vezes tinha exigido de John e dos outros mais de cinco horas de caminhada.

Quando tudo estava tranquilo, era a hora de chamar a Camp, outro aglomerado de agências empenhado em combater as plantações ilegais. A Camp tinha helicópteros. Com uma rede presa ao helicóptero, eles içavam a maconha, depois a queimavam em algum lugar longe dali. Na missão em Sierra Azul, foram sete mil e quinhentas plantas. John Lowry ia encontrar mais do que isso em outras ocasiões. Quinze mil perto de Arroyo Hondo. Trinta mil nas proximidades de Cupertino (*toda vez que entramos em uma zona de cultivo, eu sinto raiva pelo descaso daquela gente. Há sempre quilômetros de mangueiras de irrigação a serem retirados da área, embalagens de fertilizantes, comida, sacos de adubo, toneladas de coisas que não deveriam estar ali. Nem sempre conseguimos limpar o local sozinhos. Às vezes chamamos voluntários. Os escoteiros nos ajudam. É um bonito trabalho de conscientização ambiental para os jovens*).

John Lowry teve um companheiro ferido uma vez por um cultivador. Tiro na perna. Ele gosta da sensação de ser içado por um helicóptero da Camp e voar a cem quilômetros por hora sobre as copas das árvores. Existem menos de duzentas pessoas como ele patrulhando toda a área da Califórnia. John tem dois filhos. John tem uma banda de classic rock (*working so hard to make it easier, whoa/ got to turn, c'mon turn this thing around/ right now, hey/ it's your tomorrow*). Em 2008, recebeu uma medalha do governador Arnold Schwarzenegger. Quase nada faz tão bem para ele quanto a sensação de prender um cultivador.

Um dia, encontrou um casal de pumas bebendo água. Ficou congelado entre os arbustos. Sentiu-se abençoado. Voltou para casa, lembrou-se de Tracy, foi para a cama mais cedo.

Seu filho chegou em Albion no mesmo dia em que Arthur levou o Toyota. Tratava-se de uma coincidência desnecessária. Sylvia estava no banheiro terminando de se vestir, com a blusa verde-clara das ocasiões especiais e o longo colar de bijuteria dando três voltas no pescoço. Tinha postergado aquele momento, o momento de se arrumar para a chegada de Danny, até o limite imaginável, de maneira que agora lutava contra o tempo e contra uma certa moleza nas pernas; as gotinhas de cannabis causavam esse efeito nela de manhã.

Felizmente, sua dor nas costas havia desaparecido. Sylvia se olhou no espelho de novo e corrigiu a postura, ainda em dúvida se passava ou não passava o lápis. Pela primeira vez — talvez não a primeira, mas uma rara vez em um pequeno grupo de raras vezes —, ela não se sentia exatamente empolgada com a visita do filho. Guardou o lápis de volta na gaveta sem usá-lo. Desde que levantara da cama, tinha carregado para lá e para cá a sensação de que aquele era um dia para se estar sozinha, embora estivesse consciente de que reclamava da sua solidão quase o tempo inteiro. De qualquer maneira, não era como se precisasse ficar satisfeita com qualquer migalha de atenção, ainda mais quando os motivos para recebê-la a envolviam de forma tão indireta: Danny havia brigado com o pai, o que explicava quase tudo, os três telefonemas do dia anterior e a ida às pressas a Albion. Ela era apenas um detalhe da história, ou melhor, uma última opção na grande luta pela sobrevivência. Danny tinha vinte e quatro anos, nenhum amigo, nenhum outro lugar para onde correr.

Escutou o barulho engasgado do Mazda e olhou pela janelinha do banheiro. Havia todo o espaço que o Toyota tinha deixado. Danny estacionou em diagonal com a casa, só porque podia. Quando tocou a campainha, ela já estava pronta para abrir.

"Onde tá o seu carro?"

Como ela poderia explicar que, naquele exato momento, ou ele estava cheio de maconha ou cheio de notas de cem dólares, percorrendo uma estrada vicinal e com um brasileiro ao volante? Nem mesmo ela era capaz de entender muito bem aquilo ainda, mas sabia que não tinha dito sim apenas pelos setecentos dólares, embora o dinheiro viesse a calhar em um momento tão delicado. Então ela só disse que tinha emprestado o Toyota para Arthur. Arthur era o seu hóspede.

"Ah, o hóspede", Danny repetiu, como se tivesse esquecido que alguém além dela estava vivendo ali, ou como se quisesse dizer que aquilo não era justificativa suficiente para se emprestar um carro, sobretudo em um lugar onde as pessoas dependiam de um para rigorosamente qualquer coisa. Então ele passou por ela e entrou na sala de um jeito que Sylvia só poderia descrever como "muito perturbado". Ficou pensando se ele estava usando drogas, drogas pesadas de verdade, depois achou que era só o maldito gene, o que não era bem um consolo. O maldito gene fez Danny contar toda a história de novo.

Era difícil olhar para ele. Alguma coisa parecia ter se tornado mais dura do que deveria. Tinha os olhos e a testa do pai, mas até Antonio, o bastante-instável-quando-bebia Antonio, costumava encarar o mundo de um jeito mais doce. Já a boca e as bochechas encovadas eram sem dúvida dos Watkins, como se Danny fosse um bonequinho feito de duas metades, com uma linha divisória clara no meio do rosto. E aí o problema era o que ele fazia com os lábios quando ficava agitado: um movimento estranho que não era tanto uma mordida quanto um tipo de fisgada falha. A carne fugia dos dentes. Não era bonito de se ver. Ficou falando da briga enquanto eles tomavam café. Os motivos já pareciam vagos agora, de forma que a ênfase estava na gritaria e em uma cadeira quebrada. Talvez ele tivesse levado um soco.

"Você levou um soco?"

"Ele não sabe tratar as pessoas de um jeito decente."

"Seu pai bateu em você, Danny?"

"Ele errou. Você vai dizer por acaso que é a primeira vez?"

"Que ele bate em você?"

"Que ele bate em alguém."

Danny deu um último gole no café e se levantou para encher a xícara de novo. Ela ficou estática. Nunca tinha contado para os filhos sobre o que aconteceu quando Danny tinha cinco anos e Timothy oito e eles estavam no quarto ao lado, dormindo tão bonitinhos com as estrelas que brilhavam no escuro coladas no teto, enquanto Tony, enquanto Tony, olha, ela não conseguia nem pensar direito, e era um sábado à noite, aquele tipo de barulho de sábado à noite na rua, os carros sendo manobrados para fora ou para dentro das garagens, as mulheres de salto alto abrindo as portas do passageiro, aquele cheiro árido do sul da Califórnia entrando por qualquer fresta, enquanto ela ali no chão encolhida, enquanto Tony chorando na cama, enquanto ela pensando se, na escola, as pessoas perceberiam, mas não tinha como saber ainda, ficava primeiro roxo, depois verde, depois levemente amarelado. Quantos dias? Talvez uma licença médica. Ela nunca contou para os filhos. Do que Danny podia estar falando então? Se bem que um dia Antonio brigou com seu melhor amigo. Isso foi uns dois anos depois. Houve um empurrão, talvez um soco, ela não estava em casa, mas os garotos assistiram tudo da janela. Muito melhor que televisão.

"Ele não sabe tratar as pessoas de um jeito decente", Danny repetiu enquanto se sentava.

"Se ele bateu em você, é pior do que isso. Você já é uma pessoa adulta."

"Ele *tentou* me bater."

Alguém estava tentando ser orgulhoso ali. Ou duas pessoas estavam.

"Pelo menos se você visse o lugar onde ele mora", continuou Danny. "É um troço tão, tão... é puro lixo, mãe. Ele junta coisas na rua e acha que tudo pode ser aproveitado, só que aí ele começa a beber como um filho da puta e as coisas que ele pegou ficam num canto simplesmente se deteriorando. Ele nunca toca nos troços, nunca melhora ou ajeita nada, como ele sempre diz que vai fazer. E aí eu tenho que dormir num colchão de ar no meio de toda aquela merda!"

"É temporário, querido."

Foi o melhor que ela conseguiu dizer. Tentou alcançar a mão dele, mas Danny se afastou discretamente. Depois, durante o tempo que durou o silêncio, ele ficou observando a casa dela com um interesse incisivo, os olhos tão envolvidos que quase tiravam o pó dos móveis quando passavam por eles. Naquele momento, Sylvia sentiu pelo filho a tremenda compaixão que deveria sentir sempre. Não podia vender aquele lugar. Não podia *ter que* vender aquele lugar. Precisava fazer esse esforço por toda a família, e de novo lhe pareceu claro que aquilo dizia respeito também às pessoas que estavam ou muito longe ou já mortas. Danny. Margareth Watkins, a arranca-corações. Frances Watkins, guardada lá em cima em uma caixa de madeira. Havia um pássaro em baixo-relevo na caixa. Os meninos conheceram a avó como uma coisinha frágil com a cabeça de vento.

"Aonde o seu hóspede foi com o *seu* carro, afinal?"

Arthur está voltando. Chegando em Comptche e dobrando na propriedade de Libby. São quase quatro da tarde de uma quinta-feira. Ele relaxou completamente assim que viu o armazém e a agência do correio. A viagem tinha chegado ao fim, sem nenhum percalço. Noah, de pé, acenando, o recebe com o tipo de sorriso que só deve esboçar uma vez por ano, no final da colheita, quando o cercadinho das plantas está vazio e os fios de aço e os ventiladores foram guardados no barracão. Contam o dinheiro sobre a mesa da cozinha. Arthur guarda sua parte e a pequena parte de Sylvia em um saco de papel pardo.

Agora eles estão conversando do lado de fora enquanto esperam Libby. Arthur segura o saco com força.

"Você tem certeza ou vai mudar de ideia no ano que vem?", pergunta.

"Pra mim acabou mesmo", responde Noah. "Sabia que eu já trabalhei com marcenaria? No Havaí."

"Não sabia."

"Eu posso ganhar bem fazendo isso. É o que eu quero fazer agora, porque, cara, essas coisas mexem comigo de um jeito. A garota desaparecida. O xerife Keene. Outras histórias. Tem um tempo-limite, entende?"

"Acho que entendo."

Do ponto de vista de um sul-americano, no entanto, era difícil não pensar que Noah estava exagerando. A violência de Mendocino, estatisticamente, era tão pequena que dava vontade de rir. Mas é claro que a história da menina brasileira ainda mexia com Arthur também.

"Você vai pro Havaí então?"

"Não necessariamente pro Havaí. Qualquer lugar. E você, vai continuar?"

"Acho que sim. Eu comecei agora."

Arthur sorri e Noah sorri de volta.

Para que volte para Albion com o Grand Marquis e o Toyota, Noah e Libby precisam ir com ele e um terceiro carro. Assim, Arthur pega a banheira dourada, Libby dirige o Toyota e Noah fica atrás do volante da camionete. É como aqueles problemas de lógica sobre tantas pessoas tendo que atravessar um rio com um barquinho. Quando chegam na frente da casa de Sylvia, há um carro que Arthur nunca viu antes, meio atravessado no terreno.

Danny vê a movimentação pela janela da sala.

"O que tá acontecendo aqui?"

Sylvia se aproxima também. Não sabe o que dizer. Conseguiu enrolá-lo na outra pergunta, mas agora vai ser difícil.

"É o Arthur chegando."

"O Arthur e uma comitiva, porra!"

"Uns amigos", ela diz, hesitante.

"Quem é essa mulher que tá dirigindo o seu carro?"

"Eu não sei."

"Você não sabe?"

Ele olha para ela com um desprezo que Sylvia já viu outras vezes.

"Você não sabe?", repete, mais alto. "Então essa é a sua vida tediosa de professora aposentada? Curso de cerâmica e não sei mais o quê? Eu não faço ideia do que você tá fazendo aqui, mãe, mas, olha, é provavelmente uma grande, uma grande merda mesmo. Que tipo de pessoa você tá recebendo na sua casa?"

Pendurada nas grades do Nevada Test Site, Sylvia havia imaginado uma vida tão diferente para si mesma. E, no entanto, depois que desceu de lá, parece que simplesmente acabou fazendo como todo mundo fazia. Danny passa por ela e entra no quarto. O quarto dela. O seu espaço privado máximo. Ainda se pode ouvir os três motores lá fora. Sylvia não consegue fazer outra coisa além de ficar parada esperando.

Agora ouve uma gargalhada.

"Meu deus, com essa idade, mãe?"

Danny sai do quarto com suas tinturas de cannabis, suas balas, seu vaporizador, seus dois camarões em um saquinho de plástico transparente. Comprou aquilo em um dispensário com sua receita médica.

"Então você virou maconheira. Entendi agora por que você quis se mudar aqui pro norte. Direto na fonte, né? Emerald Triangle. Você é mais esperta do que parece."

"Coloca essas coisas de volta onde você pegou, Danny", ela diz, com a voz quase sumindo.

Tudo ficou de repente silencioso, como quase sempre. Então a porta range. Arthur entra na sala. Fica parado a uns três metros deles, observando, meio incrédulo. Está com um saco de papel pardo na mão, todo dobrado.

"Oi, Arthur. Não é o melhor momento pra eu te apresentar pro meu filho."

"Oi. O que tá acontecendo aqui?"

"O que tava acontecendo *ali fora*, você quer dizer", retruca Danny.

"Danny está com uns problemas em LA e resolveu fazer uma visita", diz Sylvia.

"Mas aí eu acabei achando umas coisas estranhas aqui, e parece que a idílica Mendocino não é exatamente a que tem sido descrita nos telefonemas."

Ele olha bem para Arthur, como se quisesse intimidá-lo.

"Isso na sua mão aí, é seu?", Arthur pergunta.

"Parece que pertence a Sylvia Watkins."

Arthur abre o saco de papel pardo e tira de lá um maço de notas de cem dólares.

"Então parece que isso aqui também pertence a Sylvia Watkins", diz, enquanto entrega o dinheiro para uma Sylvia completamente paralisada.

Danny encara a mãe. É difícil dizer qual dos dois está mais chocado agora.

"O que você tá fazendo? Você virou traficante, mãe?"

"Ela me alugou o carro", diz Arthur. Chega mais perto do garoto. "E eu acho que você não tem absolutamente nada a ver com isso, Daniel. Deixa sua mãe em paz e coloca a porra das coisas dela no lugar."

Algumas horas depois, Arthur sai para caminhar, surpreso consigo mesmo. Está pensando em Tamara, mas ainda não liga para ela. Pega a Middle Ridge Road na direção oeste, como já fez tantas vezes em tantos finais de tarde. A estrada acaba em uma propriedade privada. Dá para ver uma listra de oceano atrás do portão, logo abaixo de um céu alaranjado. Vai fazendo o caminho de volta, um pouco mais devagar do que na ida, enquanto Sylvia e Danny conversam na cozinha. Não é uma conversa amorosa nem sequer o que se poderia chamar de agradável, mas pelo menos são algumas palavras trocadas sem raiva e com certo controle emocional. Parece cansaço, de qualquer maneira. Arthur não segue todo o tempo a estrada; se embrenha um pouco no meio das árvores e tudo bem se estiver invadindo a propriedade de alguém, o que provavelmente é o caso. Danny diz que pode ficar no apartamento de um amigo em Santa Rosa a partir do dia seguinte. Sylvia não quer dizer que achava que ele não tinha amigos, quanto mais um amigo em Santa Rosa. Ele pede dinheiro para ela, primeiro explicando que vai ter que consertar o velho Mazda, depois porque o empréstimo universitário está comendo todas as suas economias. Ela conta quinhentos dólares e ele os coloca no bolso da calça jeans. Diz obrigado. Bem baixinho, mas diz. No mato, Arthur ouve um barulho. Um farfalhar agitado que vem do chão. Um veado? Um urso? Então vê o rabo balançando, com a ponta branca encurvada para cima. Percebe, imediatamente, que se trata do beagle de Marina Nunes.

Tem certeza de que é Arthur ali, de pé, olhando para o oceano com uma jaqueta quebra-vento azul-escura. Nenhum sol nessa tarde, apenas umas pinceladas de luz de outono que provavelmente vão dar o tom dos próximos meses. Quando diminui a velocidade para estacionar, reconhece também a longa traseira do Grand Marquis. Mal desce do carro e seu cabelo já começa a voar em uma dança maluca e frenética. Está no promontório de Mendocino, o ponto mais afastado do continente, onde a Heeser Drive acompanha o contorno da rocha e tudo que se vê, de um lado, é água e, do outro, uma extensão de grama terrosa implorando por chuva seguida pelo conjunto de casinhas vitorianas. Ela gosta de ir até lá acompanhar os humores do oceano. Parece que o Pacífico está levemente ansioso hoje.

"O que você tá fazendo aqui?"

Arthur se vira, pego de surpresa. Trata-se do dia seguinte à confusão com Danny e à aparição do beagle de Marina Nunes no meio do mato. Trata-se também do dia seguinte ao dia em que decidiu não ligar para Tamara.

"Oi, Tamara."

Um lugar pequeno onde as pessoas se esbarram sem querer.

"Então você voltou", ele diz.

"Aham."

"Bom saber."

Ela sorri enquanto tenta segurar o cabelo esvoaçante. Está absolutamente linda.

"Você tava lendo o quê?"

Ele olha para baixo e, opa, parece que tem mesmo um livro na mão. É uma capa ruim. A história de um sujeito com glaucoma severo que só não ficou cego por causa da maconha. Tamara vê a imagem da folha dentada.

"Vai virar um especialista desse jeito", ela diz.

"Sou só um cara curioso. Sabia que a rainha Vitória tratava suas cólicas menstruais com maconha?"

"Mentira! Isso tá escrito aí?"

"E em outros lugares."

"Ela parecia uma pessoa séria, sisuda. Virgem, sabe. Você acha que ela ficava chapada? Será que ela sentia uma vontade incontrolável de rir?"

Ele ri.

"Ah, qual é, você é o historiador, devia saber disso."

"Rainha Vitória não é exatamente minha especialidade."

"Sei."

"Quer sentar um pouco? Enfim, você tá com pressa?"

"Não mesmo. Eu acabei de sair do café e tava pensando em ser uma dessas pessoas solitárias que ficam dentro do carro olhando o pôr do sol. Sendo que nenhum sol vai se pôr hoje, com todas essas nuvens."

Eles se sentam no chão, na beira das falésias.

"Eu te salvei dessa então."

"Dá pra dizer que sim."

"Como foi no Arizona?"

Ainda não estava preparada para essa pergunta, mas, agora que ele a havia feito, Tamara não via razão para ser menos do que sincera.

"Foi tudo bem. No sentido de... acho que de deixar essa parte da minha vida para trás. Lembra quando a gente se conheceu e você sugeriu que eu tinha entrado num ônibus toda poderosa e cheia de coragem?"

"Lembro, sim."

"Talvez eu ainda estivesse assustada. No ônibus. E depois. Um ano depois e ainda bem assustada. Mas eu precisava sair de lá."

"E como você acha que tá agora?"

"Agora parece tudo certo. E com você?"

"Comigo também."

Ele fica falante de repente. Conta a ela sobre Noah, Libby e Ernesto. Sobre Ernesto ensinando ritmos cubanos na clave, sobre a paranoia de Noah e sua naturalidade com os patins, sobre a rispidez de Libby — quase a rainha Vitória dos hippies, se você quer saber —, mas também sobre sua admirável convicção em plantar a partir das sementes. Um gesto anticapitalista. Se bem que depois ele estava trazendo para ela milhares de dólares no porta-malas do carro de Sylvia, o que podia ser chamado, sim, de algo contraditório. Conta isso também. Já mencionara outras vezes a Tamara que estava trabalhando em uma plantação, mas nunca havia enchido a história com tantos detalhes, e agora ainda acrescentava a experiência de mula da véspera, o que parecia ser o ponto alto da sua narrativa.

E daí ela ficou impressionada mesmo, ainda que Petaluma não fosse muito longe de onde eles estavam. Certamente teria sido um tanto mais arriscado cruzar alguma fronteira estadual. De qualquer modo, ele era tão diferente de Will e de Sarah, lidando com um traficante em um quarto de motel ao som de *Sticky Fingers* dos Rolling Stones. Tamara gostava disso, quer dizer, não somente do que Arthur era — tão exótico, tão espirituoso, tão sempre-uma-surpresa-na-manga —, mas o que aquilo queria dizer sobre ela mesma: por sorte, e indo na direção oposta de quase toda a população do planeta, Tamara não repetia padrões de relacionamento. Estava engajada, isso sim, em evitá-los. O jogo era sempre novo com ela. Tabuleiro, armadilhas, recompensas. Antes das relações longas da sua vida, verdade que tinha se envolvido com muitos caras diferentes, mas todas as partidas eram desesperadas e reguladas pelo tempo de uma ampulheta. Quando a areia terminava de cair, ela estava emocionalmente moída. Depois veio Esteban: Banco Imobiliário, o jogo que nunca termina. Will, por sua vez, foi aquela caixa com dezenas de jogos diferentes, em que um único tabuleiro é capaz de se transformar em um monte de coisas. Você leva para as férias e joga nos dias chuvosos, daí descobre, se divertindo adoidado, que talvez aquilo seja muito melhor do que sair da cabana. E Sarah havia sido o quê? A pequena trapaça? A regra adicionada no manual com caneta vermelha? Um jogo totalmente customizado?

Chega uma hora em que você quer mudar. Acontecia sempre com ela.

"Eu vi o cachorro da Marina Nunes ontem", diz Arthur, do nada, em um tom um pouco solene.

"O cachorro de quem?"

"Marina Nunes. A garota brasileira que desapareceu."

Tamara leu as notícias. Uma menina tão nova.

"Ela morava em Albion, né? Você o pegou?"

"Não. Eu até tentei chegar perto, mas ele saiu correndo e desapareceu pros lados da propriedade do Hans. Eu acho. Deve tá assustado."

"Talvez o Hans cuide dele."

"Talvez."

Ela se levanta de repente. Tenta tirar a terra das calças.

"Você quer ir num lugar comigo hoje? Eu só preciso passar em casa, mas a gente pode se encontrar em, sei lá, umas duas horas?"

"Claro. Que lugar você tá pensando?"

"Sweetwater, conhece? Se você ainda não foi, você precisa muito ir lá, muito mesmo. É um clássico de Mendocino."

Uma torre de madeira, que provavelmente abrigava uma caixa-d'água no século XIX. Agora é um hotel e spa. Atravessam um pequeno pórtico e seguem as lampadinhas amarelas suspensas. São oito horas da noite. Tamara o puxa pela mão. Está explicando que há um grande ofurô coletivo e pequenos ofurôs privados, animada e parecendo perfeitamente a par da tabela de preço e das políticas do spa — roupas são opcionais na banheira coletiva, há um vestiário, uma sineta toca para avisar que o tempo acabou —, enquanto Arthur se pergunta se o conceito subjacente às tais banheiras privadas é o mesmo dos quartos de motel brasileiros, apenas com um pouquinho mais de hipocrisia. O pensamento não leva a nada, no entanto; por algum motivo, Tamara parece mais disposta a relaxar no ofurô comunitário, talvez porque este custe apenas vinte dólares por duas horas e ela não pode ganhar muita coisa trabalhando no Headlands Coffeehouse, uma vida de contenção — ele imagina — desde que saiu de Bisbee, onde, apesar do arranjo ousado com a outra garota, Tamara era, ainda assim, a mulher do dono do restaurante.

Devem caber umas oito pessoas ali, mas, naquele momento, eles são apenas quatro. Há um vitral bonito sobre a cabeça deles. O casal de turistas usa roupas de banho, mas ele e Tamara — os locais — estão nus. Infelizmente, mal viu os peitos dela quando Tamara tirou o roupão, nada da bunda e apenas uma sombra do monte de vênus com uma camada fina de pelos pubianos. Agora ela está enfiada na água quente até os ombros, de frente para Arthur, com o cabelo preso do jeito que ele gosta. Ele se encostou na borda. Para evitar que seu pau fique duro, espera que Tamara não chegue muito perto. O casal de turistas conversa em voz baixa sobre as atrações que ainda precisam ver, a queda-d'água no Russian Gulch State Park e as árvores do Montgomery Woods.

Está louco para ficar sozinho com Tamara, mas a saída dos turistas, uns trinta minutos depois, é apenas um alívio temporário; um cara grande, nu e com uma bandana na cabeça logo aparece na porta e pula na sopa primordial emitindo perturbadores ruídos de prazer. Seu nome é Quentin. Ele faz questão de se apresentar. Quentin exala maconha por todos os poros.

"De onde vocês são?"

"Arizona."

"Brasil."

"Ah! Eu faço aula de capoeira", diz Quentin, como se tivesse acabado de escutar a coisa mais legal do mundo. "Você conhece o Fernando?"

"Fernando? Acho que não", responde Arthur.

"Ele mora aqui, é meu professor, do Brasil também. Baita parceiro. O que você tá fazendo em Mendocino, Arthur?"

"Eu tô fazendo o que todo mundo tá fazendo."

Quentin dá uma gargalhada.

"Eu vim de Pittsburgh onze anos atrás. Tinha uma vidinha que era um cocô, um cocô congelado. Sou tão feliz aqui, pessoal, vocês nem imaginam. E pelo menos três vezes por semana vocês podem me encontrar nessa banheira."

Ele se move como se fosse o dono do lugar. Dá para perceber isso. Para de falar um pouco e começa a alternar umas posições estranhas, como se tivesse um rígido ritual a cumprir. Em determinado momento, dá as costas a Arthur e Tamara e empina a grande bunda branca, que então fica parcialmente visível, distorcida apenas pelas pequenas ondas que o motor do ofurô está produzindo, mas acontece que o cara é tão seguro de si que é possível até ver alguma beleza na exposição daquele corpo pesado, gordo e nada atraente. Uma maciça manifestação da natureza. Arthur mal acredita que acabou de pensar uma coisa daquelas.

"Você parece um cara legal. Cara, como eu adoro os brasileiros", Quentin diz, se virando novamente. A água fica agitada. "Você também", completa, olhando fixo para Tamara.

Arthur gostaria que as curvas do início de seus peitos estivessem submersas.

"Brigada", ela responde.

"Como tá a agenda do casal?"

Arthur sorri.

"Você tá nos oferecendo trabalho?"

"Sim. A gente ainda tem pelo menos uma semana de colheita. Eu pago duzentos por pound."

Tamara e Arthur se olham.

"Tá ótimo pra mim."

"Sim, eu tô dentro", acrescenta Arthur. "Você acha que teria lugar pra mais uma pessoa?"

"Claro. Brasileira?"

"Não."

"Tudo bem, pode levar."

Uma hora depois, Arthur fica feliz de estar novamente na casa de Pitelkow, deitado no sofá, a camiseta levantada até o peito, uma perna apoiada no chão e a outra no estofado, com aquelas botas sujas que ele ainda não tirou. Tamara entra no seu campo de visão, se balançando devagar com a música. Ela pisca para ele.

"Você fica muito bem desse ângulo aqui", Tamara diz.

Acendeu unzinho. Senta no sofá e expele a fumaça perto da sua boca. Coloca o baseado de volta no cinzeiro e abre as calças dele, devagar como mel. As botas são arremessadas para algum lugar. Acha que está em transe. Nunca se sentiu assim com outras mulheres. Cada lambida é a versão molhada da felicidade. Ela levanta de novo e tira a calcinha quase sem mover as pernas, um paninho preto que daí cai sobre as tábuas. Não tira o vestido. Apenas faz um leve ajuste no momento de montar em cima dele, deixando a parte superior das coxas como sugestão. Começa a se mover em um ritmo perfeito. O tempo certo dela é o tempo certo dele. Tem a impressão de que os gemidos se entrelaçam e sobem e explodem no teto. O baseado, nenhum deles sabe como nem quando, faz um pequeno buraco na almofada peruana de Jimmy Pitelkow.

"Oi, pai."

"Arthur? Só um minutinho, espera um pouco." Ele ouve o pai falar com alguém, talvez Neidi, a empregada. Se senta em uma cadeira de plástico no jardim de Sylvia. "Alô?"

"Oi, tô aqui."

"Cortaram tua internet, filho?"

"Não, não cortaram, pai."

"Achei que tinham. Faz quanto tempo que tu não liga, um mês?"

"Por aí. Talvez mais."

O sol está pegando nas pernas de Arthur. Ele passa entre os dedos um pedaço de grama seca.

"Podia ao menos atualizar teu Facebook pra gente saber o que tá acontecendo aí na Califórnia."

"Tu tem Facebook agora? Ah, para!"

"Aham, tu não sabia? Depois olha a última foto que eu coloquei, com aquela muda de rosa-do-deserto, lembra dela? Floresceu e tudo. Pra uma planta comprada no supermercado, até que não tá mal, hein?"

"Vou olhar."

Embora seu pai goste de jardinagem há décadas, é difícil atualmente não pensar nele lidando com os pés de maconha escondidos nos fundos da casa da Vila Conceição, como se essa lembrança tivesse se colado por cima de todas as outras lembranças vegetais dos Lopes. Saem de cena o abacateiro, a amoreira, a pitangueira, os coloridos crótons, as extremosas, as azaleias, as caliandras, as costelas-de-adão e comigo-ninguém-pode para a entrada de uma cannabis híbrida importada da Holanda e com o nome peculiar de Sour Tsunami. Ele aceitou ajudar o filho, que, por sua vez, queria ajudar a mãe. Dr. Fernando Lopes, oftalmologista. Médico do corpo clínico do Hospital Moinhos de Vento (foi afastado depois). Consultório particular em um casarão da rua Pedro de Oliveira Bitencourt, na Zona Sul de Porto Alegre. Não era qualquer ignorante preconceituoso. Tinha lido múltiplos estudos sobre maconha e o controle da pressão intraocular, mas continuou receitando Cosopt ou Alphagan para seus pacientes com glaucoma. Pensa no pai olhando para os tricomas com uma lupa e dizendo: "É bonita essa plantinha, ahn?". Pensa no pai algemado.

"Tu tá na frente do computador agora?", Arthur pergunta.

"Não, mas posso tá."

Ouve os pés de seu pai se arrastando pela escada e a respiração ficando um pouco ofegante.

"Tem sol aí hoje?"

"Por que as pessoas ficam obcecadas por meteorologia quando elas pegam o telefone?" Fernando enche o pulmão de ar com um suspiro musical, sem querer. "Sim, tem sol, sabiá, essa merda toda."

"Aqui é outono."

"Eu sei que é. Tem folha caindo aí?", pergunta, meio rindo da própria piada. "Tô na frente do computador. E agora?"

Vai ter que dizer. Passou meses evitando ligações para não ter que dizer, mas agora não pode mais segurar uma mentira daquele tamanho sem sentir que seu heroísmo anterior — as plantas para a mãe doente — se apagariam de alguma maneira irreversível.

"Eu não tô em Berkeley, pai."

"Tu não tá em Berkeley agora?"

"Agora, nunca. Eu nunca estive em Berkeley."

"Que tu tá tentando me falar?"

"Eu não faço doutorado. Não vim aqui pra fazer isso."

O silêncio é o mesmo de quando sua mãe voltou para casa com a primeira ecografia transvaginal. Deixou a folha do laudo cair no carpete e esperou que um dos dois dissesse alguma coisa.

"Onde tu tá, Arthur?"

"Digita aí 'Mendocino County'. M-E-N-D-O-C-I-N-O. County, condado."

Arthur espera.

"Tô vendo um monte de foto de calendário aqui, sabe foto de calendário? Floresta, mar. Estradinha. Bonito, hein? Achei que tu não gostava muito de praia."

"Vai baixando aí. Não tem nada de estranho?"

"Pera. São pés de maconha? Um cara com uma tarja nos olhos."

"Exato."

"Qual é o teu problema, vou ter que ficar passando imagenzinha porque tu não consegue contar de um jeito normal o que tu quer me contar, Arthur? Não te ensinei a falar assim, não mesmo."

"Na verdade, tu me ensinou a não falar."

Deve ter sentido o golpe, mas não responde nada. O silêncio, no entanto, não dura muito tempo.

"Tô entrando aqui na matéria", ele diz. "Emerald Triangle?

A polícia achou um jardim. É jardim mesmo que se fala? Um jardim com mais ou menos duzentos pés de marijuana em uma propriedade perto de Latonville. E uma pessoa morta."

"Laytonville."

"O cara foi preso, Seth Benson, em *Laytonville*. Tinha cem mil em dinheiro e duas pistolas."

"Se fodeu, Benson."

"Tu conhece esse cara?"

"Quê? Claro que não, pai. Olha, não foi isso que eu quis dizer quando eu falei pra tu procurar as imagens. Eu não tenho nada a ver com esse Benson ou com qualquer outro bandido. Só queria que tu entendesse o lugar onde eu tô morando."

"Tu trabalha num desses jardins?"

"Não. Quer dizer, mais ou menos. Mais ou menos, pai. Pensa no Paraguai e agora esquece tudo que veio na tua cabeça. É completamente diferente aqui."

"Claro, diz isso pro Benson e pra pessoa que ele matou."

Arthur se levanta da cadeira e começa a andar pelo pátio. Vê Sylvia na janela, lavando a louça, e acena constrangido.

"Só tem um monte de hippie inofensivo aqui. Deixa eu te contar."

Ele conta sobre o lugar e sobre as pessoas que conheceu desde que chegou. Sente-se empolgado ao compactar sua nova vida em três minutos. Fica uma coisa poderosa e atraente. O pai vai parecendo mais relaxado.

"Você tá namorando a tal Tamara então? Essa é a dos estudos pós-feministas que tu mencionou num e-mail?"

"O nome dela era a única verdade naquele e-mail. Ela é garçonete."

"Ah. Garçonete. Sabe quem teve aqui em casa esses dias? A Elisa, tua aluna."

Arthur não fazia a menor ideia disso.

"O que ela foi fazer aí?"

"Ela disse que queria pegar de volta uma coisa que ela tinha te emprestado. A guria é bem simpática. Meio louquinha, mas simpática."

"O que ela pegou, pai?"

"Ficou um tempo procurando, coitada. Uma gaita de boca. Por que ela teria te emprestado uma gaita de boca, hein?"

"Essa gaita era minha."

"Ela deve gostar bastante de ti então."

"Ela tem dezoito anos."

Dezessete naquela última vez na sinuca. Elisa com o celular na mão lendo a notícia "*Médico e professor são detidos por cultivo de maconha*". Na manhã seguinte, ele andaria por aqueles pavilhões do colégio-com-uma-proposta-pedagógica-diferenciada tentando chegar vivo até a sala da diretora, só para ter que escutar ela dizer que ele tinha criado uma situação embaraçosa para aquela instituição. Passara a noite sem dormir, ela disse, mostrando seus olhos cansados — pareciam bem normais para ele — porque havia recebido inúmeras ligações dos membros do conselho de pais durante todo o dia. Pela janela, às costas da diretora, dava para ver três crianças subindo e descendo uma labiríntica estrutura de plástico rosa. Ajudava no aprendizado. Estava nos vídeos, nos folhetos. Olhou para a diretora. Tinha os cabelos loiros terminando em uma linha reta antes dos ombros, que eram largos, teutônicos. Sua expressão transmitia uma mistura de decepção violenta com desconforto institucional. Ele teve que sair dali, passando, naquela última caminhada até o estacionamento, diante da horta comunitária — que ironia! — e do minizoo com os cágados enfiados em um laguinho turvo decepcionante. No portão, foi encarado pelo vigia e o encarou de volta. Elisa não estava perto da paineira. Dezessete anos. Tecnicamente, ela havia deixado de ser sua aluna no momento em que a notícia sobre a apreensão foi publicada, isto é, às sete horas e vinte e três minutos da noite anterior. Ela tinha, além disso, insinuado que a quebra da relação professor-aluno podia levá-los a algum lugar que não fosse aquela sinuca horrível pelo menos em uma noite de suas vidas, umazinha só, e então coçou de leve a cicatriz em formação no antebraço, o que deveria ter servido como um sinal vermelho para ele. Na verdade, tudo deveria; os dezessete anos, o fato de que ela lia o *DSM* por diversão, seu pai algemado, os coturnos dos brigadianos, a morte de sua mãe, a demissão iminente. Mas ele tinha mesmo assim, ou por causa disso, dirigido com ela até um motel vagabundo da Zona Norte. Tinha colocado Elisa de quatro na cama sem lençol e tinha ficado obcecado pelo espelho. Não olhava para ela, mas para a bela imagem que eles formavam no espelho.

"E o que tu vai fazer com tua carreira acadêmica?" A indignação do pai parece ter aflorado de novo. "Se tu tivesse antecedentes criminais e quisesse fazer um concurso público—"

"Eu sei."

"Por isso eu disse 'não, eu tava fazendo isso aqui sozinho, eu plantei pra minha mulher doente'. Mesmo que o Sérgio não tenha gostado muito dessa ideia."

"Tu é o cliente."

"Acontece que eu também tenho uma profissão, Arthur. Perdi dezenas, centenas de pacientes no consultório. Meus colegas me deram as costas."

"O que tu quer que eu te diga? Que tu não merecia nada disso? Tu sabe que não merecia. E tu tava preocupado com o meu futuro, o que é normal, eu acho."

"Falando em futuro e normal, qual era o problema de fazer o tal doutorado? Tu gosta de ler, gosta de estudar, teus alunos sempre te adoraram. Tu ia ter um leque de opções depois."

"Por que tu acha que as opções têm que ficar pra depois?

As opções são também agora, exatamente agora. Eu encontrei alguma coisa aqui, pai. Uma não, várias. Natureza, história, desobediência civil. Amor."

O pai dá uma gargalhada.

"Arthur, tu tá soando totalmente cafona. O que fizeram contigo, meu filho?"

"Sei lá o que fizeram. Eu não vou ser preso, não te preocupa."

"Bom, eu também não."

"Como tá correndo o processo aí?"

"Ah, tu sabe como é. Lembra aquela vez que eu entrei nas pequenas causas pra ganhar uma geladeira porque não queriam trocar a nossa, que tava na garantia? Um ano depois, me deram uma geladeira. Imagina isso aí então. Tá numa gaveta de juiz mofando. Mas o que mais me incomoda não é o dinheiro, nem a incomodação, nem o tempo. O que mais me incomoda é que a gente perdeu tua mãe de qualquer jeito."

Arthur a enxerga na cama do hospital. As várias camas, as várias janelas que dão para uma ala em obras e cujos tapumes são adesivados com uma falsa cobertura de vegetação. Terceiro, quarto, segundo, quinto andar. Ficam mudando ela de quarto porque todo mundo sabe que Lúcia Kazinsky Lopes, a paciente com câncer uterino terminal que solicitou que todos os crucifixos de todos os quartos pelos quais passou fossem removidos, nunca vai sair viva dali.

"Pai, uns baseados não iam salvar ela."

"É, não iam."

"A gente só queria que ela tivesse um fim de vida melhor. Sem náusea, com vontade de comer."

"E de rir."

"E de rir. Isso."

"Se tu soubesse como a tua mãe ria quando a gente começou a namorar."

Está congelando a bunda debaixo do pórtico metálico de Willits, *Gateway to the Redwoods* sobre um fundo vermelho. Fecha o casaco até o pescoço, se sentindo como uma toupeira, e olha para Arthur e Sylvia, que estão parados, só esperando a van. Pensa em contar quando ele olha para ela de volta e sorri, a barba cheia como um algodão-doce e o cabelo crescido emoldurando um rosto que transparece bondade, mas não quer criar caso justamente agora; isso seria conceder um ponto a mais na vitória já bastante indecente de Jimmy Pitelkow. Encara aquele sorriso, portanto, e tenta segurar as lágrimas.

Conheceu Pitelkow alguns meses depois de sair com Will pela primeira vez. O homenzinho está sempre ocupado, Will dizia a ela, um pouco decepcionado e mal disfarçando a expectativa que depositava naquele encontro, como se seu melhor amigo fosse não apenas o cara agradável e brincalhão que ele conhecia desde os tempos do colégio, mas uma versão vibrante, complexa e modernizada do Grande Gatsby em pessoa. Além disso, como era costume entre os homens, Will devia estar procurando um pouco de camaradagem e aprovação masculina. Tudo bem, Tamara não se importava; ao contrário, gostava da ideia de agradar — ela tinha certeza de que ia —, de maneira que ficou esperando com expectativa que o tal Jimmy encontrasse uma brecha em sua misteriosa agenda. Quando finalmente saíram para jantar os três, em uma fim de tarde que cheirava a chuva e a mudanças bruscas de temperatura, Tamara teve a sensação de que estava diante de uma stand-up comedy ruim, mas com o cara sentado a sua frente cortando um bife, o que a obrigava a participar daquilo muito mais do que ela gostaria. Foi tão simpática quanto pôde, porque o amor nos dá esse tipo de resistência, e teve certeza de que, mais tarde, aquilo ia ser catalogado por ambos os homens como *uma noite maravilhosa*. Nunca desconfiariam. Era igualmente verdade, no entanto, que ver Will olhar para Jimmy com tanta admiração lhe causava um certo desapontamento. Jimmy Pitelkow não podia ser considerado um gênio coisa nenhuma (Will chegara a usar essa palavra algumas vezes antes do jantar). Bons modos não pareciam um de seus pontos fortes (dava para ver pelo modo como segurava a faca). E o mais importante de tudo: o tipo de piada que fazia não devia ter mudado nadica em quinze anos (se era engraçado para um adolescente, alguma coisa estava bem errada).

Naquela noite, foram andando até o 517 do Tombstone Canyon, a casinha que Tamara estava alugando desde que voltara de Phoenix. A chuva acabou vindo somente lá pelas duas da manhã. Pitelkow elogiou sua varanda, um pequeno quadrado onde mal cabia uma cadeira Adirondack, e ela ficou pensando se ele estava sendo sincero ou se só precisava inventar algo para dizer a ela. Afastou-se enquanto Will e Tamara se beijavam, fingindo um interesse especial em uma bandeira tremulante do outro lado da rua. Todos se despediram e Tamara ficou olhando os dois indo embora: em vinte metros uma risada ecoou e, em trinta metros, houve um empurrãozinho amigo que ela achou, no mínimo, singelo.

Começou a ver Will todos os dias. Jimmy aparecia pelo menos uma vez por semana agora que estava passando um tempo em Douglas na casa dos pais, guardando um dinheiro e trabalhando remotamente em projetos de aplicativos de celular sobre os quais ele nunca falava muita coisa, mas que um dia deu a entender que tinham relação com higiene bucal (um deles) e dieta páleo (o outro). Tamara estava, a essa altura, trabalhando no San Ramón até umas três da tarde, e Will ajudava na contabilidade do hotel da família até às cinco, mas Jimmy jamais podia ser visto em Bisbee durante o dia e sem o seu melhor amigo. Ele era bastante cuidadoso com isso, evitando encontrar Tamara sozinha no San Ramón, no Bisbee Coffee Company e acima de tudo no St. Elmo, como se apenas conversar com a namorada de Will fosse um ato inequivocadamente desleal.

Os meses, e depois os anos, não mudaram muito essa configuração. Jimmy ficou mais tempo do que queria em Douglas, nunca admitindo que havia uma conexão direta entre isso e a palavra "fracasso", e o aplicativo dentário e o da dieta pararam de ser mencionados. Tamara se mudou para a casa de Will. Comemoraram um ano juntos, depois dois, depois três, e estavam nos três e oito meses — ela era boa com datas — quando Sarah entrou pela primeira vez no San Ramón. Três semanas daquilo haviam se passado. Ela tinha apenas uma paixão — agora era assim que ela chamava — e algumas ideias na cabeça. Jimmy Pitelkow não sabia sobre Sarah, nem poderia. Uma conversa íntima, além de parecer algo estranho, era, fisicamente, uma impossibilidade entre os dois. Então Tamara tinha que chamar de ironia o que aconteceu depois disso: o dia em que Will foi para Tucson a negócios e ela ficou trabalhando até tarde, cobrindo o turno de uma nova garçonete que tinha se sentido mal, e sem saber de nada disso Pitelkow entrou no restaurante e olhou para ela como se o mundo tivesse acordado de cabeça para baixo. Escolheu uma mesa, pediu sua comida e afundou os olhos em um livro sobre trabalhar apenas duas horas por dia.

Mas aí todos os outros clientes começaram a ir embora, de maneira que pelas nove da noite ela se sentou para beber tequila com Jimmy, sentindo que fervilhava nela a eloquência clássica do apaixonado, o que era uma coisa que não entraria na conversa de jeito nenhum, nem a menina, nem as dúvidas em relação a sua sexualidade, nem as primeiras tentativas de falar com Will a respeito de Sarah. Acontece que Tamara não conseguiu se segurar completamente porque assim era a vida de quem estava mergulhado no encantamento. Em um momento íntimo da conversa — ela mal acreditava que aquilo estava acontecendo —, e que tinha começado com Jimmy falando sobre aquele livro de autoajuda empresarial, continuado em projetos que não viram a luz do dia e evoluído para um atual desespero em relação a sua carreira, houve um diálogo mais ou menos assim:

"Você já ouviu falar em poliamor?", Tamara perguntou.

"Quê?"

"Sabe o que eu acho? Você devia dar uma olhada nesses aplicativos de relacionamentos. Procurar algum nicho ainda não explorado. Poliamor pode ser uma ideia."

"Não conseguir ter uma relação estável com uma única pessoa se chama 'poliamor' agora?"

"Abra a sua cabeça, Jimmy. Você quer sair de Douglas. É bom que Douglas saia de você também."

Ela nunca ia esquecer que sua ideia tinha enriquecido Jimmy Pitelkow em menos de um ano, o havia levado para Palo Alto, Nova York, Paris, Berlim, para dentro de selfies com as mais variadas configurações poliamorosas que não viam problema em expor seus arranjos nas redes sociais, que tinha dado dinheiro suficiente para que Jimmy "investisse em imóveis" no norte da Califórnia, incluindo um vinhedo no condado de Sonoma e aquela propriedade perto de Willits onde Tamara passou a morar porque afinal de contas o bem-sucedido Jimmy Pitelkow, se movimentando pelo mundo com seus chinelos de dedo e as atualizações constantes da Dow Jones, tinha uma dívida moral gigante com ela. Mesmo que ela e Will não estivessem mais juntos. Isso não fazia a menor diferença. Uma dívida moral das grandes, puta merda. Ou os valores dele passavam por uma transformação quando ele estava tratando com uma mulher?

Provavelmente. Porque só isso justificava o fato de que ele tinha mandado na noite anterior um e-mail de oito linhas, o qual Tamara leu sem respirar, voltando repetidas vezes à frase "Tenho outros planos para essa casa". Um e-mail seco e sucinto para expulsá-la de lá em nome de quê? De uma camaradagem masculina inquebrável? Não podia ser coincidência que isso tivesse acontecido poucos dias depois de ela voltar de Bisbee. De ela ter brigado com Will no restaurante. De ela ter levado Sarah para longe dele, o que não era exatamente um plano, mas que pode ter ficado muito parecido com um.

"Tá tudo bem com você?"

Arthur está na frente dela, como que examinando o seu rosto, mas não há muita coisa para ver ali. Ela ainda não chorou.

"Tudo, tudo bem."

"Eles tão atrasados."

"Parece que sim", responde, aérea.

"Tem certeza de que é aqui mesmo?", grita Sylvia, a alguns metros de distância deles.

Arthur tira o celular do bolso. Nenhuma mensagem.

"Sim, é aqui", grita de volta.

Alguns minutos depois, a van chega. Dá sinal e encosta no meio-fio. Veem a cara do motorista quando ele se vira para cumprimentá-los, um rosto redondo queimado do sol, mas depois ele é só uma nuca que os leva pela Highway 101, direção norte, sua janela meio aberta deixando o vento gelado da manhã correr, e finalmente então pelas pequenas e simpáticas estradas vicinais que Sylvia nunca chegou a explorar.

Há mais duas pessoas na van. Um garoto e uma garota que Sylvia poderia ter visto em um semáforo de Los Angeles, jogando bolas para cima. São todos muito parecidos. Ninguém conversa ali dentro porque não parece apropriado, e ela está deliberadamente evitando cruzar os olhos com Arthur, Tamara e sobretudo com as outras pessoas, com medo de que elas perguntem seu nome e que ela fique gaguejando alguma coisa besta enquanto escolhe entre a verdade e a mentira. Inventar um pseudônimo seria ridículo ou apenas uma precaução necessária? Agora é tarde para perguntar isso a Arthur. Fica olhando pela janela.

Ela se lembra de uma viagem com os filhos. Foram até o norte de Mendocino um pouco depois do seu divórcio, uma terra mais dura, sombreada e povoada por esparsos *rednecks*, e chegaram até o condado de Humboldt para ver a Avenue of the Giants porque eles queriam deslizar pelo incrível túnel de sequoias vermelhas, as árvores mais altas do mundo. Quando olhavam para cima, perdiam completamente a noção de perspectiva. Os meninos gostaram da lenda do Pé Grande e de todas as lojas escuras que vendiam ursos e índios esculpidos com motosserra. Eles pararam em Confusion Hill para explorar a casa sem gravidade, mas naquele momento Timothy estava mal-humorado e com fome, de modo que passaram meio batido pelo totem gigantesco da entrada, que tinha aparecido no *Acredite Se Quiser* uns mil anos antes. Ainda dentro da loja de souvenirs, ele começou a espirrar enquanto Sylvia comprava os ingressos de um sujeito tosco que parecia estar pondo a culpa nela, tanto pela rinite de Timothy quanto pelos dedos de Danny não conseguirem ficar longe das canecas e dos caminhõezinhos de madeira. Era um troço bobo. Pendurada sobre o caixa, havia uma placa em que se lia "As sete teorias favoritas sobre Confusion Hill", e então vinha a lista: um meteorito, um vórtex onde o tempo andava devagar, um computador alienígena enterrado, uma porta multidimensional e outras bobagens do tipo. Ela não achava que aquilo fosse empolgar seus filhos, mas andou com eles pela floresta até a tal casa sem gravidade, sentindo que a companhia dos meninos às vezes a deixava mais desamparada. Timothy continuou espirrando. Ela teve que catar um lenço usado no bolso da calça.

Não havia ninguém diante da casa torta e tampouco dentro dela. Timothy deu uma volta desinteressada. Danny pediu que ela tirasse uma foto e ficou parado com um sorriso mole, o corpo desenhando uma linha diagonal em relação ao cenário. Confusion Hill. Ela não ia esquecer daquilo e de como a educação dos seus filhos parecera, naqueles meses posteriores ao divórcio, uma tarefa grande demais para ser cumprida sem traumas. Saíram de lá e foram comer. Ela comprou um monte de doces para os três — uma tática abominável, mas eficaz — e o dia ficou muito mais tolerável, com direito a umas canções cantadas pela metade.

Então antes do pôr do sol eles estavam diante da Chandelier Drive-Thru Tree, olhando para a sequoia, três pares de olhos impressionados com o fato de ela existir há mais de dois mil anos, e aquela melancolia que normalmente acompanha as armadilhas para turistas tinha se dissipado e sido substituída por um reconfortante sentimento de comunhão; com os garotos, com a árvore, com o buraco. Sylvia pisou muito de leve no acelerador e os meninos ficaram gritando até passarem por dentro da sequoia, quando o tempo, aí sim, lhe pareceu mais vagaroso e cheio.

"Oi, meu nome é Nathan."

O malabarista de semáforo está sorrindo para ela. Ela toma um susto e sente vergonha.

"Hope", a garota diz.
"Sylvia."
"Prazer, Sylvia."
"Será que a gente tá quase chegando?", ela pergunta.
A nuca lá na frente se vira.
"Só mais uns cinco minutinhos, pessoal."

Estacionam em paralelo à cerca, onde há também outros carros. Esticam as pernas na estrada sem pavimentação, Sylvia perto dos novos amigos, Tamara um pouco mais atrás. É possível escutar um barulho vago de máquina ecoando pelas montanhas. A sonoplastia para aí.

A propriedade de Quentin parece grande por fora. Sobre o portão de madeira, há uma câmera, um tubo branco apontando a estrada e que lembra um secador de cabelo de design ultrapassado. Arthur olha ostensivamente para aquele objeto. Alguém poderia, se quisesse, provar que ele esteve lá.

"Eu que pus isso daí", diz o motorista. "Depois que uns moleques entraram pra roubar uns camarões. Fizeram uma porra de uma bagunça".

Arthur não sabe se deve comprar essa história. Fica imaginando de onde teriam saído os tais moleques. O conceito de vizinhança não parece exatamente se aplicar àquele lugar isolado. Mas aí Sylvia toca no seu braço e ele para de pensar nisso. Todo mundo quer ser prestativo e está agarrando uma ou duas sacolas de supermercado para levar lá para dentro. Faz parte. São uma equipe agora.

Ouve os latidos assim que o homem que os levou até ali se aproxima do portão. "Quietinhos, quietinhos", ele repete enquanto mexe na fechadura sem muita destreza, como se nunca tivesse aberto aquele troço antes. Depois de algumas tentativas, finalmente dá certo. Os três cães de guarda, que, no aspecto visual, não diferem em nada dos cães farejadores da polícia, ficam bamboleando ao redor do grupo e metendo o focinho onde não foram chamados. Arthur deve ter sido a única criança da Zona Sul sem um cachorro. Todo mundo acha aquilo bonitinho, enquanto ele olha para o trio canino metade intrigado, metade desconfortável. Quando o reconhecimento olfativo acaba e os animais desaparecem, Arthur e os outros podem enfim erguer a cabeça e olhar ao redor.

"Uau, isso é grande mesmo", murmura Tamara, virando-se para a direita e depois para a esquerda. Ela descortina, nesse giro, uma tenda branca do tipo que serviria para um casamento, um barracão, uma cabana de dois andares, uma construção com ares primitivos e também branca, uma passarela de cimento que leva a algum lugar e, finalmente, aquele espaço aberto onde estavam os pés de maconha antes da colheita, correndo barranco abaixo, tudo rodeado pela textura crespa dos pinheiros em montanhas longínquas.

Arthur nem consegue responder.

Ficar parado ali é constrangedor, de maneira que seguem o motorista na passarela sombreada pela vegetação, indo parar em seguida em uma espécie de cozinha aberta dos lados e com uma cobertura de lona. Há uma mesa comprida e cadeiras de vários tipos. Algumas pessoas estão por ali, conversando ou mexendo em seus celulares, em um clima relaxado de colônia de férias. Parece que a coisa mais ilícita que poderiam fazer seria fumar cigarros mentolados sem que o supervisor soubesse. Segue uma rodada de apresentações inúteis. Arthur nunca vai decorar os nomes. Dois dos caras vieram do Minnesota. Uma garota que mal fala inglês é do Japão. Como todas as orientais, ela sorri bastante. Está preparando um chá, aponta para o chá, ri. Ele tenta ser simpático e devolver as risadinhas, mas logo está distraído, olhando para o resto do ambiente. Como alguém que quer contar vantagem depois, Arthur vive o momento já pensando em relatá-lo. Fabrício é o interlocutor óbvio. Portanto tira fotos mentais de um fogão de acampamento com três bocas ligado a um botijão de gás, e também das estantes de metal com comida enlatada, pacotes de café, canecas, vidros de grãos. O que precisa ser mantido no gelo está estocado em grandes isopores no meio da peça, três para comida e dois para cerveja. Entende então que não há energia elétrica, mas que Quentin tem um roteador wi-fi. Entende que o barulho contínuo que está escutando desde que chegou vem de um gerador.

O único nome que vai decorar é o de uma mulher chamada Hanah, porque se trata de um palíndromo e porque, além de podar as plantas, como as outras dezoito pessoas que se ocupam exclusivamente disso durante dez horas diárias, Hanah também está trabalhando como cozinheira. São servidas duas refeições coletivas por dia (no café da manhã, cada um deve se virar como pode). O cardápio é vegetariano, orgânico, com opção sem glúten. Hanah nunca fez isso antes, nem trabalhar com maconha, tampouco cozinhar para tantas pessoas, mas dá a entender que conhece Quentin há bastante tempo, e isso parece suficiente para justificar sua presença ali. Tem o cabelo ondulado preso em um rabo de cavalo. Há uma breve identificação entre ela e Sylvia, as duas mulheres mais velhas no meio de uma criançada que ainda está na fase de testes da existência, parte da qual instalou barracas em um ponto mais afastado da propriedade. Quentin só vai chegar no início da tarde. Vai dar umas ordens para o seu pessoal de confiança, entrando e saindo da sala de secagem, depois ficará tocando guitarra na cozinha com um pequeno amplificador à pilha enquanto murmura para si mesmo as letras das canções.

Agora cada um recebeu um contêiner cheio de galhos e foi mandado para baixo da grande tenda branca. Sentam em uma mesa de armar, Tamara ao lado de Arthur, Sylvia na frente dos dois. Algumas pessoas trabalham com fones de ouvido. Quase não há conversas. Todo mundo está concentrado em fazer dinheiro. Quanto mais camarões podarem, mais dólares vão ter ganhado no final do dia.

"Tem certeza que você tá bem?", Arthur pergunta a Tamara.

"Não. Suas mãos também tão totalmente grudentas?"

"Você pode limpar depois, tudo bem. Foi pra isso que eu trouxe manteiga de amendoim."

"Você trouxe o quê?"

"Manteiga de amendoim. Funciona mesmo, eu juro, o Noah me ensinou. Que aconteceu?"

Ela mergulha a tesoura em um copo cheio de álcool, aí pega outra que já estava lá. Continua cortando em movimentos curtos e rápidos.

"Pitelkow quer a casa de volta."

"Puta merda, sério?"

"Ele tem *outros planos* pra ela."

Será que falou alto demais? Quando fica irritada, é isso que inevitavelmente acontece. Duas meninas começam a olhar feio para eles, como se tivessem arruinado camarões valiosos aos picotes só porque a colega ali do lado se exaltou um pouco. Arthur, que ia começar a dizer alguma coisa, desiste. Sylvia sorri. Claramente não entendeu nada do que está acontecendo.

"Você devia falar com Dusk", ele diz depois de um tempo, quase sussurrando.

"Por que mesmo eu falaria com Dusk?"

"Ele é seu pai."

Tamara dá uma risada debochada.

"Você acha que ele tem alguma obrigação de me salvar?"

De novo as garotas estão olhando.

"Talvez?"

Ele sente um calor percorrer seu rosto e torce para que esse calor não tenha cor nenhuma.

"Vai ver eu tô pensando com uma cabeça brasileira", acrescenta.

"E eu adoro sua cabeça brasileira, Arthur. Mas a gente tá mais ou menos por nossa conta aqui."

Na hora do almoço, as pessoas fazem alongamentos bizarros antes de comer suas *tortillas* de milho e seu arroz cremoso com vegetais. Ele mesmo abre e fecha os dedos repetidas vezes. Não está mais pensando no problema de Tamara, mas cogitou mais cedo que, na pior das hipóteses, ela poderia ir morar com ele na casa de Sylvia, se Sylvia estivesse de acordo com isso. Na verdade, Arthur ia gostar. Se tivessem dinheiro, poderiam alugar uma cabana só para os dois.

"Agora ouçam isso, isso foi em junho, na apresentação da candidatura, vocês devem lembrar." Um dos garotos do Minnesota está com um celular na mão, sentado em cima da mesa e recebendo a atenção de duas meninas e um menino. "*Quando o México manda gente para os EUA, eles não estão mandando os melhores… eles estão mandando pessoas que têm muitos problemas e estão trazendo esses problemas para nós. Eles estão trazendo drogas, estão trazendo crime, estão trazendo estupradores, e, alguns, presumo, são boas pessoas.*"

"Alguns são boas pessoas!", comenta uma garota indignada. "Esse cara é um imbecil."

"*Eu construiria um enorme muro*", o garoto continua lendo

o discurso. "*E ninguém constrói muros melhor do que eu, acreditem.*" Nesse ponto da leitura, todos os quatro caem na gargalhada. "*E eu o construiria a um baixo custo. Eu construiria um grande muro na fronteira ao sul e faria o México pagar por ele.*"

"Trump não vai passar das primárias", diz uma pessoa que não estava no grupo, usando um tipo de tom conciliador, mas arrogante.

Quentin passa carregando um prato que contém a versão basmati de uma montanha. Senta-se ao lado de Arthur.

"Cara, como eu fico animado nesta época do ano!"

Faz sentido. Disse aquele dia no spa, estendendo o corpo gordo pela água quente, o pau desaparecido nas dobras da barriga, que vai pagar quase cem mil dólares pelo trabalho dos *trimmers*. Arthur pode imaginar então quanto ele está lucrando anualmente com todas aquelas plantas que enchem três salas de secagem.

"Posso perguntar uma coisa?", Arthur diz.

"Manda."

"Você não tem medo do xerife Keene?"

"Por que eu teria medo? É só um custo que eu tenho, infelizmente."

"O que você quer dizer?"

"Uma coisa que eu preciso colocar no orçamento."

"Ele cobra de você?"

"Como você achava que era, Arthur, o ingênuo? O cara não é bobo. Os republicanos o colocaram lá, mas ele precisa dos cultivadores."

"Estou assumindo que todos os cultivadores são democratas."

"Pode assumir. Como você diz em português, *saia justo*?"

"*Saia justa*?"

"Uma situação extremamente delicada? Isso aí. O condado precisa do nosso dinheiro em todos os sentidos. Não há ideologia que resista."

"Nem a sua."

"O que você sabe sobre a minha ideologia?" Quentin ri, nada ofendido. "Eu só quero tocar minha guitarra, fazer minhas coisinhas, criar meus filhos em paz. Como todo mundo, acho eu."

Arthur volta para a tenda antes da maioria do pessoal. Vê as duas garotas que mais cedo se incomodaram com as conversinhas. Passam um baseado uma para a outra. Ainda não estão podando.

"Eu trabalhei com ela numa outra propriedade."

"Tão triste."

"Na real, a gente não tá exatamente segura nesses lugares."

"E é um pouco pior se você é estrangeira."

"Desculpa me meter", Arthur as interrompe, "mas vocês tão falando de quem?"

"Da garota brasileira assassinada. Você não é do Brasil também?"

"Ela tá morta?"

"Foi encontrada ontem em Humboldt."

Marina Nunes

Nasceu em 5 de maio de 1994, no Rio de Janeiro, o pai psicanalista lacaniano, a mãe professora de literatura. Teve um quarto verde em um apartamento na rua Vinicius de Moraes, em Ipanema, até os dez anos de idade — papel de parede com passarinhos em voo que se repetiam em grupos de seis. O irmão Lorenzo e ela ajudaram o faz-tudo, o filho do porteiro do edifício, a aplicar água morna com uma esponja e depois a raspar os lugares mais difíceis usando uma espátula de metal. A pequena Marina não se importava com aquele tipo de barulho, mas a mãe tinha problemas com ruídos estridentes, pássaros que cantam muito cedo e música em geral. Havia um adesivo em que se lia "Propriedade de Jesus" na caixa de ferramentas de Wanderson, o faz-tudo. Para um homem que não era apegado a coisas materiais, era impressionante como Jesus tinha propriedades no Rio de Janeiro.

Quando criança, Marina, camisetinha por cima do biquíni, balde com pás e uma pistola d'água, gostava de ir à praia. Nem sempre os pais podiam ir com ela, então ia a Celeste de uniforme branco e se sentava em uma cadeira dobrável, na posição mais ereta e vigilante. Marininha queria fazer pessoas de areia, não castelos, mas Celeste dizia que pessoas eram muito moles, e daí a garota chorava e pedia um saco de biscoito Globo. Celeste fazia cafuné no cabelo dela. Quando aparecia um ambulante carregando os biscoitos nas costas, ela tirava a nota de cinco reais do bolso, que o patrão sempre deixava no aparador da sala antes de ir para o consultório. Se o ambulante fosse bonito, a compra demorava mais, e podia acontecer de Celeste baixar um nivelzinho da cadeira, parecendo então um pouco mais relaxada, quase que ali só para tomar sol. Uma vez, Celeste aceitou um cigarro. Marina não era muito de ouvir conselhos. Insistia nas pessoas de areia. A cabeça se pulverizava na primeira tentativa de moldá-la. Choro de novo. Cafuné de Celeste. Biscoito Globo. Celeste começando um castelo em forma de balde.

No fim de semana, não ia na praia. Os pais tinham medo de arrastão. Jogava video game com Lorenzo. Almoçavam em restaurantes que ofereciam espaço *kids*. A mãe cortava o filé em pedaços pequenos e estendia o garfo enquanto Marina emergia de uma piscina de bolas. Era fácil para todo mundo. Cresceu um pouquinho, ficou ainda melhor. Tão logo pôde acompanhar legendas, assistia com o pai a filmes europeus nos sábados à noite. Logo dava para dizer com orgulho: "Marina gostou de *Ladrões de bicicletas*". "Marina adora Caetano." "Marina sabe usar hashis e devora duas porções daquela saladinha de pepino." Aos dez anos, decorou o famoso poema de Décio Pignatari: *beba coca cola/ babe cola/ beba coca/ babe cola caco/ caco/ cola/ cloaca*. Recitou o poema na festa de Natal. Os amigos dos seus pais, que eram todos muito inteligentes e estavam um pouco bêbados, a aplaudiram e gargalharam — o mais legal deles usava um gorro de Papai Noel.

Isso tudo foi fácil. Era só andar com os vidros do carro fechados. Era só evitar a rua quando o clima ficasse tenso em Cantagalo-Pavão-Pavãozinho. Era só evitar os túneis de madrugada. Difícil mesmo foi quando Marina começou a ler Caio Fernando Abreu e Ana Cristina César. Tinha catorze anos, e o Rio era quente demais para o tipo de pessoa que ela queria ser. Usar casacos. Tomar chá. No mesmo ano transformador de 2008, Celeste anunciou sua saída do apartamento da rua Vinicius de Moraes, a filha estava quase parindo, ela ajudaria a cuidar do neto, que não ia ter pai, lá em Duque de Caxias. Fizeram uma festinha de despedida. Celeste assou o bolo. Bolo de fubá, o favorito de Marina. Como passava da hora, pegou o ônibus para a Baixada Fluminense cheia de presentes, um brinco, um lenço bonito, uma luminária — que a patroa não queria mais — e três pacotes de fralda Pampers tamanho P. Trancada no quarto, Marina Nunes chorou a noite inteira.

Foi uma adolescência sem praia, nos bares de Botafogo, vomitando nas esquinas, em uma casa espaçosa da Gávea fumando maconha, nos corredores do Rio Sul encontrando meninos que tinha conhecido na internet, no quarto das amigas assistindo a *Os homens que não amavam as mulheres*.

Terminou o ensino médio e, no mesmo ano, passou para psicologia na PUC-Rio. Nas férias de verão, foi fazer um curso de inglês de três meses em Riverside, Califórnia. Tinha só dezoito anos, não era maior de idade para eles. Apaixonou-se duas vezes, quebrou a cara duas vezes. Às vezes sonhava que seus pais e Lorenzo eram mantidos reféns no apartamento da Vinicius de Moraes por um grupo armado. Um dos caras segurava o punhal do seu avô, que tinha morrido de velho sentado em uma cadeira de balanço em uma fazenda do Mato Grosso. Ela mal havia conhecido esse avô.

Quando voltou para o Rio, já não se sentia mais em casa. Queria ir de novo para a Califórnia. Continuou o curso de psicologia, teve o primeiro namorado, fez um estágio no setor de recursos humanos do Hospital da Lagoa, admitiu para os amigos que Maria Bethânia era bom, passou feriados em Trindade no inverno e em Petrópolis no verão, tatuou um triângulo isósceles no pulso. O namorado a trocou por outra. Achou que não ia mais parar de doer.

Em 2015, trancou a faculdade e partiu de novo para a Califórnia, matriculada em um cursinho de inglês vagabundo porque era a opção mais barata e porque, com isso, ganharia um visto de estudante. Estava então em San José, só esperando alguma outra coisa acontecer na sua vida. Em uma madrugada tediosa — já de manhã no Rio de Janeiro, uma informação geográfica da qual ela ainda não conseguia se desligar —, conheceu um cara em um aplicativo de relacionamentos. Ele estava ficando na casa de um amigo, a dois quarteirões dali. Foram se encontrar no Starbucks, entre os loucos que ocupavam o café àquela hora e suas mochilas contendo tudo o que tinham, mas nas quais pelo menos não se via nenhum adesivo ou *button* do tipo "Propriedade de Jesus".

Zack era legal. Zack era bem bonito. Zack podia transar loucamente e depois dormir como um anjo mesmo depois de ter tomado dois Americanos tamanho grande (*o médio não vale nem um pouco a pena*). No dia seguinte, Marina achou que ele estava bancando o interessante quando disse que trabalhava com maconha no norte do estado. Ela não acompanhava muito o noticiário, tampouco era uma especialista em Califórnia, então Zack ficou explicando, com mais café e os ovos que ela tinha preparado (Redwood Curtain, *já ouviu falar? Tipo cortina de ferro? A parte mais isolada da Califórnia, onde tem as sequoias e tal. Acontece que o lugar tá cheio de gente meio escondida no mato cultivando maconha. Eu comecei indo na época da colheita porque um parceiro meu disse que eu podia tentar ir com ele e ver se me contratavam, e rolou, aí eu fui três anos seguidos nessa mesma propriedade, um troço bem fino,* top *mesmo. No último dia, me disseram: "Quer vir mais cedo no ano que vem, julho tá bom pra você?". Então eu fui lá trabalhar na plantação com os caras*).

E Zack convidou Marina para ir junto naquele ano. Viveram com outras pessoas primeiro. Uma garota que fazia bijuteria lhe fez um discurso urgente sobre karma. Ela ficou impressionada. Marina estava apaixonada pelo seu garoto californiano e, embora Zack não pusesse as coisas exatamente com essas mesmas palavras, foi dele a ideia de que fossem morar juntos, apenas os dois, em uma cabana que um conhecido tinha posto para alugar em Albion. Não havia aquecimento, mas tudo bem para ela, ainda ia levar muitos meses para que aquilo se tornasse uma preocupação. Adotaram um beagle. Marina Nunes viu isso como um sinal de que eram felizes, só que, três meses depois, o cara que parecia o amor da sua vida estava na frente dela chorando e tentando afastar Fuzzy com o pé enquanto explicava que, sem querer, tinha se apaixonado por outra pessoa. Sempre era sem querer, e no entanto isso não fazia com que ela se sentisse menos rejeitada e com menos vontade de sair correndo dali. Os dias que passou sozinha na cabana foram os piores de sua vida, e até a violência e o caos do Rio de Janeiro lhe pareceram subitamente mais aconchegantes do que a quietude opressiva daquele lugar.

Não foi embora. Inicialmente, porque não tinha forças. A questão era que também precisava de forças para ficar. Não teria comida se não cozinhasse, roupa limpa se não a lavasse e assim por diante, ações que antes pareciam tão banais, e que no entanto agora ela percebia que formavam o núcleo duro da existência humana, pegar um objeto do chão e guardá-lo, dar água para uma planta, lavar um copo sujo, apagar a luz. Foi se arranjando como pôde. Ficou.

Com a perda de Zack, havia perdido também o emprego na plantação, porque deus o livre topar com ele e com a nova garota, casualmente a irmã do cultivador. Então saiu por aí pedindo trabalho, juntando-se a toda uma leva de gente que ia aos bares locais e tentava se enturmar, ou que ficava parada no acostamento das estradas secundárias segurando cartazes feitos à mão. Em uma dessas ocasiões, conheceu dois caras legais. Eles tinham atravessado o país em um carro todo barulhento e finalmente estavam ali na Costa Oeste, prontos para as tesouras, a resina, o dinheiro. Havia um monte de livros de bolso em mau estado no banco de trás do carro quando ela entrou nele pela primeira vez, o que tornou os rapazes muito mais interessantes. Eram todos na verdade de Stuart Marashian, o mais baixo deles, que ia ser encontrado depois com sintomas de hipotermia dentro de uma barraca em um lugar remoto do estado de Washington. Julian Kommer, tentando fugir a pé, seria capturado quarenta minutos mais tarde, com uma fratura exposta bem feia na tíbia esquerda.

Marina conseguiu um trabalho de uma semana enquanto Julian e Stuart não tiveram a mesma sorte. Era mais fácil para garotas. Na noite do dia 28 de setembro, beberam, fumaram e fizeram um *threesome* com a cabeceira da cama batendo o tempo todo contra a parede. Julian era mais gostoso, puxava ferro, tinha uma barriga perfeita, mas Stuart se preocupava com o prazer dela, então ela preferiu Stuart, ainda que sem dizer nada. Não contou do *threesome* para as amigas do Rio de Janeiro, as quais nem haviam sido informadas ainda sobre seu término com Zack. Achava difícil lidar com comentários naquele momento.

No dia seguinte, dirigiram até o Rollerville Café. Marina pagou a conta com uma nota de cem dólares. Eram mais ou menos duas da tarde. As pessoas de Mendocino andavam um pouco apreensivas por causa do xerife, Julian disse a ela quando pararam perto das árvores com o fungo alaranjado e começaram a caminhar na direção do mar. Um monte de apreensões havia ocorrido nos últimos anos. Em Humboldt, a história era outra. Liberdade total para os cultivadores.

As ondas estavam pura espuma quando os garotos contaram que tinham conseguido o contato de um cara em Petrolia. Ela tinha que ir junto, disseram, e foram tão enfáticos e empolgados com a ideia que Marina Nunes sentiu uma espécie de corrente elétrica do amor percorrer seu corpo. Era maravilhoso. No entanto, para ela mesma pareceu difícil depois entender por que tinha deixado Fuzzy, o beagle, para trás. Em sua defesa estava a intenção clara de dar um telefonema para a vizinha assim que estivessem na metade do caminho. Fuzzy adorava a vizinha e o cão dela. Além do mais, o contato de Petrolia certamente não estava esperando que os três chegassem acompanhados de um cachorro.

Dirigiram quase cinco horas para o norte cercados por uma paisagem estonteante. Nunca havia sinal nos malditos celulares. Durante o trajeto, Stuart tentou lhe explicar alguns fundamentos filosóficos de *Zen e a arte da manutenção de motocicletas*, mas os três acabaram gargalhando até que os músculos do rosto doessem e então Marina jogou o livro no porta-malas antes de as risadas cessarem. Em um lugarzinho em Leggett, perto da Chandelier Drive-Thru Tree, pararam para comer e foram vistos por um caminhoneiro. Ele se lembrou do grupo porque a garota era bonita e tinha sotaque, disse aos agentes do FBI em depoimento no dia 12 de outubro, depois de ver o cartaz que estava grampeado em uma árvore.

Petrolia tinha menos de quinhentos habitantes. Conforme combinado, encontraram Saul Radcliff exatamente às oito horas da noite no estacionamento do Yellow Rose, o único bar da cidade. Ele era capitão voluntário no Corpo de Bombeiros, 43 anos, casado, protestante, pai de dois meninos pequenos. Havia sido pego dirigindo alcoolizado em três ocasiões. Na última vez, em novembro de 2014, o carro batera em uma árvore e sua esposa sofrera ferimentos leves. Nenhum dos dois estava usando cinto de segurança.

No dia 29 de setembro de 2015, sozinho em casa, bebendo umas cervejas e escutando a rádio local em alto volume, Saul Radcliff havia acessado o Craigslist e clicado em um anúncio cujo título era *Trimmers — dois caras e uma linda garota brasileira*. A foto mostrava uma morena seminua deitada na cama. Saul fez contato imediatamente ("*As mulheres acreditam que estão sendo contratadas para trabalhar com poda, e então são drogadas e estupradas", disse Maryann Hayes Mariani, coordenadora do North Coast Rape Crisis Team. "Todo mundo olha para essa região como se fosse a Terra de Oz. Estou cansada de fingir que não está acontecendo aqui." A quantidade de gente que some é impressionante. Em 2015, trezentas e cinquenta e duas pessoas foram dadas como desaparecidas em Humboldt, um número per capita maior do que o de qualquer outro condado da Califórnia*).

Marina nunca teria pensado que Julian Kommer ia usar sua imagem para conseguir um emprego, e era verdade que não se sentira exatamente confortável quando ele a fotografou e disse que queria guardar uma lembrança daquela noite, mas não falou nada. Aquilo também lhe agradava de certa maneira. Ela estava longe de casa e ninguém sabia quem ela era, não precisava mais bancar a menina recatada, podia ser quem quisesse, como quisesse, quantas quisesse. De maneira que seguir os faróis da camionete de Saul Radcliff sem saber para onde estavam indo não era nada de assustador. Ainda não imaginava que *ela* tinha sido oferecida como isca — Stuart fora contra o anúncio desde o princípio, ia dizer depois, chorando e enrolado em um cobertor na delegacia de Yakima, Washington. Marina não podia nem cogitar que o cultivador já estava enxergando outra coisa quando a viu diante do neon brilhante do Yellow Rose, o todo só ficando realmente claro nos minutos finais de sua vida, à uma da manhã do dia 30 de setembro de 2015, dentro de um trailer e com os dedos de Radcliff apertando seu pescoço. Nada de filminho com os melhores momentos de seus vinte e um anos. Apenas o súbito entendimento de que ia morrer sem que ninguém soubesse onde ela estava.

"Ela estava gostando no início", Saul Radcliff ia dizer. "Ela já tinha transado com os outros dois", Radcliff acrescentaria no depoimento de três horas, antes de saírem para desenterrar a ossada da menina na sua propriedade. "Ninguém sabia que ele era um assassino estuprador", Julian Kommer ia dizer. "É claro que eu estou arrependido. A gente tentou fazer ele parar, mas ele estava armado, foi um pesadelo", declarou Stuart Marashian ao repórter do *Los Angeles Times*.

Veio o cônsul brasileiro de San Francisco. Os restos mortais de Marina Nunes foram enviados para o Rio de Janeiro em uma caixa de madeira forrada de zinco.

INVERNO

A primeira chuva começou a cair enquanto Arthur e Tamara colocavam as coisas dela nos carros. No início, eram umas gotinhas de nada, que pareciam flutuar por um tempo considerável antes de terminarem espalhadas no chão, distantes umas das outras. Faltava um mês e meio para a chegada oficial do inverno, e no entanto o fim da colheita e o começo do período de chuvas marcavam uma mudança muito mais significativa do que a mudança proposta pelo calendário. Já era, na prática, inverno. Entravam e saíam da casa de Jimmy Pitelkow carregando caixas com objetos enrolados em plástico bolha, e então se punham a organizá-las sobre o banco de trás do Beetle ou dentro do imenso porta-malas do Grand Marquis, silenciosos como operários tentando fazer o serviço rápido. A chuva apertou quando faltava bem pouca coisa. Eles ajustaram o capuz do casaco. Tamara tinha posto os quadros de Jimmy no lugar, e a única coisa que não ia entrar no carro de jeito nenhum era a tela que ela havia comprado por impulso em uma galeria de arte de Fort Bragg. Então a deixou encostada na sala, com a piscina e as três meninas viradas para a parede. Ia cuidar disso depois. Trancou a porta e deu partida no carro. Dava para dizer que estava mais furiosa do que feliz, mas isso ia passar assim que ela não precisasse mais pensar em Jimmy Pitelkow e na sua traição covarde. Sobre o balcão da cozinha, tinha deixado um grande *fuck you* escrito com grãos de lentilha. Não foi a coisa mais madura que fez na vida.

Arthur ligou o carro logo depois. Os vidros estavam embaçados. Abriu um pouco a janela e fez um gesto que queria dizer para Tamara ir na frente. Seu braço esquerdo ficou encharcado, subiu o vidro de novo. Foi andando bem devagar pela propriedade enquanto tentava acionar o limpador de para-brisa pela primeira vez desde que tinha comprado aquele carro, isto é, cerca de três meses antes, de pé em uma rua perto demais do Skid Row, estendendo um maço de dinheiro para um gordinho ansioso acompanhado da namorada. A cena parecia tão distante agora. Chegaram no asfalto, cinza-escuro por causa da chuva. O Beetle de Tamara acelerou. De ambos os lados da estrada, as árvores da State Jackson Forest davam a impressão de estar sendo vistas através de um pano com um grau muito pequeno de transparência. E Dusk tinha *morado* ali, Arthur pensou, no início dos anos 70, antes de tudo aquilo se tornar uma área de conservação. Parecia solitário e amedrontador. Talvez porque ele estivesse pensando não em Dusk, mas em Marina Nunes.

No dia em que soube que tinham encontrado o corpo da garota no condado de Humboldt, foi rapidamente procurar as notícias relacionadas ao caso. Saul Radcliff, um cultivador local, havia confessado o crime, mas a polícia ainda estava atrás de duas pessoas cuja participação no estupro, assassinato e ocultação do cadáver da brasileira ainda não parecia muito clara. Naquele mesmo fim de tarde, enquanto se preparava para ir embora da propriedade de Quentin — voltaria mais quatro vezes até o final da semana —, Arthur descobriu que os agentes do FBI haviam localizado os outros dois homens, Marashian e Kommer. Eles eram *trimmigants* provenientes da Carolina do Norte. Arthur conseguiu assistir a uns vídeos sobre o crime, com Tamara e Sylvia ao lado, chocadas, tentando olhar para a tela do celular. Kommer parecia tão escroto quanto Radcliff. Nos meses seguintes, o advogado do garoto ia tentar jogar toda a responsabilidade nas costas do cultivador, como já estava claramente fazendo em suas entrevistas para a mídia. Mas, se era verdade que ele não premeditara a morte de Marina — algo em que Arthur acreditava sem maiores problemas —, Julian Kommer havia anunciado a garota no Craigslist. Seminua. Em segredo. Aceitando riscos. Que tipo de pessoa correta e angelical Kommer esperava atrair com um anúncio daqueles?

Enquanto aquele cara exalava indiferença e prepotência, Stuart Marashian era o estúpido manipulável. Se a vida dele não fosse arruinada pelo sistema prisional, que fosse então pela culpa corrosiva. Havia deixado o amigo escrever o anúncio e feito coro naquela conversinha mole de que os dois tinham arrumado um contato em Petrolia. O mínimo que poderia ter acontecido, naquelas circunstâncias, era Marina ser forçada a podar plantas sem blusa ou a fazer um boquete em Radcliff no final da jornada de trabalho, coisas que não eram exatamente incomuns em lugares tão remotos e sem qualquer controle ou fiscalização.

Nos dias que se seguiram, a imprensa começou a largar histórias de agressões sexuais que teriam sido praticadas por Radcliff em 2011 e 2014, sem que no entanto as vítimas tivessem, na época, relatado o ocorrido às autoridades locais. Fazia sentido. Saul era uma figura conhecida na pequena comunidade; voluntário do Corpo de Bombeiros, pai, esposo, cristão, trabalhador e participante entusiasta do Rye and Tide, um evento anual que envolvia corrida e ciclismo, cujo percurso de onze quilômetros começava no centro de Petrolia e terminava na beira do oceano.

Na noite do dia 30 de setembro, ao encontrar o trio recém--chegado de Mendocino, Saul havia sido visto por pelo menos três pessoas que estavam dentro do Yellow Rose bebendo cerveja. Nenhuma delas, no entanto, entrara em contato com o xerife, embora duas tenham admitido, após a prisão de Radcliff, ter visto os cartazes com a foto de Marina Nunes na semana posterior e ter imediatamente relacionado a menina desaparecida com a pessoa que estava com Radcliff naquela ocasião. "Achei que os outros dois caras tinham feito alguma coisa com ela. Além do mais, essas pessoas vêm e vão", um deles declarou ao jornal local.

As notícias chegaram rápido ao Brasil. Arthur achou que seria apropriado ligar para o pai.

"A carioca assassinada? Eu já vi, apareceu até no *Jornal Nacional*. Isso é perto de onde tu tá?"

"Mais ou menos. Aqui é mais gentrificado."

"Gentrificado, sei. Tu pode ser mais específico?"

"Tipo hotéis caros e festival do vinho e do caranguejo? Eu li um colunista local dizendo que os moradores de rua de Ukiah, a maior cidade aqui do condado, são *parisienses* perto do pessoal que anda pelo sul de Humboldt."

"Tu não tá muito preocupado então."

"Não, eu não tô nada preocupado comigo, pai. Só fico muito triste pela guria."

"E a tua guria, tá segura aí?"

"Tamara? Ela não é tão guria assim. Sim, ela tá segura."

"Quantos anos ela tem mesmo?"

"Quarenta e dois."

"Bom, aqui até tua mãe chamava as amigas de 'as gurias'."

"Verdade."

"Tu tem que me apresentar essa Tamara. Tu acha que vocês vão se casar?"

Arthur ri.

"Ah, meu deus, pai."

"Ué, eu tô falando algum absurdo?"

"Não, é que… sim, talvez a gente case. Pra eu poder ficar aqui e tal. Não vai ser algo muito romântico. Eles vão nos colocar em salas separadas e perguntar sobre sinais de nascença e sobre o que a gente fez no último domingo. Pra ter certeza do nosso amor."

O pai ri.

"Do amor eu não sei, mas pelo menos pra ter certeza que vocês estudaram direitinho um ao outro, isso sim. Por favor, me liga antes de casar."

A chuva diminuiu consideravelmente. Estão chegando em Point Arena. Do lado direito de Arthur, há um centro de ioga e, uns cem metros adiante, antes das próximas montanhas costeiras, o pequeno aglomerado de prédios faz com que ele se lembre da noite do karaokê. Mas então o Beetle azul de Tamara vira à esquerda sem dar sinal. Arthur o segue. É uma longa subida reta. A visibilidade está um pouco melhor agora. Depois de uns dez minutos, em uma estrada de terra meio deslizante, Arthur tem a impressão de que estão descendo pelo menos a metade do que acabaram de subir. Cruzam um rio que ainda está seco, diminuem a velocidade e finalmente param após uma complicada curva em U. A casa de Dusk é a versão em madeira de sua personalidade: firme, correta e um pouco sombria.

Tamara desce do carro. Olha para a casa do pai tentando lembrar quantas vezes esteve ali. Não mais que cinco, calcula. Nunca o chamou de pai e tem dúvidas sobre o nome que estava no seu documento antes de ele se rebatizar. Ouve Arthur logo atrás, arrastando os pés no tapete fofo da floresta.

"Legal aqui. Onde fica sua cabana?", ele pergunta. Quando chega perto o suficiente, dá um beijo nela.

"Nossa cabana, baby. Lá atrás, perto da estufa."

Dusk surge na porta. Parece que o homem tem uma séria obsessão por peças de roupa amarelas, e Arthur pensa que gostaria de entrar naquele assunto mais tarde, quando o momento for apropriado. Seria o tipo de tópico estranho para se começar uma conversa. Dusk acena na direção deles. Em seguida, os três se cumprimentam daquele jeito americano, sem muito contato físico, respeitando a bolha invísivel do espaço individual. Contornam a casa, engajados em uma conversa banal sobre a propriedade, a chuva, o caminho até ali, uma tela que ficou na casa de Jimmy Pitelkow e que talvez caiba na picape de Dusk. Começam a ver a estufa e a cabana.

É uma daquelas cabanas triangulares, com metade de uma varanda encaixada à esquerda da porta. Interessado talvez no efeito dramático, Dusk deixou as luzes acesas. Quadrados alaranjados de vários tamanhos estão brilhando no meio da floresta.

Por dentro, ela parece mais ampla e menos opressiva do que o formato faria supor, em parte porque as paredes internas foram pintadas de branco. A porção superior do A é acessível por uma escada estreita. Há um colchão ali em cima, com duas caixas de madeira fazendo as vezes de criado-mudo. Talvez não dê para ficar de pé sem ter que abaixar um pouco a cabeça.

"Você construiu?", Arthur pergunta.

"Claro."

"Muito bom. É aconchegante."

Ele se pergunta o que veio primeiro, a casa maior ou a cabana. Deve ter sido a cabana. Ela ficou ali, e não necessariamente esperando que alguém viesse ocupá-la. Há um monte de livros no andar de baixo. Filósofos e poetas.

"Quer ver a estufa?", Dusk pergunta a Arthur.

Saem dali, no dia úmido. Dusk abre a porta translúcida e deixa que eles caminhem no meio dos canteiros.

"As plantas não tão muito bonitas nessa época", diz. "Vocês podem imaginar."

Nada está passando dos joelhos. Algumas parecem estar sobrevivendo com muito esforço, sacrificando a metade das folhas e dos caules, que provavelmente se esfarelariam ao menor toque.

"O que é isso aqui?", Arthur pergunta, se aproximando de um troço folhudo preso a estacas e com uma aparência bem saudável.

"*Tomatillos*. Em todo esse lado aí são *tomatillos*."

"Sério?" Ele ri. "E onde você planta sua maconha?"

"Você não acreditou em mim daquela vez, né? Faz muitos anos que eu não planto maconha nem pra mim mesmo."

A segunda chuva veio cinco dias depois da primeira, e Zanzibar tinha ficado olhando pela janela da cozinha como se aquilo fosse bem impressionante. Os cervos viriam no fim da tarde para mordiscar as folhas molhadas. Talvez a família de perus selvagens aparecesse também. Estavam atrás das minhocas. O solo se remexia com vida. Já dava para ver uns pontos de grama verde. Nesse dia em que ele pulou sobre a pia e se acomodou perto do vidro, a segunda tarde chuvosa da estação, parecendo um gato que ela podia ter moldado na aula de cerâmica se o professor tivesse tido mais paciência com ela, Sylvia se sentou diante da mesa com sua caneca de chá e ficou olhando para o animalzinho. Gostava de observar o maravilhamento de Zanzibar, que devia ser consequência de uma memória bem curta, uma completa incapacidade de se lembrar do inverno anterior.

Mas do que *ela* se lembrava? De um monte de livros com a identificação da biblioteca empilhados na sala e sendo lidos vagarosamente, vários ao mesmo tempo, as histórias se misturando na sua cabeça de uma maneira embaraçosa, como se ela não pudesse mais acompanhar um simples enredo sem se perder. Se lembrava de duas noites no karaokê de Point Arena, sozinha, nas quais o pessoal tinha abusado das músicas natalinas, e de como ela se sentira quando alguém escolheu "If We Make It Through December". *Se a gente sobreviver a dezembro, tudo vai ficar bem, eu sei.* Será mesmo? Um pouco antes do final do ano, os vizinhos da Middle Ridge Road fizeram uma festa na propriedade de Hans Velachio, o que provavelmente foi o ponto alto do inverno dela. Achou que encontraria algumas daquelas pessoas nas semanas seguintes, ao menos era o que haviam dito antes de ir embora, que combinassem alguma coisa divertida à beira do fogo, mas então veio janeiro, veio fevereiro, veio março e nenhuma coisa de nenhuma espécie foi combinada.

No inverno anterior, também havia matado ao menos a metade dos encontros do grupo Filhos Adultos de Alcoólatras; se passara a tarde chorando mesmo, fazia bem pouco sentido ter que sair de casa e dirigir até uma sala superaquecida do Centro Comunitário de Mendocino a fim de participar de uma catarse coletiva. Tentou alguns cafés da manhã beneficentes na igreja, mas os frequentadores eram muito velhos e as *hash browns* eram congeladas. Danny veio duas vezes. Saíram para fazer trilhas. Ele reclamou do frio. Em fevereiro, ela passou três dias com Timothy e a namorada em Los Angeles, o que foi divertido. Sozinha no norte de novo, Sylvia dirigiu muitas vezes até Gualala e acompanhou as mudanças de cor do oceano.

Esse inverno tinha tudo para ser muito melhor do que o outro. Claro que eles iam continuar se vendo, Arthur havia dito a ela. Eram amigos agora, não eram? Além do mais, ela ia acabar fazendo mais dinheiro se voltasse a alugar pelo Airbnb o quarto que ele tinha ocupado nos últimos meses. Isso era o que Arthur pensava, ou ao menos o que disse querendo tranquilizá-la. Sylvia sabia, no entanto, que pouca gente visitava Mendocino durante o inverno. Era possível que passasse várias semanas sem receber uma única solicitação de reserva, sobretudo se o tempo ficasse assim, meio chuvoso, meio acinzentado. Nessa época, ainda por cima, havia um trecho da Highway 128 que estava sempre na iminência de alagar. Se isso acontecesse, a Caltrans ia ter que fechar parte da estrada, e então seria preciso tomar um desvio não muito bem sinalizado para chegar até as cidades costeiras. Ou, claro, para sair delas. Essa vaga possibilidade, o rio Navarro alagando a estrada, talvez uma árvore caída vindo a bloquear outra, os acessos a Mendocino aos poucos se fechando, lhe dava uma desconfortável sensação de impotência. Uma sensação de apenas-um-pontinho-no-planeta. Como a grama que estava crescendo na sua propriedade. O caso da menina assassinada em Humboldt havia feito com que ela começasse a trancar as portas.

No dia da segunda chuva então, depois de ficar observando Zanzibar estático diante da janela da cozinha, Sylvia subiu para o quarto desocupado com a missão de se reapropriar dele. Ia manter a casa. Não ia vender suas sequoias vermelhas. Tinha feito um dinheirinho a mais podando maconha, quem podia ter imaginado uma coisa dessas algum tempo antes? Tirou os lençóis da cama e realinhou o tapete persa falso. Agora não havia mais plantas nos jardins, mas Quentin tinha dito que ia apresentá-la para algumas pessoas que cultivavam dentro de estufas em Fort Bragg, e isso queria dizer que, nesses lugares, havia trabalho durante o ano inteiro. De três em três meses, uma nova safra. Ela sabia que alguns puristas não gostavam da ideia de cultivar maconha em estufas. Ao mesmo tempo, era esse tipo de planta superprotegida e superalimentada que custava uma nota nos dispensários, o que Arthur acreditava que logo ia começar a mudar, com os consumidores passando a dar muito mais valor à maconha cultivada sob o sol, sem aditivos químicos e por pessoas que estavam fazendo isso havia décadas. De qualquer maneira, as tendências do mercado da maconha eram irrelevantes para Sylvia. A única coisa que a preocupava um pouco, tanto quanto preocupava muitos cultivadores dali, era a iminente legalização da erva para "fins recreativos". O que impediria, vamos dizer, a Marlboro de lançar sua linha de cigarros verdes? E daí logo aquele trabalho ia estar pagando tão pouco quanto qualquer trabalho em uma fazenda. Uvas. Nozes. Laranjas. Uma coisa para imigrantes ilegais.

Mas sim, ela ia manter a casa. Não ia vender suas sequoias vermelhas. Não ia voltar para Los Angeles e não ia se deixar abater pelo inverno. Havia quanto tempo não tinha notícias de Margareth? Havia quanto tempo não pensava no pai com o mínimo de afeto? Olhou para a caixa de madeira em que estavam as cinzas da sua mãe. *Frances Watkins 1927-2009*. No inverno anterior, Danny tinha perguntado se aquilo ia ficar ali para sempre e ela não soube o que dizer. Desceu e discou para o celular do filho.

Danny veio no sábado. O tempo tinha ficado mais firme. Quando ela viu o carro entrando no terreno e parando com uma freada brusca, achou que aquela visita ia ser uma cansativa repetição da última, e dessa vez Sylvia não se sentia nem um pouco a fim de ouvir os conselhos de alguém que, entre outros pontos ocultos do seu currículo, dirigia daquele jeito negligente e desesperado. Mas ele entrou, comeu e estava sendo legal com ela. Não carinhoso. Legal. Levou sua mochila para o segundo andar e disse que ainda não se sentia com vontade de voltar para a casa do velho Antonio — chamou o pai de "velho Antonio" —, de modo que continuava dando um tempo na casa de um amigo em Santa Rosa. Ela não perguntou sobre o amigo, nem se Danny estava procurando emprego. Em outros tempos, perguntaria.

"Sabe que eu nunca mais vi a Jessica?", ele disse de noite.

"Aquela sua namoradinha?"

"Aquela que você não gostava, é."

"Acho que isso é uma boa notícia, não?"

"Depende pra quem."

Danny estava com o rosto virado para o outro lado, como se falasse com alguém que acabara de entrar na casa. Ficava sempre assim quando o assunto era ele mesmo.

"Ah, querido, eu só acho que aquela garota não te passava nenhuma tranquilidade. Naquela noite horrível em Mulholland Drive, tudo começou por causa dela, não foi?"

"Sim. Quer dizer, como eu vou saber? Eu mal me lembro daquela noite. Ela tava comigo no começo. A gente teve uma briga."

Sylvia tentou encostar na perna dele.

"Acho que tá tudo bem agora, né?", disse.

Mas ele se retraiu completamente. Mudou de posição e apontou o queixo para a escada.

"E o seu inquilino aquele, pra onde foi?"

"O Arthur?", respondeu, como se não soubesse de quem ele estava falando. "Ele tá morando com a namorada mais pro sul do condado."

"Acho que algumas pessoas têm mais sorte do que outras."

Então seu filho mais novo estava amargo. Ia passar.

No domingo, ficou esperando ele descer. Já estava vestida e com o café da manhã bem encaminhado quando Danny apareceu, usando as mesmas roupas da véspera. Comeram sem dizer muita coisa. Depois ela só empilhou a louça suja na pia e subiu para pegar a caixa.

Não sabia muito bem onde pôr aquilo no carro. Sua mãe.

"Eu acho melhor você ficar segurando", disse a Danny.

No caminho todo, ele segura a caixa como se o pó pudesse sair dali e se espalhar pelos tapetes emborrachados de quinze dólares. Não querem que isso aconteça. Estão pensando em um lugar melhor. Sente certa repulsa também, por estar tão próximo a um corpo que passou por algum tipo de forno. Asco e reverência. Chegam na cidade de Mendocino. Já posicionados na beira da falésia, Sylvia fica pensando se aquilo é mesmo legal. Parece uma contravenção, mas é só um pouquinho de cinza, não é? De qualquer maneira, espera que uma família de turistas saia dali primeiro. O vento está favorável e ela tentou ser bem cuidadosa com isso, para não correr o risco de as cinzas serem jogadas de volta para o continente. É ela quem vai abrir a tampa e emborcar a caixa, e talvez se pareça um pouco com pôr sabão em pó em uma lavadora. Danny vai ficar só olhando.

Quando acontece, ela acha mais rápido do que uma cerimônia devia durar. É menos pó do que Sylvia imaginava que a caixa conteria, uma nuvem caindo sobre as rochas lá de baixo e quem sabe uma parte também no oceano. Queria ficar mais tempo ali. Danny está olhando para ela.

"Eu devia te contar umas histórias sobre a sua avó."

"Claro. Você nunca nos disse muita coisa."

"Ela fugiu de casa uma vez, sabia? E me levou junto com a Margareth. A gente dormiu em um motel em Pismo Beach. Ela saiu pra caminhar de madrugada e depois, não sei exatamente como, voltou pro quarto trazendo sais de banho. Daí nos colocou dentro da banheira. Parecia feliz naquele dia. Assustada, mas feliz."

Ele deixa o carro estacionado ao lado da prefeitura, uma estrutura pré-moldada que parece estranhamente baixa perto dos ciprestes-de-monterey. O silêncio é total. Nada de gente. Nada de pássaros. No chão, há marcas de pneus deixadas ao longo da semana, e elas estão secando em padrões geométricos que se entrecruzam. Hoje é domingo, o domingo que veio depois da segunda chuva da estação. O prédio está fechado. Arthur passa diante do subescritório do xerife, na parte dos fundos. Tiraram o cartaz de Marina Nunes, mas um pedaço de fita adesiva ainda está lá, colada no vidro. Olha para o próprio reflexo, a cara misturada à natureza ao redor, como se seus contornos fossem apenas uma moldura. Às vezes vê um pouco da barba crescida, mas o céu está mais visível, os troncos estão mais visíveis. Sai dali e entra na trilha. Carrega uma mochila nas costas e ajusta as alças enquanto caminha.

Está no meio do campo, com as cores que dariam bonitos tons para carpetes. No dia anterior, Dusk o tinha levado a um barracão na sua propriedade e lhe mostrado um velho trator que não parecia em condições de sair do lugar. Ele pensa nisso agora.

"Esse trator aí pertenceu a Jim Jones", disse Dusk no sábado à tarde, sem encostar um único dedo na máquina empoeirada. Tamara estava trabalhando.

"Jim Jones? Jim Jones do suicídio coletivo na Guiana?"

"O próprio."

"Jim Jones morou aqui?"

"Em Ukiah. Teve a primeira igreja dele lá. Aí ele foi para San Francisco. E depois você sabe o que aconteceu."

Jim Jones havia fundado um culto chamado Templo dos Povos. Ele era um desses caras carismáticos do tipo Charles Manson, mas seu saldo de mortes foi centenas de vezes pior. No verão de 1977, ele convenceu seus fiéis a se mudarem com ele para a Guiana. Construíram uma comunidade agrícola no meio da selva, que ficou conhecida como Jonestown. Em novembro de 1978, motivado por inúmeros relatos de violação de direitos humanos, o deputado californiano Leo Ryan viajou a Jonestown para ver o que de fato estava acontecendo lá. A coisa saiu do controle. Leo Ryan foi morto por membros do Templo dos Povos quando embarcava de volta para os Estados Unidos, junto com jornalistas que tinham ido cobrir a visita do democrata. Em seguida, Jim Jones convenceu todos os seus seguidores a tomarem uma bebida com cianeto. Quando o exército guianense chegou a Jonestown na manhã seguinte, encontrou novecentas e nove pessoas mortas, sendo mais de trezentas crianças. Jim Jones também estava morto, mas com um tiro na cabeça.

"Eu não acredito que você comprou um trator do Jim Jones."

"Não dele pessoalmente."

"O.k., que você comprou um trator que *pertenceu* a ele. Por quê?"

Dusk começou a mexer em um armário e encontrou uma lata retangular. Abriu a lata. Havia uma única foto dentro dela. Lá estava a cara ossuda de Jim Jones, o reconhecível cabelo negro e os óculos escuros. Dirigia o trator.

"É uma advertência", Dusk disse, por fim, já guardando a foto.

"Uma advertência?"

"Você tem que manter o mal perto o suficiente para se lembrar de que ele existe. Eu tinha trinta e três anos quando abri a revista *Time* e vi aquela gente deitada uma ao lado da outra. Você já olhou para essas imagens, Arthur?"

"Sim, são horríveis."

"Eu podia estar lá."

"Você não podia."

"Podia, sim. Passei na frente do Templo dos Povos muitas vezes em San Francisco. Quase entrei lá um dia. Eu simpatizava com a ideia, um culto inter-racial e tudo o mais. As pessoas pareciam ter encontrado alguma coisa."

Por coincidência, Arthur conhecia outros fatos curiosos sobre Jim Jones. Em 1962, o pastor natural do estado de Indiana lera uma matéria sobre os lugares mais seguros para se estar em caso de um ataque nuclear. O Brasil, por algum motivo, estava na lista, com a cidade de Belo Horizonte. Jim Jones pensou então em construir o Templo dos Povos lá. No caminho, acabou conhecendo a Guiana, mas morou na capital mineira e depois no Rio de Janeiro por cerca de um ano, voltando para os Estados Unidos em dezembro de 1963. Não se sabia muito sobre o período em que Jim Jones vivera no Brasil, conforme um cara havia dito a Arthur durante um congresso da Associação Nacional de História, depois de lhe contar sobre a matéria da revista *Esquire*. Ele tinha apresentado um artigo sobre isso naquela tarde, e agora estavam no bar bebendo cerveja, em uma mesa grande onde só se conseguia falar com as pessoas imediatamente ao lado. O cara em questão estava do lado direito. Conversaram sobre o governo Dilma e as pautas conservadoras da bancada evangélica no Congresso, beliscando algum petisco com carne-seca, mas o cara voltou a Jim Jones mais tarde, quando já estava bem bêbado. Havia um monte de teorias conspiratórias envolvendo Jones. O reverendo seria supostamente um velho amigo de Dan Mitrione, agente do FBI que ensinou métodos de tortura aos regimes militares da América do Sul, sendo morto no Uruguai em 1970. Durante os anos 60, Mitrione tinha vivido em Belo Horizonte. O que Jones e Mitrione estavam fazendo lá ao mesmo tempo?, o cara bêbado ficou repetindo enquanto a TV do bar rodava um jogo entre Grêmio e Flamengo. Para alguns conspiradores mais entusiasmados — o cara continuou, ele mesmo com bastante entusiasmo —, Jim Jones teria relações muito próximas com o governo norte-americano; diziam que ele havia sido agente da CIA e que estava envolvido com o MKULTRA, o controverso programa de "controle de mentes" que, entre outras coisas, ofereceu bebidas batizadas com LSD a diplomatas e políticos em uma casa de Greenwich Village, em Nova York.

Dusk ainda estava olhando para o trator.

"E então?", Arthur disse.

"E então eu gosto de deixar esse trator aqui dentro."

"Como uma advertência."

"Isso. Você já pensou que talvez ele só quisesse plantar legumes, no início? Em Ukiah."

"Ah, qual é. O cara era um psicopata. E ele já tinha fundado uma igreja aqui, você disse."

"Eu sei, eu sei. Mas e as novecentas e nove pessoas em Jonestown? O.k., tire as crianças da conta, supondo que elas não tivessem muita escolha mesmo. E os seiscentos adultos que podiam decidir sobre suas vidas? O que eles estavam pensando quando foram para lá? Que iam fazer um lugar melhor? Morreram cheios de boas intenções."

Está caminhando há quinze minutos. Passou por uma árvore caída, com pinhas que nascem direto do tronco. Continuou caminhando. Agora já consegue enxergar o Pacífico à sua esquerda, mas deve se aproximar mais da borda se quiser ver o píer de Point Arena lá embaixo. Faz isso, ainda pensando na conversa com Dusk. Os barcos parecem de brinquedo e os surfistas mal podem ser vistos a olho nu. Em algum lugar sob a água, não muito longe da costa, está correndo a falha de San Andreas.

Ainda tem muito chão pela frente, se quiser fazer o percurso todo e sair do outro lado, perto do farol. Então volta a andar. Há duas trilhas agora: a que vai pelo meio do campo seco e a que acompanha a borda das falésias. Escolhe a segunda. Às vezes a linha de terra fica a apenas alguns centímetros do precipício. Há pássaros agora. Corvos e pelo menos um urubu-de-cabeça-vermelha.

Ao longe, vê um grupo de árvores mortas, completamente negras. Está indo nessa direção. Ninguém conseguiu lhe dar uma explicação decente sobre isso até agora, os grupos de árvores mortas que às vezes aparecem perto do mar. Caminha mais uma hora, talvez uma hora e meia. Senta por alguns instantes em uma mesa de piquenique. As rochas vão ficando mais suaves. Parece que ele está mais perto do mar agora, e há um pedaço de terra que se projeta na água, com o fungo laranja em toda a face norte. Em um dia de setembro, Marina Nunes tomou café da manhã ali perto com dois caras que tinha conhecido havia pouco tempo. Os três andaram até a costa depois. Ele acha que Marina estava empolgada, tão empolgada que deixou o beagle para trás, embarcando na sedutora incerteza que aquele conjunto de acontecimentos — dois novos amigos, promessa de emprego, outro lugar — lhe oferecia naquele momento. Talvez tudo tenha ficado estranho em Petrolia, no estacionamento do bar, ao olhar para Saul Radcliff bem nos olhos. Talvez tenha ficado estranho muito depois. Quando ele passou a mão nela no trailer. Quando os outros não fizeram nada para defendê-la. Quando aquele pareceu o lugar mais isolado onde ela já havia estado em toda a sua vida. O último lugar.

O fim da trilha. O mar bate na pedra e fica branco. Se retrai e vai de novo. Em alguns pontos, parece que fez da pedra um tapete pregueado. Não há surfistas próximos. Arthur passa um tempo olhando para a água. Na última cirurgia da mãe, o médico abriu o abdômen dela e o costurou de volta sem fazer nada, mas Lúcia não pediu para ir para casa depois disso, preferindo se agarrar à ideia de que poderia haver uma solução e sendo daí sistematicamente transferida de quarto, as pessoas indo embora ao seu redor, ela não. No dia 22 de maio, fez cinquenta e oito anos no quarto 307. Teria comido uns docinhos se pudesse fumar. Morreu no 411 em uma manhã de chuva.

Arthur acende um baseado pensando nela. O vento dificulta um pouco, mas depois a brasa se mantém. Dá três tragadas, espalhando uma fumaça consistente no ar. Já está um pouquinho alto quando alguém o chama. O jeito americano de pronunciar seu nome. Olha para o lado do farol. Tamara e os ciprestes.

Nota

No dia 8 de novembro de 2016, na mesma eleição que levou Donald Trump à Casa Branca, os californianos aprovaram a Proposition 64, que tornou legal a maconha recreativa no estado da Califórnia, à semelhança do que já havia ocorrido em Washington, Colorado, Oregon e Alasca. No condado de Mendocino, 54,1% dos eleitores votaram a favor da legalização e, no condado de Humboldt, 58,6% fizeram o mesmo. Em Trinity — o menos populoso dos condados que formam o Emerald Triangle —, a diferença foi de apenas um voto a favor do sim.

Mais de um terço dos vegetais consumidos nos Estados Unidos e dois terços das frutas e nozes são plantados na Califórnia. Ainda assim, a valor da safra da maconha ilegal, estimado em 23,3 bilhões de dólares em 2015, ultrapassa em muito o das principais colheitas do estado, como amêndoas (5,33 bilhões de dólares), uvas (4,95 bilhões de dólares) e alface (2,26 bilhões de dólares).

Em 2015, 2,64 milhões de pés de maconha foram apreendidos em terras públicas na Califórnia, o equivalente a um terço de todas as apreensões daquele ano no estado.

Agradecimentos

Sou imensamente grata aos meus primeiros leitores, Diego Grando e Melissa Kühn Fornari, que leram este romance capítulo a capítulo durante mais de um ano e meio. As leituras atentas dos norte-americanos Sophia Beal e Esteban Córdoba foram fundamentais, assim como as de Marcela Dantés, André Araújo e de minha editora, Rita Mattar. Agradeço a Alexandre Thomaz pelas conversas e esclarecimentos.

Nenhuma linha deste livro existiria sem o acolhimento e a generosidade das pessoas que conheci no condado de Mendocino. Obrigada aos amigos maravilhosos que fiz no norte da Califórnia: Sharon Baranofsky, Mitchell Zucker, Elaine Martin, Charlie Robbins, Sono Antonio, Bret Easthouse, Aline Jalfim. Obrigada, Randall Babtkis, Carolyn Cooke, Larry Fuente, Bill Bradd, Toby Lurie e Gordon Black.

Sobre referências e citações

Algumas páginas deste romance trazem versões ficcionalizadas de pessoas reais. É o caso dos capítulos sobre Harry Anslinger — o comissário do serviço de narcóticos norte-americano — e sobre os ativistas Dennis Peron e Robert Randall. A biografia fictícia do tenente John Lowry deve muito a *War in the Woods*, obra que trata da erradicação da maconha em terras públicas, escrita pelo tenente John Nores Jr. e James A. Swan. As circunstâncias do desaparecimento de Marina Nunes foram em parte baseados no sumiço, em 2015, de Asha Kreimer, uma jovem australiana. Kreimer nunca foi encontrada. O caso, no entanto, jamais foi relacionado ao negócio da maconha.

Certos trechos em itálico, nos capítulos com título, foram retirados de outras obras ou documentos e traduzidos por mim e por Melissa Kühn Fornari. Listo aqui as referências. Em "Harry Anslinger": a carta de J. Edgar Hoover sobre a parafernália para fumar ópio é real, e hoje está no National Archives em College Park, em Maryland; a frase "Alunos de cor da Universidade de Minnesota em festinhas [...]" é uma famosa declaração de Anslinger, presente em muitos livros sobre guerra às drogas, tais como *Reefer Madness: A History of Marijuana*, de Larry "Ratso" Sloman; o trecho sobre a menina que fugiu de Muskegon, Michigan, faz parte de um artigo de Harry Anslinger intitulado "Marijuana: Assassin of Youth"; os dois fragmentos seguintes (sobre os testes do governo norte-americano com derivados da maconha e a conversa de Price Daniel com Anslinger no Senado) estão no livro *Smoke Signals*, de Martin A. Lee.

Em "Dennis Peron", os dois primeiros fragmentos em itálico fazem parte da autobiografia do ativista, *Memoirs of Dennis Peron*, escrita em coautoria com John Entwistle Jr.; "Californianos gravemente doentes têm o direito de obter e usar maconha [...]" é um fragmento da lei estadual conhecida como Compassionate Use Act; a carta para o xerife do condado de Lake está transcrita também na autobiografia de Dennis Peron. Por último, a declaração de Dennis a respeito da maconha recreacional faz parte de uma entrevista concedida ao site <merryjane.com>.

Em "Robert Randall", todas as citações pertencem a *Marijuana RX*, escrito pelo próprio Randall e por Alice M. O' Leary.

Em "John Lowry", a descrição do urso morto em uma caçada está no site do Departamento de Pesca e Vida Selvagem da Califórnia, <https://californiaoutdoorsqas.com/tag/san-francisco-bay/>.

Em "Marina Nunes", a citação sobre o número de pessoas desaparecidas no condado de Humboldt faz parte de uma extensa matéria escrita por Shoshana Walter sobre abusos e violência na região do Emerald Triangle. Foi publicada na revista *Cosmopolitan* e no jornal *LA Weekly*.

1ª EDIÇÃO [2017] 3 reimpressões

ESTA OBRA FOI COMPOSTA PELO GRUPO DE CRIAÇÃO EM ELECTRA E IMPRESSA PELA GRÁFICA BARTIRA EM OFSETE SOBRE PAPEL PÓLEN DA SUZANO S.A. PARA A EDITORA SCHWARCZ EM MAIO DE 2024

A marca FSC® é a garantia de que a madeira utilizada na fabricação do papel deste livro provém de florestas que foram gerenciadas de maneira ambientalmente correta, socialmente justa e economicamente viável, além de outras fontes de origem controlada.